Openbare Bibliotheek
Cinétol
Tolstraat160
1074 VM Amsterdam
Tel.: 020 – 662.31.84
Fax: 020 – 672.06.86

Michelle Jackson

Een kus in Havana

ISBN 978-90-225-5818-8
NUR 302

Oorspronkelijke titel: *One Kiss in Havana* (Poolbeg)
Vertaling: TOTA/Erica van Rijsewijk
Omslagontwerp: Guter Punkt, München
Omslagbeeld: © mauritius images / Urbanlip, © Kamira / Shutterstock
Zetwerk: CeevanWee, Amsterdam

In Ernst opgedragen aan –
Hemingway en Che Guevara.
Twee inspirerende mannen die door Cuba werden geraakt!

-

Proloog

De zon komt op, de zon gaat onder.
Prediker 1:5

3 september

Toen de eerste straal daglicht door de kier in de slaapkamergordij-nen viel werd Emma wakker. Ze wreef in haar ogen en hief haar hoofd met het ravenzwarte haar van het kussen, waarbij ze ervoor oppaste dat ze haar man niet wakker maakte. Ze probeerde haar writer's block te overwinnen, en extra vroeg opstaan was haar nieuwste poging om een ander dagritme in te stellen. Emma was van nature een avondmens en vond het maar niks om om zes uur haar bed uit te komen. Ze liep naar haar werkkamer beneden, zette haar laptop aan en bleef wachten terwijl de icoontjes een voor een verschenen. Ze had er haar hele leven op gewacht haar eerste ro-man te schrijven; nu begon ze zich af te vragen of die haar enige bijdrage aan de wereld van woorden zou blijven. Haar man Paul was ontzettend geduldig en gaf haar alle steun en ruimte die ze no-dig had om haar tweede boek af te maken. Ze werkte nog steeds op parttimebasis als journaliste, maar nam alleen klussen aan voor tijdschriften en bladen die haar echt interesseerden, en dus had ze alle tijd van de wereld om wanneer ze maar wilde aan haar roman te werken. Ze besefte heel goed dat ze een vrijheid had waar de meeste schrijvers alleen maar van konden dromen.

Ze ordende haar documentenmap en ging online om haar e-mail te checken. Vervolgens schreef ze een paar woorden, en voordat ze het in de gaten had was het half acht en tijd om de mannen in huis wakker te maken.

Finn lag zachtjes te snurken, maar ze sloop zijn slaapkamer in om te controleren of hij inderdaad diep in slaap was. Ze keek hoe zijn borstkas rees en daalde, en glimlachte met de voldoening die alleen een moeder kan voelen die naar haar slapende kind kijkt. Hij zou niet lang meer kind blijven, want hij zat al in de vierde klas.

Nu ze zichzelf ervan had overtuigd dat haar zoon nog wel een poosje door zou slapen, ging ze haar man wekken. Vanochtend voelde ze zich wakker en sexy nadat ze bijna twee uur op haar toetsenbord had zitten tikken. Het zou een fijne midweekse verwenbeurt worden!

Ze legde een hand op zijn voorhoofd, dat verrassend koel aanvoelde. Heel zachtjes drukte ze haar lippen tegen zijn wang – en toen merkte ze dat er iets helemaal mis was.

Louise sneed de korstjes van de boterhammen en stopte de keurige vierkantjes brood met ham in plastic zakjes, terwijl ze zich afvroeg hoe ze het vroeger in vredesnaam had klaargespeeld, al die ochtenden dat ze zich naar haar werk als muzieklerares had gehaast en ook nog eens haar kinderen naar school en de crèche had moeten helpen.

Ze liep nog in haar pyjama, maar was de tweede van het gezin Scott die zijn bed uit was. Donal was al naar zijn werk; hij begon graag vroeg, zodat hij 's avonds ook vroeg klaar was en voor de spits de stad uit kon. In de zomer en het vroege najaar gebruikte hij die extra tijd om voor het donker werd nog even naar de jachtclub te gaan voor een zeiltochtje.

Opeens rinkelde haar vaste telefoon en ze schrok ervan, want 's ochtends ging die zelden over. Op dit uur belden meestal alleen de moeders die ze via de plaatselijke school kende om een lift en speelafspraken te regelen, maar die belden haar altijd mobiel. Toen ze opnam, klonk de stem van haar zus aan de andere kant van de lijn.

'Louise!' snikte Emma. 'Help! Er is iets met Paul. Hij haalt geen adem meer!'

Sophie stoof met een vriendelijk knikje langs de receptioniste, een kop Starbucks-koffie in haar hand. Het zou een geweldige dag worden – voor Sophie waren de meeste dagen geweldig. Toen ze aan haar bureau was gaan zitten in haar kleine, maar trendy vormgegeven kantoor, trok ze de la open en haalde daar haar spiegeltje uit om te controleren hoe ze eruitzag na de korte wandeling naar haar werk. Haar aardbeiblonde krullen zaten nog in model en haar lippen glommen en glansden. Ze klikte met de muis van haar hypermoderne Apple Mac en wachtte tot haar e-mails op het scherm verschenen. Vluchtig keek ze die door, op zoek naar een bericht van *hem*, waarna ze de lijst nog een tweede keer doornam – ze geloofde haar ogen niet; hij stuurde haar altijd een mail voordat hij aan het werk ging. Opeens ging haar mobieltje over en ze graaide verwoed in haar tas, verlangend naar zijn stem.

Maar hij was het niet.

'Sophie, met Louise.'

Sophie kon aan de toon van haar oudere zus wel horen dat er iets niet in de haak was, en ze haalde diep adem.

'Ja?'

'Er is iets met Paul. Ik ben nu onderweg naar het ziekenhuis. Hij heeft een hartaanval gehad.'

Sophie voelde het bloed uit haar gezicht wegtrekken en helemaal naar haar tenen stromen.

'O mijn god! Hoe erg is het?'

'Het is erg, Sophie.'

'O ja? Het komt toch wel goed met hem, of niet?'

'Hij ligt in een ambulance; ze proberen hem te reanimeren.'

'Hoe bedoel je?'

'Ik denk dat hij dood is. Ik bel je wel terug zodra ik meer weet.'

Sophie was niet in staat te reageren. Haar maag kromp samen van schrik en ze kreeg braakneigingen. Ze sloot haar ogen om niet flauw te vallen. Het kon niet waar zijn – niet haar dierbare Paul. Hij was haar favoriete zwager. Hij was haar rots in de branding. Hij was haar minnaar.

1

Pasen viel vroeg dit jaar, en Louise wilde er helemaal klaar voor zijn, zoals ze altijd klaar was voor feesten en feestdagen. Toen ze nog werkte, had ze zich altijd voorgesteld hoe ontspannen haar leven zou zijn als ze niet meer elke dag naar school zou hoeven en niet meer op de bel zou hoeven letten die het einde van de lesuren aangaf. Maar thuisblijven was bepaald niet zo makkelijk als ze had verwacht. Sinds ze niet meer werkte vroeg Donal haar regelmatig wat ze die dag had gedaan, om maar iets te noemen, en ze kon dan niet altijd een bevredigend antwoord geven. De waarheid was dat ze vaak moeite had met doodgewone dingen die ze vroeger zonder nadenken op weg van en naar haar werk had afgehandeld. Het leek wel of ze werk voor zichzelf creëerde door telkens de meest tijdrovende manier te kiezen om iets gedaan te krijgen. Vanochtend had ze bijvoorbeeld echt niet per se helemaal naar het centrum van Dublin gehoeven om paaseieren te kopen.

De deuren van de DART gleden open en Louise ging zitten op de eerste de beste plaats aan haar rechterkant. Ze zette de tassen met chocolade-eieren aan haar voeten, zonder een blik te werpen op de man in het leren jasje tegenover haar.

Hij deed als eerste zijn mond open.

'Louise?'

Geschrokken keek ze op.

'Ik ben het, Jack!' zei de jonge man.

Louises mond viel open. Hij was het inderdaad. Zijn blonde

haar had nu de kleur van zand, maar zijn ogen hadden nog altijd die onmiskenbare transparante blauwe kleur. Ze staarde naar zijn volmaakt gebeeldhouwde neus en de vloeiende lijn van zijn wang, niet in staat te reageren.

Emma draaide de sleutel in het postkastje om. De meeste brieven leken aan Paul gericht te zijn; toen hij nog leefde en zij nog niet alle gezinspost hoefde open te maken had ze zich nooit gerealiseerd dat zo'n groot deel daarvan aan hem gericht was. Het waren grotendeels rekeningen of zakelijke brieven; die waren niet al te moeilijk af te handelen, maar als iemand die niet op de hoogte was van zijn plotselinge overlijden iets persoonlijks schreef, had ze het daar zwaar mee.

Maar niets van wat ze tot dusverre had opengemaakt had haar zo laten schrikken als de gladde witte envelop die ze nu in haar hand hield.

Ze liep terug naar de gang en door naar de keuken. Iets in haar zei haar dat ze eerst een kop thee nodig had voordat ze de envelop openmaakte. De voorkant was, in reliëfdruk, voorzien van het logo van Evans, het reclamebureau waar Paul had gewerkt.

Het afgelopen half jaar was snel voorbijgegaan. Na Pauls dood had ze zes van de zeven dagen per week slecht geslapen, maar in de loop der maanden waren de slechte nachten geleidelijk aan goede nachten geworden. Maar afgelopen nacht was ze om zeven over één wakker geworden en haar bed uit gesprongen om iets aan haar getril te doen. In haar ochtendjas was ze naar Finns kamer gelopen om te controleren of hij nog ademhaalde. Na zijn tweede jaar was ze daarmee gestopt, maar sinds ze zijn vader op die stralende septemberochtend dood had aangetroffen, durfde ze nergens meer van uit te gaan. Zodra ze in bed lag begon ze te malen en kon ze zichzelf urenlang kwellen door zich af te vragen waarom Paul had besloten haar en haar zoon in de steek te laten, terwijl hij zo veel had gehad om voor te leven.

Dus deed ze wat ze meestal deed en belde ze haar vriend David in Sydney. Hij was op haar zwager na de enige die wist dat Paul onder duistere omstandigheden was overleden. Het voelde veilig om tegen iemand die zo ver weg was te zeggen dat ze het nooit aan iemand anders in haar familie zouden vertellen.

Toen ze had opgehangen, surfte ze wat op internet; op YouTube viel genoeg te zien om haar bezig te houden tot rond kwart voor vier de volgende golf narigheid toesloeg. Daarna was het tijd om weer haar bed op te zoeken, met een rol wc-papier bij de hand om haar tranen weg te boenen, totdat Finn moest opstaan om naar school te gaan.

Tot zover was het vandaag goed gegaan, maar toen was de post bezorgd. Ze drukte de knop in van de kleine roestvrij stalen waterkoker en het water ruiste even, waarna de stoom ervanaf sloeg en de waterkoker vanzelf uitschakelde. Ze vroeg zich af hoe vaak ze dit per dag deed; de waterkoker was zonder twijfel het meest gebruikte huishoudelijke apparaat. En Emma wilde altijd thee drinken. Heet en sterk, met een scheutje melk. Paul wist precies hoe hij die moest zetten. Het was een van de vele dingen van hem die ze miste.

Finn zat op school en was nooit getuige van zijn moeders ontreddering als ze de post las. Hij was op een leeftijd waarop hij liever met zijn vriendjes optrok. Hoewel ze besefte dat hij dol op haar was en voor haar door het vuur ging, besefte ze ook dat ze zijn ontwikkeling langs de gebruikelijke mijlpalen van een negenjarige niet kon tegenhouden. Binnenkort zou ze precies weten hoe moeilijk het was om alleenstaande ouder van een tienerzoon te zijn, en ze hoopte maar dat ze dat aan zou kunnen als het zover was.

Emma pakte de ketel en schonk heet water over het theezakje in de porseleinen mok. Ze trok een stoel bij, liet de poten over de terracotta tegels schrapen en ging zitten. Resoluut scheurde ze de envelop open en haalde er een tweede uit, waarop in de linkerbovenhoek het logo van een ondergaande zon van een reisbureau was gedrukt. Er zaten drie opgevouwen velletjes in, met daarop keurig documentatie getypt. Er viel een los blaadje uit, dat op het tafelblad bleef liggen. Het was kleurig, met een versierde rand en het woord CUBA prominent erboven. Nog meer reclamefolders, dacht

Emma, en ze had het bijna in de vuilnisbak gegooid. Maar in plaats daarvan vouwde ze de andere vellen open en liet haar ogen over de documenten gaan. Trefwoorden sprongen haar van het papier tegemoet: 'dank u', 'reservering', 'tickets', 'bijgesloten', 'reis', 'beperkingen', 'visa'. Ze zat een reisbeschrijving voor twee personen te lezen. Dit waren de reisbescheiden voor een tiendaagse vakantie op het zonnige Cuba, en de vertrekdatum was al over zes dagen.

Emma knipperde met haar ogen en las de papieren nog een keer, zorgvuldiger ditmaal. De namen die boven aan het vel waren afgedrukt luidden 'dhr. P. Condell' en 'mw. S. Owens'. Ze hadden haar voorletter verkeerd. Ze zou willen dat er 'dhr. en mw. Condell' had gestaan; ze had de naam op haar paspoort moeten veranderen toen ze het na Finns geboorte had laten vernieuwen. Het was maar een detail, maar nu ze Paul had verloren, wilde ze dat zijn naam op al haar officiële papieren zou staan. Voor die tijd was dat niet belangrijk geweest. De datum waarop de reis was geboekt was zeven maanden geleden, slechts een paar dagen voordat Paul haar zo plotseling was ontvallen. Ze pakte de grote envelop; die was geadresseerd aan Evans Graphics House. Als Paul tegen het reisbureau had gezegd dat ze hem naar zijn werk moesten sturen, dan had hij de reis geheim willen houden om haar te verrassen; dat was precies het soort aandacht voor detail waar Paul zo goed in was geweest. In zijn werk als grafisch ontwerper was hij kritischer en preciezer dan al zijn collega's, en dat was een trekje van hem dat Emma tot wanhoop kon drijven. Wat zou ze nu graag al die keren dat hij een pietje precies was geweest voor lief nemen, en hem met zijn innemende manieren en al tegen zich aan drukken, alleen om nog wat langer met hem samen te kunnen zijn.

De afgelopen jaren had Emma graag naar Cuba gewild om La Finca Vigía te zien, het huis van Ernest Hemingway buiten Havana, waar hij een paar van de gelukkigste jaren van zijn leven zou hebben doorgebracht. Wat geweldig dat Paul dit voor haar geregeld had! Maar nu zou hij nooit weten hoe blij ze met zijn prachtige cadeau was. Ze werd overstelpt door emoties die ze niet meer had gevoeld sinds ze hem die ochtend in september koud in bed had aangetroffen.

Plotseling ging de telefoon, maar ze kon zichzelf er niet toe zetten op te nemen. Ze kon alleen maar haar mok oppakken en de trap op gaan, om troost te zoeken in haar bed voordat Finn uit school zou komen.

Louise luisterde naar de telefoon die aan de andere kant van de lijn één, twee, drie keer overging, voordat het antwoordapparaat aansprong: *Hallo, dit is de familie Condell. We zijn nu even niet bereikbaar, maar als je je naam en telefoonnummer inspreekt, bellen we je terug.*

De diepe mannenstem uit het westen van Ierland klonk Louise vertrouwd in de oren. Ze had Emma niet voorgesteld om Pauls stem van het antwoordapparaat te halen, maar vroeg zich af of het deel uitmaakte van het rouwproces van haar zus dat die er nog op stond, of dat ze er gewoon nog niet aan had gedacht. Misschien was Emma niet de meest aangewezen persoon om nu op te bellen; die zat te diep in haar eigen sores om te begrijpen hoe ontzet Louise was na het korte tochtje in de DART eerder die dag.

Louise hing op en probeerde te bedenken wat het volgende punt was op haar agenda. Het werd allemaal knap saai. Na de geboorte van haar jongste kind was ze gestopt met werken.

Donal en zij waren heel blij geweest met hun twee kinderen, temeer omdat Molly een meisje was, en Toms komst, twee jaar later, was niet gepland. Het was Louise zwaar gevallen om fulltime te werken en tegelijk een baby en een kind van vijf te verzorgen dat net naar school ging. Ze had een poosje een duobaan geprobeerd, maar had uiteindelijk haar carrière opgegeven om fulltime moeder te worden. Maar in haar nieuwe rol vond ze het lastig dingen te vinden waarbij ze haar hersens moest gebruiken. Boodschappen doen, koken en schoonmaken hadden toch al nooit hoog op Louises prioriteitenlijstje gestaan; dat paste niet bij het leven van een bohemien-musicus. Maar anderzijds was het alweer heel lang geleden dat ze bohemien of musicus was geweest. Het bohemiengedeelte van haar persoonlijkheid was geleidelijk aan gesmoord toen ze als lerares voor de klas was gaan staan. Tegenwoordig speelde ze niet eens meer piano.

Jack Duggan. In de loop der jaren was ze hem vergeten, doordat ze kinderen had gekregen en helemaal was opgegaan in haar moederrol, maar nu ze hem een paar uur geleden in de DART had gezien, moest ze weer denken aan de eerste keer dat het tot haar was doorgedrongen dat ze verliefd op hem was. Ze had zich sinds haar trouwdag niet meer zo verward gevoeld.

Ze haalde zich weer voor de geest hoe ze eruit had gezien in de lange, in een eikenhouten lijst gevatte spiegel die in haar ouderlijk huis had gehangen.

'Je ziet er prachtig uit,' had Emma gezegd, zo welgemeend dat Louise haar bijna had geloofd. Maar ze voelde zich helemaal niet prachtig en er was een traan over haar wang omlaaggegleden.

Emma had een papieren zakdoekje gepakt en hem weggeveegd. 'We kunnen het niet gebruiken dat je op deze grote dag je make-up ruïneert,' had ze meelevend gezegd.

Louise had een zucht van opluchting geslaakt in de wetenschap dat er tenminste iemand was die begreep wat ze doormaakte. Ze vroeg zich af of zijzelf in staat zou zijn geweest om zo meevoelend op Emma te reageren als de rollen omgekeerd waren.

Het was helemaal niet de bedoeling geweest om een half jaar voor haar trouwdag iets te beginnen met Jack Duggan. Hun verhouding was begonnen als een onschuldige flirt, zoals niet ongewoon was tussen collega's. Maar heel subtiel was die op een avond in mei in iets anders overgegaan, toen ze wist dat Jack binnenkort zou vertrekken en ze hem misschien nooit meer zou zien. Ze wisten allebei dat het verkeerd was wat ze deden, maar hadden er geen van beiden weerstand aan kunnen bieden.

Ze had er goed aan gedaan Jack los te laten. Ze had er goed aan gedaan met Donal verder te gaan, en had zich de afgelopen veertien jaar aan haar huwelijksgelofte gehouden en hem drie prachtige kinderen geschonken, die het middelpunt vormden van hun beider wereld. Waarom voelde ze zich dan zo schuldig dat ze in de DART een praatje met Jack Duggan had gemaakt?

Verdorie, dacht Louise. Vanbinnen huiverde ze. Er speelden zo veel beelden door haar hoofd van hoe Jack en zij de liefde bedreven dat ze zich niet meer kon concentreren. Haar maag maakte een sprongetje toen ze zich zijn ogen weer voor de geest haalde – zoals hij recht in haar ziel leek te kijken. Als ze in haar eentje bleef zitten tot het tijd was om de kinderen uit school te gaan halen, werd ze nog knettergek.

Ze kon er met niemand anders over praten. Misschien was Emma wel thuis, maar nam ze alleen de telefoon niet op. Ze pakte haar tas en autosleutels, en sloeg de deur achter zich dicht. Gelukkig woonde haar zus maar tien minuten rijden verderop en kon ze haar het ongelofelijke nieuws vertellen voordat ze Tom uit school ging halen. Ze maakte het portier van haar Zafira MPV open en gleed achter het stuur. Haar hart hamerde terwijl ze dacht aan Jack en hoe hij naar haar had geglimlacht. Ze voelde in haar zak of daar het visitekaartje nog zat dat hij haar een paar uur geleden had gegeven. Het ging goed met hem en hij woonde in Dublin, maar een paar kilometer bij haar vandaan. Er schoten allerlei gedachten door haar hoofd en ze moest goed op de weg blijven letten. Ze wilde graag meer over hem te weten komen en horen waar hij al die jaren dat ze geen contact hadden gehad had gezeten. Had hij een vrouw? Kinderen? Deed het er iets toe? Natuurlijk niet – had zijzelf soms niet een man en drie kinderen? Ze móést Emma spreken, en snel ook; anders zou ze stikken in haar gedachten.

Door wegwerkzaamheden op Howth Road duurde de rit vijf minuten langer, en Louise vervloekte elke seconde die het haar kostte om in Sutton te komen.

Emma liet de gordijnen open in de hoop dat het lentezonnetje de kamer zou verwarmen. Ze vond het heerlijk dat haar slaapkamer uitkeek op Dublin Bay, met de vertrouwde ESB-schoorstenen die in de verte de toegang tot de haven markeerden. De achtergrond van de Dublin Mountains veranderde een paar keer per dag van kleur, wat zeker had meegespeeld toen Paul en zij al die jaren geleden hadden besloten dit huis te kopen.

'Maar is het niet te duur?' had Emma na de eerste bezichtiging gezegd. Twee ton was immers een smak geld.

'Niet zo duur als het over twee, drie jaar zal worden!' had Paul haar verzekerd, en natuurlijk had hij gelijk gehad, zoals meestal. Zelfs nadat de huizenmarkt was ingezakt, was het huis nog steeds een koopje.

Ze miste zijn zekerheid en zijn vermogen om toekomstige ontwikkelingen te voorspellen, en de manier waarop hij hun financiën beheerde.

Dat was niet het enige wat ze miste. Zijn geur op zijn hoofdkussen was vervlogen, ook al had ze het zo lang mogelijk uitgesteld het bed af te halen.

Opeens werd er aangebeld – een harde en lange bel, die maar van één iemand kon zijn. Louise was er gelukkig aan gewend haar in deze toestand te zien en zou er geen aanstoot aan nemen. Maar haar ongeduldige jongere zus belde nogmaals, hoewel ze Emma's gestalte door de glazen deur al moest hebben gezien.

'Louise!' zei Emma met een zucht. 'Kom binnen.'

Louise stoof langs haar heen en liep linea recta naar de keuken, waar ze een harde tik op de schakelaar van de waterkoker gaf. Ze zag eruit alsof ze op springen stond en zocht steun bij het kookeiland midden in het vertrek.

'Emma,' bracht ze ademloos uit, en ze streek met haar vingers door haar lange bruine haar. 'Ik móét het tegen iemand zeggen. Ik heb hem gezien. Vandaag in de DART!'

Emma slaakte een zucht, want nu verwachtte Louise, op haar typische Louise-manier, dat haar oudere zus meteen wist over wie ze het had.

'Wie?'

'Jack Duggan, natuurlijk!'

Emma glimlachte om Louises stelligheid. 'We hebben het minstens tien jaar niet over hem gehad, dus hoe kun je nou in vredesnaam verwachten dat ik meteen weet wie je bedoelt?'

'Wie anders zou me zo kunnen schokken?' Louise wierp haar armen in de lucht en schudde met haar polsen, zodat haar armbanden rinkelden.

'Nou, ik heb je wel eerder zo opgefokt meegemaakt – als je me kwam vertellen dat je haar korter was geknipt dan je bedoeling was!'

Louise sloot haar ogen en haalde diep adem. 'Dat is iets anders. We hebben het nu over Jack.'

Emma had vandaag niet veel geduld met haar zus. Trouwens, Jack Duggan was iemand uit een heel ver verleden. Wat was nou het probleem?

'Heb je hem gesproken?' Emma wist dat ze het best maar naar Louise kon luisteren als ze zo deed.

'Ja!'

Emma schokschouderde. 'Vertel.'

'Je gelooft het niet, maar hij woont al twee jaar in Howth – en ik had geen flauw idee!'

'En hoe zag hij eruit?' Emma zette thee, terwijl haar zus doorpraatte.

'Nog precies hetzelfde. God, wat is hij toch een spetter. Mijn hart zat in mijn keel toen we een praatje maakten. Zijn haar is veel korter en meer zandkleurig dan toen ik hem voor het laatst zag, en hij droeg een kek leren jasje en een spijkerbroek.'

'Is hij getrouwd?'

'Ik kreeg geen kans om daarnaar te vragen. Hij stapte bij Conolly Station in en ik moest er bij Killester uit.'

'Heeft hij je telefoonnummer gevraagd?'

Louise schudde haar hoofd. 'Maar hij heeft me wel zijn kaartje gegeven. We waren allebei zo van ons apropos dat we niet veel konden zeggen – het ging nogal stuntelig. Hij zei dat hij zes jaar in Amerika had gezeten en nu journalist is voor de *Times*.'

Louise begon over de tegelvloer te ijsberen, van het kookeiland naar de tafel en weer terug.

'Dus hij is uiteindelijk toch geen rockster geworden?'

'Nee, dat zal dan wel niet. Ik had nooit gedacht dat hij nog eens zou gaan schrijven. Net als jij!'

'Kom even zitten. Ik moet jou ook iets vertellen.' Emma zette de twee mokken thee op tafel en pakte een stoel.

Louise nam plaats; Emma's aankondiging maakte haar een beetje ongeduldig. Ze kon nergens anders aan denken dan aan Jack.

'Ik schrok vanochtend nogal van de post,' zei Emma.

Louise pakte de opgevouwen papieren van haar aan. 'Cuba' was het eerste woord dat ze las; vervolgens keek ze de reisdocumenten een voor een door.

'God, Emma, wat ontzettend lief van hem.'

Emma knikte verdrietig.

Zwijgend las Louise verder. 'Hé, hier staat dat je aan het eind van de vakantie drie dagen naar Havana gaat!'

Emma knikte. 'Dat heb ik gezien. Het zou perfect zijn geweest.'

'Hoe bedoel je, "zou perfect zijn geweest"?' zei Louise, en ze keek op. 'Waarom ga je niet gewoon?'

Emma schudde haar hoofd. 'Zo'n reis zou ik niet in mijn eentje willen maken.'

'Neem Finn dan mee.'

'Je weet hoe hij altijd klaagt over reizen; afgelopen zomer kreeg hij het in het vliegtuig Spaans benauwd, en we vlogen alleen maar naar Bordeaux.'

Louise dacht na. 'En ik dan? Ik zou het geweldig vinden.'

'Jij hebt drie kinderen, en het grootste deel van de tijd hebben die dan schoolvakantie.'

Louise liet dat even bezinken. Ze zag wel dat Emma diep nadacht. Als ze haar gedachten op een rijtje wilde krijgen, zei ze nooit een woord, en Louise voelde wel aan wat er door haar oudere zus heen ging.

'Dan wil je zeker dat Finn bij mij komt?' Louise vroeg zich af waarom ze die vraag stelde; het antwoord lag voor de hand, en Finn zou liever bij haar blijven dan bij iemand anders.

Er brak een glimlachje van opluchting op Emma's gezicht door. Louises oudste zoon, die twee jaar ouder was dan Finn, was zijn grote held.

'O, Louise, zou je dat willen doen? Hij is stapelgek op Matt. Dat zou fantastisch zijn. Nu moet ik alleen nog iemand zien te bedenken die mee wil. Misschien dat Sophie ervoor voelt.'

Die woorden waren als een klap in Louises gezicht. Niet dat dit voorstel haar verraste; het leven volgde nou eenmaal bepaalde patronen, en meestal was Sophie degene die daar het meest van profiteerde. Die hoefde nooit bijster hard haar best te doen om lof te oogsten of iets te bereiken, en nu zou ze op een droomvakantie gaan met Emma. Wat was het leven toch oneerlijk. Maar zou Sophie het aandurven? Zo ja, dan was Louise er niet zeker van of ze zichzelf ervan zou kunnen weerhouden Emma de waarheid te vertellen. Sophie zou dan toch zeker wel last krijgen van haar geweten?

'Ach, waarom bel je haar niet?' vroeg ze, bijtend op haar onderlip.

'Oké. Ze is toch niet weg vandaag?' Emma stond op en liep naar de telefoon.

'Deze week niet, zover ik weet,' zei Louise, die de ongerustheid uit haar stem probeerde te weren.

Ze keek toe terwijl Emma met Sophie begon te praten.

'Met mij... Hoe is het met je? ... Sophie, ik ben vandaag nogal geschrokken. Er zat een brief bij de post over een vakantie naar Cuba die Paul voor zijn overlijden had geboekt... Weet ik! ... Ik sta nog steeds te shaken... Het was bedoeld als verrassing.'

Louise keek zwijgend toe terwijl het eenzijdige gesprek verderging.

'Louise is hier en zij vindt dat ik moet gaan... Dan zou ik over zes dagen moeten vertrekken, voor tien dagen... Zeg, Sophie, zou jij het leuk vinden om mee te gaan? ... Ik voelde er eerst niets voor, maar Louise heeft me ervan overtuigd dat ik het toch moet doen... Kom op, Sophie, jij bent de enige die ik ken die weg kan wanneer ze maar wil... Bel me even als je thuis bent van je werk; dan bespreken we het... Dag.'

'Ik neem aan dat ons kleine zusje ja heeft gezegd?' zei Louise, die de teleurstelling niet uit haar stem kon weren.

'Ik moet haar wel een beetje onder druk zetten, maar ik denk wel dat ze meegaat. Weet je zeker dat je het niet erg vindt als Finn dan bij jullie komt logeren?'

Louise glimlachte. Al was ze nog zo jaloers dat Sophie op vakantie ging, ze wilde graag dat Emma van haar reisje zou genieten; na alles wat ze had doorgemaakt gunde ze het haar zo, en ze zou haar bedenkingen voor zich houden. Het was een merkwaardige speling van het lot dat Paul nu niet mee zou gaan, maar dat zijn echtgenote en minnares samen gingen.

'Sorry dat ik het nog helemaal niet met je over Jack heb gehad. Misschien een andere keer,' zei Emma. 'Ik heb nu nog het een en ander te doen voordat ik Finn van school ga halen.'

'Goed hoor, geen probleem.' Louise begreep de hint, al was ze teleurgesteld dat ze nog helemaal geen kans had gekregen om te bespreken welke actie ze moest ondernemen nu ze nieuws had over Jack.

De gedachte aan Sophie samen met Emma's man bracht haar terug in het hier en nu. Ze gaf Emma een afscheidszoen en stapte in haar MPV, terwijl haar maag verkrampte bij de herinnering aan het moment dat duidelijk was geworden dat haar jongste zus een verhouding had met haar zwager.

Een paar weken voordat Paul was overleden had Louise hen samen aangetroffen. Ze was even langsgegaan om een jurk op te halen die ze aan Emma had uitgeleend en die ze die avond zelf aan had gewild, terwijl Emma met een vriendin een weekendje naar een kuuroord was, wat ze al veel te lang hadden uitgesteld. Louise was het huis in gegaan met de sleutel die Emma haar had gegeven. Die was alleen voor noodgevallen bedoeld, maar Louise had gedacht dat er niemand thuis was, omdat Pauls auto er niet stond. Niets had haar kunnen voorbereiden op wat ze daar aantrof.

Eerst had ze gedacht dat de geluiden die van de bovenverdieping klonken van een inbreker afkomstig waren, maar toen zag ze een sleutelbos op het haltafeltje liggen en Pauls jasje over de trapleuning hangen. Vervolgens realiseerde ze zich dat er iemand lag te kreunen, en omdat ze dacht dat haar zwager pijn leed, vloog ze de trap op. De slaapkamerdeur stond open en onder het beddengoed zag ze Pauls lichaam op- en neergaan. Ze geneerde zich en voelde zich onhandig toen ze besefte dat hij niet alleen was en dat Emma eerder thuisgekomen moest zijn. Maar vervolgens had de bos aardbeiblonde krullen op het kussen de identiteit van de vrouw onthuld.

Zodra Sophie voelde dat er iemand was, staakte het tweetal abrupt hun bewegingen. Ze slaakte een kreet en trok het laken over haar naakte bovenlijf.

Paul schrok op en draaide zich om om te zien waar zijn minnares zo van was geschrokken.

'Louise!' riep hij uit.

Louise was zo geschokt dat ze zich meteen omdraaide en zo snel ze kon de trap af rende. Ze was de voordeur al uit voor Paul of Sophie de slaapkamer uit had kunnen komen. De rillingen liepen haar nog steeds over de rug als ze eraan terugdacht.

Op haar computerscherm klikte Sophie op OPSLAAN en ze rolde haar stoel van haar bureau vandaan. Ze had geen zin meer om nog iets te ontwerpen; ze moest tegen Rod zeggen dat ze vrij wilde nemen. Trouwens, de collecties voor de lente en zomer waren af, dus hij zou moeilijk nee kunnen zeggen. Ze had evenveel opdrachten binnengesleept als vorig jaar, en in deze tijden van recessie was dat geen geringe prestatie. Ze zou vroeg gaan lunchen en haar gedachten eens op een rijtje zien te krijgen.

Ze had zich al afgevraagd wanneer haar oudste zus dat van het reisje naar Cuba zou ontdekken. Paul had alle details met haar overlegd toen ze er plannen voor hadden gemaakt en nu ze op het punt stond die vakantie te gaan vieren voelde ze iets van voldoening – een soort compensatie voor het feit dat ze hem en het leven met hem samen waarnaar ze zo had uitgekeken kwijt was.

Voor haar oudste zus was het makkelijker – die kon openlijk om hem rouwen –, maar zijzelf moest elk spoortje verdriet verbergen, en ze ging sinds zijn dood zwijgend en verdrietig onder een grote last gebukt.

Ze besloot de koe bij de hoorns te vatten en gewoon bij Rod naar binnen te stappen en om vrij te vragen. Hij zou niet het risico willen lopen haar te verliezen nu ze zulke goede contacten had gelegd met de Engelse afnemers; die hadden vertrouwen in haar en voor de nieuwste collectie wilden de grotere winkels alleen maar met haar zakendoen, want een ontwerper was minder bedreigend dan een vertegenwoordiger. Ze moesten eens weten, bedacht ze zelfingenomen. Subtiele manipulatie was een spelletje waar Sophie heel goed in was; al voordat ze kon lopen had ze zich daarin geoefend. De sleutel tot haar succes was haar charme. Niemand zei snel nee tegen haar, vooral haar vader en haar zussen niet.

Sophie wierp haar lange aardbeiblonde krullen naar achteren en beende de gang door langs haar collega's; ze was de eerste ontwerpster van het bureau die een eigen kamer had gekregen. Maar uiteraard was Sophie die waard, want ze had Rod ervan overtuigd hoe bijzonder ze was en dat hij zijn handjes mocht dichtknijpen dat ze voor zijn bedrijf wilde werken, en natuurlijk geloofde hij haar. Nu zou hij ervan overtuigd moeten worden dat hij niet anders kon dan zijn paradepaardje tien dagen vrij geven. Zelfs in deze tijd van economische crisis, nu ontwerpers om werk zaten te springen, maakte Sophie zich geen zorgen. Ze zou die vrije dagen krijgen, want zij was Sophie Owens en kreeg altijd wat ze wilde.

'Hallo?'
'Louise – met Donal.'
'Hai. Kom je zo thuis voor het eten?'
'Kevin wil nog even naar een boot kijken. Volgens hem zou die wel eens iets voor ons kunnen zijn.'

Louise slaakte een zucht. Het zeilseizoen was nog niet begonnen, maar de voorbereidingen en Donals smoesjes waren nu al niet van de lucht. 'Ik dacht dat je dit jaar geen andere boot wilde.'

'We gaan alleen even kijken.'

Hij probeerde het zo lang mogelijk uit te stellen om naar huis te gaan, en dat wisten ze allebei.

'Oké. Dan moet je je eten straks maar opwarmen in de magnetron.'

'Misschien dat ik een hapje eet op de club.'

Louise kon wel gillen. Waar deed ze het eigenlijk allemaal voor? Ze was naar de Superquinn geweest, had volgens de regelen der kunst een verrukkelijke boeuf stroganoff klaargemaakt, en nu zou hij die niet eens opeten. Op school had ze tenminste nog werkstukken moeten nakijken en lessen kunnen voorbereiden, waardoor ze het zo druk had gehad dat ze niet eens tijd had om zich erover op te winden als Donal laat van zijn werk kwam. Maar de laatste tijd keek ze steeds vaker hoe laat *Desperate Housewives* of vergelijkbare programma's begonnen zodra de kinderen in bed lagen.

'Dan zie ik je straks.'

'Dag,' zei ze abrupt, en ze hing op.

Wist ze maar een balans te vinden: waardering voor het heerlijke leven dat ze leidde als moeder van drie heerlijke kinderen en een leuke hobby in haar vrije tijd.

Haar gedachten gingen naar haar ontmoeting met Jack. Ze voelde in haar zak en haalde er het kleine, gelikte visitekaartje uit dat hij haar eerder die dag in de hand had gedrukt. Had ze maar de kracht om het in de vuilnisbak te gooien, om het misschien eerst nog in stukken te scheuren. Maar ze wist dat ze dat niet over haar hart zou kunnen verkrijgen. Jack was tenslotte al die tijd dat ze met elkaar om waren gegaan de vriendelijkheid zelve geweest. Zij was toch die wrede vrouw geweest die op die verdrietige oktobermiddag veertien jaar geleden zijn hart had gebroken en hem kwaad en gekwetst aan de kant had gezet?

De bomen hadden allerlei tinten oranje, paars en bruin gekregen toen de kilte in de lucht het einde van hun verhouding aankondigde. Hij had haar van alles verweten, gezegd dat ze een kouwe kikker was; volgens hem had ze al die tijd al op een breuk aangestuurd. Haar tranen hadden hem niet van het tegendeel kunnen overtuigen; ze hadden hem niet duidelijk kunnen maken dat ze zijn toekomst boven haar eigen gevoelens stelde. Maar diep vanbinnen hoopte ze dat hij het allemaal niet had gemeend, omdat ze allebei wisten dat hun liefde de zuiverste en meest fantastische liefde was die ze allebei ooit hadden meegemaakt.

Wat moest ze nu met zijn kaartje doen? Haar verstand waarschuwde haar voor de beerput die ze zou opentrekken als ze het nummer zou intoetsen, maar vanuit het diepst van haar ziel zei haar gevoel haar dat ze hem terug moest zien, en gauw ook!

Ze wachtte tot de kinderen in bed lagen, of althans op hun kamers waren. Matt, de oudste, van elf, spookte vaak nog tot 's avonds laat rond. Molly hield van slapen en moest 's ochtends geregeld wakker worden geschud. Tom was zes en protesteerde het meest als hij naar bed moest, maar met een pakje *Match Attack*-kaartjes was hij makkelijk om te kopen.

Toen ze het rijk alleen had, deed ze de keukendeur dicht en drukte op haar mobieltje de cijfers in die vermeld stonden op het kaartje dat Jack haar had gegeven. Met ingehouden adem bleef ze wachten toen het toestel overging – bij elke keer overgaan hield ze haar hart meer vast. Uiteindelijk stopte het gebel en klonk de voicemail.

Dit is het toestel van Jack. Laat een boodschap achter en ik bel je terug.

Louise durfde ineens niet meer en drukte snel haar telefoon uit. Haar hart hamerde in haar borstkas.

Wat zou ze gezegd hebben als hij had opgenomen? Ze wilde zo veel tegen hem zeggen; ze moest hem zo veel zeggen, maar ze kon het allemaal niet in woorden vatten. Ze kon er amper samenhangend over nadenken. Maar ze moest hem spreken, zoals een junk niet buiten zijn shot kan.

2

Zes dagen later stond Emma in een lange rij mensen die zich verdrongen om op het vliegveld José Marti, Havana, door de visumcontrole te komen.

Sophie had haar hoofd diep begraven in een reisgids.

'Het kost ons minstens een uur om hierdoorheen te komen,' zei ze terwijl ze ontdaan haar krullen schudde.

Emma snapte dat ook wel zonder dat een reisgids het haar vertelde. Er waren twintig loketten en alle rijen waren even lang. Pas toen ze zelf de balie naderde, begreep ze waarom het zo lang duurde om de controle te passeren.

Een robuuste vrouw gekleed in een shirt met korte mouwen en een tentachtige rok werd gevraagd haar bril af te zetten, zodat de beambte zeker wist dat zij inderdaad dezelfde was als degene op de foto in haar paspoort. De controleur schudde zijn hoofd en staarde zonder een woord te zeggen vijf minuten naar zijn computerscherm. Uiteindelijk overhandigde hij de vrouw haar paspoort weer en gaf haar bruusk te verstaan dat ze niet door mocht lopen, maar opzij moest stappen. De volgende reiziger was een jonge man met een geschoren schedel en een rugzak over zijn schouder. Hem viel dezelfde behandeling ten deel, voordat hem werd gezegd dat ook hij naar opzij moest. Het werd al snel duidelijk dat in Havana niet de procedures werden gevolgd die op een vliegveld gebruikelijk waren. Heel even maakte Emma zich zorgen dat ze er niet door zouden komen.

'Hier staat dat we ervan uit kunnen gaan dat we nog wel een uurtje moeten wachten voordat onze bagage van de band komt,' zei Sophie, en ze keek even op van haar reisgids.

De volgende twee reizigers moesten de beambte eerst betalen voordat ze met een stempel in hun paspoort Havana in mochten.

Emma keek omlaag naar haar opgezette enkels; die raakten op lange vluchten meestal gezwollen. De stress die het opleverde om de nukken van de veiligheidsmedewerkers gade te slaan hielp ook al niet. Was Paul maar bij haar geweest; hij bleef altijd zo kalm in moeilijke situaties.

'Jij bent aan de beurt, Em,' fluisterde Sophie in Emma's oor.

Emma verbaasde zich er niet over dat wanneer het moment daar was om een zenuwslopende situatie tegemoet te treden, Sophie het altijd aan haar oudere zus overliet om de eerste stap te zetten.

De paspoortbeambte zat onderuitgezakt achter het raampje van het houten hokje dat hem scheidde van de massa reizigers. Hij droeg een kaki uniform dat eruitzag alsof het stamde uit de tijd dat de Russen de staat hadden gesteund. Hij tuurde over de rand van zijn metalen bril en pakte Emma's paspoort aan door de gleuf in het loket. Hij wierp haar een blik toe en richtte die vervolgens weer op de pasfoto. Al had hij nog zo zijn best gedaan, langzamer had hij niet te werk kunnen gaan. Hij controleerde het toeristenvisum nog eens en zette een paar krabbels op een pagina, waarna hij nogmaals naar de foto keek voordat hij op de zoemer drukte die de deur opende tussen haar en Cuba.

Aan de andere kant lagen overal dozen en koffers verspreid. Het zag er niet naar uit dat de bagage volgens enig systeem werd binnengebracht en geen van de twee lange bagagebanden draaide. Je vluchtnummer hielp je ook al niet. Aangezien het haar een uur en een kwartier had gekost om door de paspoortcontrole te komen, nam Emma maar aan dat haar koffer vast wel ergens moest zijn.

'Ik wil douchen, en snel ook,' mompelde Sophie toen ze door de paspoortcontrole gestruikeld kwam.

Het was minstens dertig graden. Er was geen airco, en zelfs nadat ze hun bagage hadden gevonden moesten ze weer in de rij gaan staan om door de douane te komen, die al net zo erg was als de rij bij de paspoortcontrole. Emma had er geen zicht op wat er precies met de bagage gebeurde, maar die werd door een of ander apparaat gehaald, terwijl alle passagiers scherp werden bestudeerd voordat ze een voor een de aankomsthal werden binnengelaten. Van tijd tot tijd werd er een passagier met zijn koffers uit de rommelige rij weggeleid naar een aparte kamer. Later kwam ze erachter dat de luchthavenpolitie zichzelf graag bediende uit de inhoud van koffers die hun mede-Cubanen mee terug namen. Het was allemaal behoorlijk zenuwslopend, en Emma was blij dat Sophie werd afgeleid door de zweetplekken onder haar armen en niet in de gaten had hoeveel dit gedoe weg had van *Midnight Express*.

Er was Emma verzekerd dat de touroperator vervoer zou hebben geregeld en in de aankomsthal op hen zou wachten, maar haar eerste indrukken van Cuba waren dat alles hier heel anders ging dan op andere plaatsen waar ze was geweest, en ze maakte zich zorgen.

Maar dat was nergens voor nodig, want tegen een pilaar geleund, met een bordje in zijn hand waarop in amper leesbare letters OWENS 2x vermeld was, stond een man met dromerige latino-trekken. Hij droeg een wit overhemd met korte mouwen en een donkere zonnebril. Zijn krullende haar zat in de war. Hij was slank en sportief, en zag er bepaald niet uit alsof hij de hele dag achter het stuur zat.

'Die moeten we hebben,' zei Sophie, haar zus aanstotend. 'Wat een lekker ding. Net Che Guevara!'

Beladen met bagage liepen ze op hem af. Hij torende een heel stuk boven de Ierse vrouwen uit.

'Havana Tours?' vroeg Emma met een vreemdsoortig Spaans accent waarvan ze hoopte dat hij haar daardoor beter zou begrijpen.

'*Señoras* Owens?'

'*Sí*,' grijnsde Emma, in de hoop dat haar zevendaagse spoedcursus *Spaans spreek je zo* die je gratis bij een krantenabonnement kreeg zou volstaan om haar door de vakantie heen te helpen.

De chauffeur nam hun koffers aan en maakte een gebaar in de richting van de parkeerplaats.

'Sol Melia Hotel?' vroeg hij met een fluwelige stem. 'Ik ben jullie chauffeur.'

'Sí. In Varadero,' zei Emma toen de chauffeur nadat ze waren ingestapt het portier van de Renault dichtdeed.

De grepen waren van het autoportier verwijderd. Misschien waren ze kapotgegaan en vervolgens niet vervangen. Emma had al voordat ze voet op Cubaanse bodem zette gelezen dat Cubanen niet aan reserveonderdelen voor auto's konden komen. Ze had ook gelezen dat ze geen winkels hadden waar de plaatselijke bevolking basale toiletbenodigdheden kon kopen. Dus zat, zoals internet had geadviseerd, haar koffer bomvol met stukken zeep, miniflesjes shampoo en doosjes tampons. Ze had gelezen dat Cubaanse vrouwen dolblij waren met doosjes tampons, omdat die op het hele eiland nergens te krijgen waren. Voor alle zekerheid had Emma dus maar twaalf doosjes ingepakt, al wist ze niet zeker of ze die ook zou durven uitdelen.

Langs de weg stonden hordes mensen, voornamelijk vrouwen.

'Waar zouden die nou op wachten?' fluisterde Emma Sophie in haar oor.

'Ze wachten op de bus,' liet de chauffeur hun in vloeiend Engels weten.

Emma vond zijn accent heerlijk klinken. Met zijn krachtige latino-trekken zou hij een mooi personage zijn voor een roman, bedacht ze. Voor het eerst in maanden voelde ze iets van inspiratie.

Ze waren nu tien minuten onderweg, en tot dusver hadden ze alleen twee grote flatgebouwen, rijen groene bomen en hekken met prikkeldraad erop gezien. De gebouwen hadden ooit goed in de verf gezeten, maar zagen er nu haveloos uit, afgebladderd en met natte kleren aan geïmproviseerde waslijnen. Hongerige honden trippelden van het ene gebouw naar het andere, en in de berm van de stoffige autoweg speelden kinderen op blote voeten met zelfgemaakte ballen en stokken. Het verraste Emma hoe gelukkig ze eruitzagen in deze afgrijselijke omgeving, en ze vroeg zich af hoe lang Finn het hier zou uithouden zonder zijn PlayStation en fiets.

Ze reden langs een paar fabrieken en iets wat ooit een ziekenhuis moest zijn geweest. Mensen in uniform stroomden door de hekken gereedstaande bussen in.

Daarna veranderde het landschap, maar er was nog steeds weinig verkeer op de halfgeplaveide straten. De autowegen leken meer op brede onverharde paden bezaaid met kuilen. Opeens werden ze ingehaald door een Chevrolet uit de jaren vijftig die eruitzag alsof hij met kogels was doorzeefd.

'Moet je die auto zien!' riep Emma uit.

'Mooie wagen?' De chauffeur glimlachte in zijn achteruitkijkspiegel.

Emma lachte.

'Hoe lang duurt het om in Varadero te komen?' vroeg Sophie terwijl ze heen en weer schoof over de plakkerige warme achterbank, die voor steeds meer ongemak zorgde.

'Als het meezit een uur of twee!'

Geschrokken keek Sophie haar zus aan. 'Wist jij dat het zo ver weg was?'

Emma haalde haar schouders op. 'Ik heb je op het vliegveld de reisbeschrijving gegeven.'

Sophie begon in haar tas te rommelen en diepte hem op.

'Drie uur! *De transfertijd is bijna drie uur*, staat hier!' Ze slaakte een zucht terwijl ze de papieren weer in de dunne witte envelop stak.

'Dan moeten we maar proberen de moed erin te houden,' zei Emma.

'Wat betekent *Hasta la victoria siempre*?' luidde Sophies volgende vraag toen ze een groot reclamebord in de berm passeerden waarop Che Guevara stond afgebeeld.

Emma keek in de richting van Sophies wijzende vinger. '*Hasta* betekent "totdat", *siempre* betekent "altijd" en *la victoria* is volgens mij "de overwinning".'

De chauffeur knikte in zijn achteruitkijkspiegel.

Sophie leek hier tevreden mee en verdiepte zich weer in haar reisgids.

'Komen jullie uit Engeland?' vroeg de chauffeur.

'Uit Ierland,' antwoordde Emma.

'Che had ook Ierse voorouders,' zei de chauffeur, en hij glimlachte in de spiegel naar Emma. 'Zijn vader heette Ernesto Guevara Lynch. Na de revolutie heeft Che Ierland bezocht.'

Emma was onder de indruk van wat de man allemaal wist en het viel haar op dat hij heel goed Engels sprak.

'Ik ben een groot fan van *The Motorcycle Diaries*; die heb ik als tiener gelezen.'

Er verscheen een brede glimlach op het gezicht van de chauffeur. 'Die vond ik ook heel mooi.'

Emma leunde achterover en liet zich meevoeren langs de rokerige fabrieken en olie-installaties die verspreid stonden op het strand links van hen. De zon zakte naar de horizon en het uitzicht veranderde. Genietend van de vredige rust zag ze een weelderig groen landschap voorbijtrekken.

Ze sloot haar ogen en probeerde zich voor te stellen hoe ze zich gevoeld zou hebben als Paul nu naast haar had gezeten in plaats van Sophie. Dat zou zeker een heel ander gevoel zijn geweest; hij zou haar alles vertellen over het avontuur dat voor hen lag en zou alles hebben gelezen wat er over het eiland te weten viel. Hij zou de leiding hebben genomen, maar in plaats daarvan moest zij zich nu bekommeren om Sophie. Haar jongste zus had er een handje van om in elke situatie te doen alsof ze volkomen hulpeloos was. Zelfs toen ze nog kinderen waren was zij altijd de eerste die na het eten aanbood om de tafel af te ruimen – het makkelijkste klusje –, zodat haar oudere zussen de veel vervelender afwas moesten doen. Als Emma of Louise protesteerde, kregen ze een uitbrander van hun moeder omdat zij niet als eersten vrijwillig een handje toestaken en vond ze dat ze nog een voorbeeld aan haar konden nemen. Soms werd Sophie van alle klusjes vrijgesteld alleen maar door zich daar als eerste voor aan te bieden, en Emma vergaf het haar keer op keer, omdat ze sinds haar kleine zusje geboren was altijd moedergevoelens voor haar had gekoesterd. Toen Louise geboren werd was Emma gekwetst en jaloers geweest, want het kersverse speelkameraadje dat haar beloofd was bleek een lastpost, en de aandacht die Emma als enig kind altijd had gekregen moest ze nu ineens met haar delen. Maar toen Sophie ter wereld kwam, was Emma dolblij; ze was een prachtige vervanging voor de babypoppen waar Emma niet langer mee speelde.

Voor Louise betekende het nieuwe kind een ramp; ze had Emma en haar moeder eerst helemaal voor zichzelf gehad en nu moest ze hen delen. Voor geen van hen zou het leven ooit nog hetzelfde zijn.

'Matanzas heet het hier,' zei Sophie toen ze een bord aan de kant van de weg passeerden.

De laatste zonnestralen waren verdwenen. Toen ze zagen dat er nergens straatverlichting brandde, werd hun duidelijk hoe groot de armoede op Cuba was, want dit was een grote plaats – in Cubaanse termen een stad. Dit was een derdewereldland, waar de mensen zo veel moesten ontberen dat je je het als West-Europeaan haast niet kon voorstellen.

Nog een half uur achter in de taxi, in combinatie met de lange vlucht van Dublin via Parijs, begon zijn tol te eisen.

'We komen nu in de buurt. Dit is Varadero,' zei de chauffeur toen de verre lichtjes van hotels in zicht kwamen. De lange, rechte weg die langs Varadero Beach liep werd hier omzoomd door straatlantaarns.

Sophie kwam overeind en rechtte haar rug. 'Ik rammel van de honger. Hopelijk is het hier wat!'

De chauffeur sloeg van de lange rechte weg af een oprit in, die aan weerskanten werd geflankeerd door weelderige struiken. Die voerde naar de ingang van een luxehotel. Schijnwerpers verlichtten het tropische groen en Emma vroeg zich af of de elektriciteit niet beter besteed zou zijn aan de straten van Matanzas. De chauffeur stuurde naar een fontein met een beeld in het midden dat veel weg had van Botticelli's *Venus*, waarnaast een bord stond met de tekst HOTEL SOL MELIA.

'Zo, dit is beter,' zei Sophie toen de auto abrupt tot stilstand kwam en de chauffeur erop stond om het portier voor hen open te maken.

'Heb jij kleingeld voor een fooi?' fluisterde Emma.

'Deze transfer is al betaald,' zei Sophie met een zwiep van haar krullen, en ze stapte de auto uit, met een glimlach naar de toeschietende chauffeur.

Een portier in een bordeauxrood uniform compleet met koperkleurige accenten kwam aanlopen om zich over de bagage van de dames te ontfermen.

'¡Benvenido a Varadero!' riep hij met een brede glimlach uit.

Vanuit de verte dreven salsaklanken uit de hotelbar naar hen toe.

'Hoor je dat?' vroeg Emma, een tikkeltje ademloos.

'Door het geknor van mijn maag hoor ik niet veel anders. Ik mag hopen dat de eetzaal open is!' bromde Sophie.

Emma wendde zich tot de chauffeur. Ze zag zijn ogen nu voor het eerst zonder zonnebril. Die waren licht- en niet donkerbruin, zoals ze had verwacht, en er viel iets van een glimlach in te bespeuren.

'Ik hoop dat u een fijne vakantie hebt, *señora* Owens.'

'*Gracias*,' antwoordde Emma.

Hij stapte weer in de taxi en keek haar voordat hij wegreed glimlachend aan. Zijn hazelnootbruine ogen twinkelden, en op dat moment hoopte ze dat ze deze man niet voor het laatst had gezien.

3

'Wauw!' riep Sophie uit toen ze de lange, zware gordijnen in hun suite openschoof.

'Caribisch blauw water, een wit zandstrand... Daar is iemand aan het zeilen, moet je kijken!'

Emma bracht haar hand omhoog om haar ogen af te schermen tegen het verblindende zonlicht, kwam toen overeind in haar bed en wierp een blik over de balustrade van hun veranda. Door het donkere blauw van de zee liep een baan turquoise en kleine witte golfjes rolden zachtjes het strand op.

'Geen wolkje aan de lucht!' constateerde Emma.

'Dit is kennelijk een van de beste kamers van het hotel,' zei Sophie, die de deur openmaakte en het balkon op liep.

Emma voelde een steek in haar borst. Als ze met Paul samen was geweest, zou het hier volmaakt zijn, bedacht ze verdrietig.

'Zin om beneden te gaan ontbijten?' vroeg Sophie toen ze de kamer weer binnenkwam. 'Ik sterf van de honger.'

'Oké. Al heb ik niet veel trek.'

'Doe onder je kleren je bikini aan. Ik wil nog even wat zon pakken voordat het te warm wordt.'

Sophie kleedde zich snel om en wachtte ongeduldig tot haar zus klaar was.

Emma gooide haar handdoek, boek en iPod in haar roze gestreepte strandtas.

Het pad naar het buffet werd beschut door hoog optorenende palmen. Emma's oog viel op een stelletje dat een paar meter voor hen uit romantisch hand in hand liep. Onwillekeurig moest ze aan Paul denken en ze stelde zich voor hoe het zou zijn als zij samen naar het ontbijt waren gelopen. Maar bij nader inzien hadden zij nooit elkaars hand vastgehouden; dat was niets voor Paul en Emma. Toen ze dat besefte, voelde ze zich nog ellendiger, en ze maakte zichzelf verwijten over al die vakanties die Paul en zij samen hadden gevierd zonder ooit hand in hand te lopen, terwijl ze dat wel hadden moeten doen.

'Kijk nou eens!' riep Sophie uit toen ze de ruim opgezette eetzaal binnenkwamen.

Tropisch fruit sierde de arrangementen in het midden van de tafels en op grote schotels lagen alle mogelijke heerlijkheden voor het ontbijt uitgestald. Er waren allerlei soorten koud vlees, Franse broodjes en heerlijke baksels, en een stukje verderop bedienden twee chefs degenen die liever een warm ontbijt en pannenkoeken aten.

'Ik geloof niet dat ik ooit zo veel eten bij elkaar heb gezien,' merkte Emma op.

Voordat ze hiernaartoe waren gekomen had ze gelezen dat Cubanen met distributiebonnen werkten en zich qua voedsel aan regels moesten houden. Maar aan de uitstalling voor haar te zien pakten ze voor toeristen flink uit. Met een bezwaard hart pakte ze een koffiebroodje, een schaaltje fruit en een kop koffie, waarna ze aan de met een linnen tafelkleed gedekte tafel ging zitten.

Sophie kwam aan met een dienblad met meer eten erop dan ze tijdens één maaltijd naar binnen zou kunnen werken.

'Ben je van plan dat allemaal op te eten?' vroeg Emma.

Sophie haalde haar schouders op. 'Ik wil van alles wat proberen, zodat ik morgenochtend weet wat ik moet nemen.'

Emma begon aan haar tropisch fruit, terwijl Sophie korte, snelle hapjes nam van de keur aan gerechten op de bordjes die voor haar neus stonden.

'Ze hebben hier een welnesscentrum. Heb je zin in een massage?' vroeg Sophie.

Emma schudde haar hoofd. 'Ik ben een beetje moe. Ik denk dat ik me vandaag maar rustig hou.'

Sophie knikte. 'Oké. Heb je nog goede boeken meegenomen?'

'Ik lees nu *Eilanden in de golfstroom*, van Hemingway, maar volgens mij is dat niks voor jou.'

Sophie stak een stukje pannenkoek waar de ahornsiroop vanaf droop in haar mond en trok toen Emma even niet keek een gezicht. Haar zus wist het nog steeds voor elkaar te krijgen dat ze zich als een kind van zes voelde!

'Ik heb genoeg gehad,' zei Sophie uiteindelijk, en ze leunde naar achteren in haar stoel toen een knappe serveerster met sprankelende bruine ogen en een bruingele huid het serviesgoed vol half opgegeten voedsel begon af te ruimen.

Emma wilde haar een handje helpen en stapelde het gebruikte eetgerei alvast netjes op.

'Dank u,' zei de serveerster met een glimlach.

Sophie pakte haar tas nog voordat de vrouw klaar was. 'Nou, ik ga een lekker plekje zoeken bij het zwembad!' Ze stond op en liet haar zus achter, die haar koffie nog niet op had.

'*Gracias*,' zei Emma tegen de serveerster, terwijl ze haar vriendelijke glimlach beantwoordde.

Na het ontbijt zocht Emma zich een weg door de eetzaal. Sophie dacht altijd alleen maar aan wat ze zelf wilde en moest doen, en dat moest dan ook onmiddellijk gebeuren, maar Emma had al geweten dat het zo zou lopen toen ze haar had uitgenodigd om mee te gaan. Ze vroeg zich af hoe het zou zijn als Louise hier was in plaats van Sophie. Dat kon best nog erger zijn, als ze het de hele tijd over Jack Duggan wilde hebben! Emma voelde er niets voor om zich bezig te moeten houden met de man met wie haar zus een paar weken voordat ze zou gaan trouwen een stiekeme verhouding had gehad. Destijds had ze met haar zus meegeleefd en haar vol medeleven aangehoord, maar nu, na al die jaren, vond ze dat Louise maar eens goed moest nadenken over hoe de zaken ervoor stonden. Donal was haar echtgenoot, en hoewel hij bijzonder gesteld was op zaken als stiptheid en netheid, en hij elke gelegenheid aangreep om te gaan zeilen, was hij een prima man voor haar en een goede vader voor hun drie fantastische kinderen. Hij hield van die rol – heel anders dan Paul, die lang had moeten wennen aan het idee een gezin te beginnen en die toen hij eindelijk zover was genoegen had genomen met één kind.

Emma zette haar zonnebril op haar neus en stapte de hete zon in. In de korte tijd dat ze aan het ontbijt hadden gezeten was het een stuk warmer geworden. Ze liet haar blik over de parasols en ligstoelen bij het zwembad gaan en zag haar zus zitten, die haar bleke huid insmeerde met zonnebrandolie.

Een man die toezicht hield op het zwembad trok naast Sophie een ligstoel voor Emma bij.

'Zo zitten we lekker dicht bij de bar,' merkte Sophie op, en ze wees over Emma's schouder naar de verzonken toog tussen de barkeepers en het zwembad. Hoge krukken staken boven het turquoise water uit en een van de hotelgasten zat van zijn eerste mojito van die dag te genieten.

'Als je het mij vraagt zijn we in het paradijs!' zei Sophie, die haar geoliede lijf op de ligstoel liet zakken en een dikke pil oppakte.

Emma kon niet precies zeggen wat er niet klopte, maar ze voelde een steek in haar maag en wilde dolgraag even alleen zijn.

'Ik ga geloof ik maar eens een wandelingetje maken, als je het niet erg vindt,' zei ze, en ze zette haar tas bij de ligstoel naast die van Sophie. 'Ik laat mijn spullen hier.'

'Neem de tijd!' zei Sophie, en ze dook in haar boek.

Emma trok haar t-shirt uit, zodat ze nu in bikini liep, en stopte het in haar tas. Ze bracht wat zonnebrandcrème aan op haar armen en gezicht, en bond vervolgens haar pareo strak om haar middel, zodat die comfortabel en goed vast zou zitten, en ging toen op zoek naar het strand. De kaart waar ze de vorige avond een vluchtige blik op had geworpen maakte duidelijk dat het maar een klein stukje lopen was van het zwembad naar de toegang tot het strand. Ze had geen enkele haast en toen het pad van planken overging in duinen besloot ze te genieten van de sensatie van het warme zand tussen haar tenen. Voor haar uit ontwaarde ze een opening tussen de duinenrij en ze zag een Pico-dinghy met kleurige zeilen voorbijvaren op de blauwe Caribische Zee. Het was eenzelfde soort boot waar de kinderen bij de Sutton Dinghy Club soms in zeilden, en voor het eerst sinds ze op Cuba was voelde ze zich verbonden met thuis. Niet dat ze Finn nu al miste. Sinds Pauls dood was ze een beetje vervreemd geraakt van de mensen in haar leven. Vaak had ze het gevoel dat ze ronddobberde midden op een oceaan; aan alle kanten was land en ze kon makkelijk naar de kust zwemmen als ze dat zou willen, maar omdat ze op geen van die kusten Paul zou vinden zag ze daar de zin niet van in. Soms zag ze in haar dromen Finn naar haar toe komen op een reddingsvlot, maar ze zei telkens tegen hem dat hij terug moest naar de kust, want hoewel hij begreep hoe ze zich voelde, kon hij onmogelijk hetzelfde soort pijn ervaren. Het gevoel van verlies en leegte waar ze nu al zeven maanden mee rondzeulde begon zo comfortabel te worden dat ze zich niet verdrietig meer voelde; van nu af aan zou haar leven er gewoon zo uitzien. Niets zou ooit nog hetzelfde zijn, en het was goed dat Finn de vrijheid had om verder te gaan en een normaal, gelukkig leven te leiden en niet op dezelfde manier met een verdriet hoefde rond te lopen als zijn moeder.

Ze wandelde langs het strand, dat zich uitstrekte zo ver het oog reikte. Het zand was bijna wit en alleen bij de opgangen van de luxehotels die langs de kust verrezen zaten een paar groepjes zonaanbidders en zeilliefhebbers. Ze vond het nu ze hier was prima om alleen te zijn. Ze vroeg zich af of er hier haaien in zee zaten, en zo ja, hoe dicht die dan de kust naderden. Dit was dezelfde zee waar Santiago uit Hemingways roman *De oude man en de zee* zo dapper met zijn vis had gevochten.

Toen ze terugliep gingen er een heleboel gedachten aan Paul en aan haar boek door haar hoofd, en tegen de tijd dat ze door de toegangspoort van het hotel naar binnenglipte wist ze niet precies hoe lang ze had gelopen; de roze kleur op haar armen en schouders maakte haar duidelijk dat het een stuk langer moest zijn geweest dan het had geleken. Ze stierf van de dorst en zocht op weg naar het hotel haar toevlucht in de schaduw van de bar. Het resort bezat vijf bars en zeven restaurants, en alle maaltijden en drankjes waren bij de prijs inbegrepen. Ze hoefde alleen maar haar kamernummer te noemen om zich te kunnen laven aan een glas koel, sprankelend water.

De serveerster was dezelfde vrouw die aan het ontbijt hun tafel had afgeruimd. Haar zwarte haar werd uit haar gezicht gehouden door een keurige paardenstaart en haar glimlach onthulde een volmaakt recht en wit gebit. Om haar hals had ze een gouden kettinkje met daaraan een hanger met de naam DEHANNYS.

'*Hola*,' zei Dehannys met een vriendelijke glimlach. 'Wat kan ik voor u doen?'

'*Agua con gas, por favor*,' zei Emma, terwijl ze zenuwachtig hoopte dat ze niet in de problemen zou raken door in het Spaans te bestellen.

'Ah, *habla Español*?'

'*No – poco*,' zei Emma. 'Maar ik heb mijn best gedaan om het te leren.'

'*Sí, bueno*,' antwoordde Dehannys met een glimlach. 'Mijn Engels is niet zo goed.'

'We kunnen van elkaar leren.'

Dehannys knikte verwoed terwijl ze een fles mineraalwater pakte en een glas volschonk. 'Prima.'

'*Gracias*,' zei Emma, terwijl ze het glas van Dehannys aanpakte. 'Woon je hier in de buurt?'

'In Matanzas, ongeveer een half uur verderop.'

'Volgens mij zijn wij daar gisteravond langsgekomen, toen we van José Marti Airport kwamen.'

'*Sí*. Daar woon ik met mijn ouders en mijn zoon.'

Ze zei niets over een man, bedacht Emma toen ze het glas dorstig leegdronk. Ze voelde zich verbonden met deze vrouw en iets in haar zei dat ze elkaar niet voor niets tegenkwamen.

'*¡Gracias! Vamos*, ik ga mijn zus maar eens zoeken.'

'*¡Adios!*' zei Dehannys met een glimlach.

Emma had een goed gevoel toen ze over het plankier naar het zwembad liep. Haar wandeling had haar verkwikt, en voor het eerst sinds Pauls overlijden besefte ze dat ze zich echt blij kon voelen door in haar eentje een stuk te gaan lopen – natuurlijk droegen de Caribische zon en blinkende turquoise zee daar wel aan bij.

Toen Emma naar haar toe kwam, keek Sophie op van haar boek. 'Hoe was het?'

'Het strand is fantastisch. Het loopt kilometers ver door.'

'Ik zie het later wel,' zei Sophie, en ze dook weer in haar boek. 'O, trouwens, Finn heeft nog gebeld terwijl je weg was.'

'Is alles goed met hem?'

'Ja, hoor. Als je het mij vraagt moest hij je bellen van Louise, maar die wilde natuurlijk alleen weten hoe het hier was.'

Emma dacht terug aan Louises teleurgestelde gezicht toen ze Finn twee avonden geleden bij haar had afgezet. Haar zoon vond het heerlijk om dicht bij zijn neefje te zijn, maar ze besefte dat ze haar zus weer eens in de steek had gelaten en Sophie had meegenomen op een snoepreisje waar Louise waarschijnlijk meer zin in had gehad.

Emma kreeg veel zin om een duik te nemen in het blauwe water van het zwembad. Ze liet haar pareo van haar heupen glijden en liep zonder iets te zeggen naar het water.

Sophie keek op toen de druppels water van Emma's duik over haar schenen en voeten spatten. Ze had me wel eens even een seintje kunnen geven, ging het door haar heen, en ze draaide zich op haar zij om, zodat ze een gelijkmatig bruin kleurtje zou krijgen.

Ze was kwaad op Emma en moest voortdurend haar gevoelens verbergen. Het was zo langzamerhand niet meer uit te houden. Als zij niet mee was gegaan op deze vakantie, zou Emma argwaan hebben gekregen; daar kende ze haar goed genoeg voor. Wat een ironie dat ze op vakantie ging met de vrouw van haar minnaar, terwijl ze hier met Paul had moeten zijn! Emma kon vrijuit lopen kniezen en treuren; zíj hoefde niet voor zich te houden dat haar hart was gebroken. Paul had zich een paar dagen voordat hij was overleden voorgenomen om tegen Emma te zeggen dat hij bij haar weg zou gaan. Hij en zij zouden verhuizen om het makkelijker te maken voor Emma en Finn. Uiteindelijk zou Emma het wel hebben begrepen; dat wist Sophie zeker. Paul was háár zielsverwant en het was de bedoeling dat ze altijd bij elkaar zouden blijven. Maar nu zou ze haar gevoelens en alles wat ze wist voor zich moeten houden, en het tien dagen lang moeten verduren dat Emma haar verdriet breed uitmat.

4

Louise kon haar draai niet vinden. Er speelden twee beelden door haar hoofd: het ene van haar zussen die in de Cubaanse zon lagen en het andere van Jack Duggan op weg naar Dublin in de DART. Maar het was voor haar zussen te vroeg op de ochtend om al in de zon te liggen, en Jack zat waarschijnlijk inmiddels achter zijn bureau of was de hort op om een scoop te scoren. Toch kwamen beide beelden haar voor als betere opties dan de wasmachine volstoppen met schooluniformen en ondergoed!

Toen ze had besloten haar carrière als muzieklerares te onderbreken, voelde het alsof ze dat dubbel en dwars verdiende en was het een enorme opluchting; het tweede jaar was vooral een voortzetting van wat ze vond dat haar rechtens toekwam; het derde jaar zag ze ertegen op om weer aan het werk te gaan, en Donal had het afgelopen jaar niet eens meer gevraagd of dat er nog van zou komen. Ze mocht dankbaar zijn: in deze tijden van economische krapte genoten maar weinig vrouwen de luxe van een echtgenoot met een vet salaris waar zijn gezin ruim van kon rondkomen. Zou er soms iets aan haar mankeren, omdat ze er diep vanbinnen vaak op los had gefantaseerd over een wereld waarin ze verliefd was op Jack Duggan? Het liefst zou ze zich helemaal aan die fantasieën overgeven.

Nu ze hem daadwerkelijk had gezien, voelde ze zich verdoofd en verscheurd. Hij was precies zoals ze zich had voorgesteld dat hij na zo veel jaar zou worden. Eerlijk gezegd zag hij er als volwassen man beter uit dan als tiener.

Er was een week verstreken sinds ze Jacks nummer had ingetoetst, en ze had het idee dat het alleen maar moeilijker zou worden als ze het nog langer uitstelde om hem te bellen. Wat zou ze tegen hem zeggen? Wat zou ze gezegd hebben als hij de vorige keer de telefoon had opgenomen? Ze kon er niet meer tegen en het werd een obsessie. In het eerste jaar dat ze getrouwd was, was ze vaak even langs zijn huis aan Griffith Avenue gereden, voor het geval hij net naar buiten zou komen. Natuurlijk gebeurde dat nooit, omdat hij als student op kamers was gegaan aan de zuidkant van de stad, maar desondanks maakte ze de omweg, omdat het best zou kunnen dat hij op bezoek was bij zijn moeder. Donal had het nooit in de gaten gehad en de opluchting daarover ging gepaard met frustratie dat de man met wie ze was getrouwd geen flauwe notie had van haar intiemste gedachten en gevoelens. Hoe kon ze de rest van haar leven doorbrengen met een man die genoegen nam met maar de helft van wie ze was, terwijl de andere helft stapelverliefd was op Jack?

Maar na verloop van tijd was de obsessie afgezwakt. Haar leven met Donal en de kinderen en haar leraressenbaan waren op de voorgrond komen te staan en haar Jack Duggan-periode leek een verre, glorieuze droom.

Nu, veertien jaar later, zag ze zijn gezicht voor zich als ze na het eten de pannen stond af te wassen. Of als ze de korstjes van de boterhammen van haar kinderen sneed. Als ze haar ogen sloot, kon ze zelfs zijn huid ruiken. Zijn geur was een van de dingen die niet waren veranderd. Zijn kleren waren trendy, zijn huid was wat meer verweerd en zijn haar was een paar tinten donkerder, maar zijn geur was nog onmiskenbaar dezelfde. Gefrustreerd sloeg ze met een klap het deurtje van de wasmachine dicht en barstte in tranen uit. Ze pakte een stuk keukenrol van het aanrecht omdat haar neus begon te druppen, en ze besloot actie te ondernemen.

Werktuiglijk pakte ze de koffiepot van zijn vaste plekje op de plank en mat twee theelepels free-trade Colombiaanse aromatische koffie af. Ze moest zichzelf tot de orde zien te roepen. Straks werd ze veertig, en ze wilde niet het gevoel hebben dat het leven aan haar voorbij was gegaan. Ze moest er niet aan denken om weer te gaan werken, maar de gedachte huismoeder te blijven tot haar kinderen gingen studeren maakte haar nog veel angstiger. Wat was er gebeurd met de zorgeloze Louise die als twintiger altijd zo van pleziertjes had gehouden en die zo diep en hartstochtelijk kon liefhebben? Hoe kon ze zijn veranderd in de doorgedraaide, dwangmatige, identiteitsloze moeder van drie koters die ze nu was? Ze pakte haar mok en schonk kokend water over de gemalen koffie. Ze sloeg haar handen om de warme beker en liep de zitkamer in. Haar piano stond verloren en doelloos in een hoek, en voor het eerst in jaren kreeg ze ontzettend veel zin om een paar akkoorden aan te slaan.

Toen ze nog lerares was, had ze minstens één keer per dag pianogespeeld. In bepaalde periodes van het jaar, zoals in de kersttijd, als er in de kerk kerstliederen gezongen werden, of als de Battle of the Bands werd gehouden, zat ze elke dag uren achter het klavier.

Het was tijdens de jaarlijkse Battle of the Bands-wedstrijd geweest dat Jack Duggan voor het eerst toenadering had gezocht tot zijn lerares. Ze scheelden niet veel in leeftijd – zij was nog maar vierentwintig en net afgestudeerd; hij was achttien en strikt genomen volwassen –, maar ze hadden een totaal andere positie.

Ze kon zich het moment nog heel precies voor de geest halen. Ze waren in haar lokaal nadat alle muziekinstrumenten waren opgeborgen. Toen de zon eenmaal was ondergegaan, hing er in de school een heel andere sfeer, en hoewel het vroeg in de zomer was, verhulde een schemerig duister wat zich in het muzieklokaal afspeelde. Daar was maar één klein raam, en dat was voorzien van geluidsisolatie. De plek waar Jack en zij stonden, bij de grote instrumentenkast, kon onmogelijk door iemand van buitenaf te zien zijn geweest. Trouwens, alle deelnemers aan en toeschouwers van het evenement waren nog in de schoolhal, slechts één trap en enkele tientallen meters verwijderd van de plek waar zij zich bevonden.

'Dank je wel, Jack,' had ze gezegd toen hij haar de versterker en microfoon aangaf om ze in de hoek op te stellen voor de persmensen. Ze kon zich nog precies het moment herinneren waarop hun blikken elkaar kruisten en de energie van haar lichaam overstroomde in het zijne.

Langzaam kwam hij naar voren, ervan uitgaand dat zij dezelfde gevoelens had als hij.

In de laatste weken van dat schooljaar had de spanning zich langzaam en zinderend opgebouwd, als een soort stoofgerecht, en nu het mei was geworden en hij binnenkort niet langer een schooljongen zou zijn, besefte hij dat het donkere hoekje van het muzieklokaal dé plek was om actie te ondernemen.

De eerste kus was in zijn onschuld heel teder en onhandig. Pas toen ze zijn geur inademde, maakte haar verlangen naar hem haar helemaal gek. Ze opende gretig haar lippen om hem in te drinken. Hij smaakte zo fris, zo nieuw – niet dat haar verloofde Donal ook maar in enig opzicht een oude man was, maar met zijn achtentwintig jaren scheelde hij tien jaar met Jack.

Louise probeerde niet aan Donal te denken terwijl ze zich door Jack steviger liet vastpakken en naar de vloer van het lokaal liet trekken. De rollen waren omgedraaid: nu was hij degene die de touwtjes in handen nam en werd zij een weg op geleid die op een ramp kon uitdraaien, omdat er elk moment iemand binnen kon komen. Ze moest al haar zelfbeheersing aanwenden om te voorkomen dat hun zoenpartij die avond uit de hand zou lopen.

Een paar weken eerder was er die andere keer geweest, toen ze op de richel had gezeten die rondom de muren van het lokaal liep, met haar voeten rustend op de pianokruk. Naast haar lag een stapel werkstukken over Debussy en impressionistische musici. De bel die het begin van het lesuur aangaf was nog niet gegaan.

'Wat ben jij vroeg!' had ze luchtig uitgeroepen toen haar eerste leerling de klas binnenkwam.

Jack was langzaam naar haar toe gekomen, hoog op de richel, en was net iets dichterbij dan nog comfortabel aanvoelde blijven staan, op een paar centimeter van haar knieën.

'Dit is mijn favoriete les, ik kon niet wachten.'

En op de een of andere manier hadden ze op dat moment allebei geweten dat hij niet op haar kwaliteiten als docente duidde.

Louise huiverde toen ze daaraan terugdacht en nam nog een slokje zwarte koffie. Ze kon de draad van toen niet meer oppakken, maar ze kon wel in actie komen om de passie in haar leven terug te brengen. Ze had een paar mogelijkheden. Maar vooralsnog zette ze haar mok op de onderzetter op de piano en ging op het nauwelijks gebruikte krukje zitten. Ze sloeg de klep open die de ebbenhouten en ivoren toetsen eronder bedekte, als een vampier die het deksel van een doodskist optilt. Het was al een poos geleden dat ze Debussy had gespeeld en ze vroeg zich af of ze nog wist hoe het moest. Toen de klanken van 'Clair de Lune' zachtjes opstegen uit de piano raakten haar hoofd en hart helemaal verkwikt. Dit was iets van haarzelf, waar Jack of Donal of wie dan ook niets mee te maken had. Pianospelen zou haar misschien helpen het antwoord te vinden op de vraag wat ze in haar leven miste en waarom het in haar binnenste zo leeg aanvoelde.

'Wat hebben jullie vandaag gedaan?' vroeg Donal aan Louise.

Als hij 's avonds niet regelrecht naar de jachtclub ging, hield hij graag audiëntie voor het hele gezin, en Louise ergerde zich altijd aan dat conservatieve trekje van hem. Over de keukentafel heen keek ze haar man aan, die nog steeds het overhemd en de stropdas droeg die hij naar zijn werk had aangehad. Zijn bruine haar begon dunner te worden, maar zijn huid zag er nog opvallend jeugdig uit voor iemand die een groot deel van zijn vrije tijd aan zeilen besteedde.

'Ik heb eerst alle kleren gewassen en gedroogd, en vervolgens gestreken en weer in de kast gelegd,' zei Louise kortaf.

Het was niet Donals bedoeling geweest beschuldigend te klinken. Hij wist alleen niet meer hoe hij met haar moest praten over de dingen die echt belangrijk waren.

Matt en Finn zaten haastig hun *fish and chips* naar binnen te werken, want ze wilden graag buiten voetballen.

'Heb je je moeder al opgebeld?' vroeg Louise aan haar neefje.

'Ik heb haar gebeld op weg van school naar huis, maar ze was er niet. Sophie nam op. Ze belt later wel terug.'

Louise knikte en begon stug en secuur haar vis in mootjes te verdelen. Omdat ze besefte dat ze tegen Donal een beetje scherp was uitgevallen, gooide ze het over een andere boeg en sloeg een andere toon aan.

'Eerlijk gezegd heb ik vandaag een poosje achter de piano gezeten. Dat heb ik in geen jaren meer gedaan.'

'Mooi zo!' zei Donal, die oprecht blij was om te horen dat zijn vrouw iets deed wat ze fijn vond. Hijzelf had tenslotte zijn zeilerij. 'Ik heb je al tijden niet meer horen spelen.'

Louise knikte. Dat was waar, en toen ze met pianospelen was gestopt, was haar relatie met Donal ook afgelopen. Ze vrijden nog maar zelden en hij beklaagde zich daar nooit over. Soms zou ze willen dat hij haar vol vuur vastpakte en zei dat hij ontzettend naar haar verlangde. Maar dat had Donal nooit gedaan, zelfs niet in hun verkeringstijd, dus waarom zou hij daar dan nu ineens mee beginnen?

Op dat moment ging Finns mobiele telefoon, en de jongen haalde hem onhandig tevoorschijn en drukte het toestel tegen zijn oor.

'Mam, hoi! ... Ik zit te eten met iedereen... Hoe is het daar?'

Louise keek toe hoe Finn elk woord dat zijn moeder zei indronk. Hadden Matt en zij maar beter contact met elkaar. Ze nam het zichzelf kwalijk dat ze hem op de crèche had gedaan toen hij nog heel klein was; hij was nog maar een paar maanden oud geweest. Ze had destijds echter maar veertien weken zwangerschapsverlof gekregen en haar werk betekende alles voor haar, en ze had zich vast voorgenomen niet toe te laten dat de komst van haar eerste kind daar ook maar iets aan veranderde. Maar door kinderen te krijgen was ze tóch veranderd en waren haar prioriteiten meeveranderd, en daarom had ze het er ook zo moeilijk mee dat ze de laatste paar dagen telkens aan Jack Duggan moest denken.

Finn drukte zijn mobiele telefoon uit. 'De groeten van mam. Ik moest zeggen dat ze je morgen nog wel belt,' zei hij tegen zijn tante, en hij viel weer aan op zijn fish and chips.

Louise glimlachte. 'Bedankt, Finn. Ziezo, wil er misschien iemand een toetje?'

'Mjammie!' riepen Molly en Tom in koor.

Donal hief zijn hoofd op. 'Anders hebben we nooit een toetje halverwege de week.'

'Het is een extraatje,' zei Louise, en ze liep naar de koelkast.

Ze werd vanbinnen heen en weer geslingerd tussen schuldgevoelens over haar verlangen Jack terug te zien en de noodzaak om een goede moeder en echtgenote te zijn.

Ze beefde toen ze de cijfers van het visitekaartje intoetste op de telefoon. Wat nou als hij weer niet opnam? Zou ze dit keer dan een boodschap achterlaten? Maar ze hoefde niet lang te wachten voordat ze aan de andere kant van de lijn een stem hoorde die onmiskenbaar de zijne was.

'Hallo?'

'Jack? Hai, met Louise. Louise Scott – ik bedoel Owens. Van school!'

Verdorie, dacht ze, waarom zeg ik nou 'van school'? Wat ben ik toch een malloot!

'Ha, Louise, hoe is het met je?' vroeg hij.

Louise slikte moeizaam; ze voelde zich dwaas dat ze überhaupt had gebeld. 'Goed hoor. Ik vond het heel leuk dat ik je laatst tegenkwam – in de DART.'

'Ja, oude tijden herleefden. Werk je nog steeds op school?'

'Daar ben ik jaren geleden al mee gestopt. Ik heb nu kinderen.'

'Aha. Hoeveel?'

'Drie. De oudste is elf en de jongste zes, dus ik heb mijn handen vol.'

'Leuk, hoor. Dat klinkt prima!'

Aan zijn stem kon Louise wel horen dat het hem helemaal niet prima leek om een sliert kinderen te hebben.

'Je zei dat je tegenwoordig in Howth woont – waar ongeveer?' vroeg ze.

'Ik woon in een appartement aan de haven. Schitterend uitzicht. Maar goed dat het geen koopflat is, gezien de stand van zaken op de huizenmarkt.'

Dat beaamde Louise met een luid 'Mm-mm'. Hij was duidelijk zo vrij als een vogeltje en genoot daarvan.

'In het weekend is hier een leuke boerenmarkt,' zei hij. 'Kom je wel eens de deur uit?'

Louise zweeg even. Bedoelde hij nou dat ze naar Howth moest komen?

'Jazeker. Mijn zus woont in Sutton en ik maak vaak op zondagochtend met de kinderen een uitstapje. Ze zijn dol op de crêpes bij de marktstalletjes.'

Waarom heb ik het toch voortdurend over de kinderen, berispte ze zichzelf. Ze kon Jacks onrust aan de andere kant van de lijn voelen.

'Hoor eens, ik moet foto's maken – een prijsuitreiking in Burlington. Leuk je even gesproken te hebben, Louise. Misschien kunnen we een andere keer verder praten? We hebben heel wat bij te kletsen.'

Louise kreeg het gevoel of iemand haar een tik op de vingers gaf.

'Ja, ook leuk om jou gesproken te hebben!' zei ze, en de verbinding werd verbroken.

Wat was dat nou allemaal? Hij was er totaal niet met zijn gedachten bij geweest, heel anders dan die keer in de DART. Misschien was hij er, na de eerste schok van het weerzien, anders over gaan denken en wilde hij niets meer met haar te maken hebben. Hoe dan ook gaf het telefoontje haar een leeg en verdrietig gevoel. Ze had niet moeten bellen.

5

'Waar heb je vandaag zin in?' vroeg Sophie.

'Ik geniet van de rust.' Emma strekte zich uit op het bed en slaakte een diepe geeuw.

'Ik begin me een beetje te vervelen. Ik zou het niet erg vinden om wat bezienswaardigheden te gaan bekijken.'

Emma kwam op het bed overeind en glimlachte.

Op dat moment werd er op de deur geklopt.

'Het is het kamermeisje maar. Ik stuur haar wel weg,' zei Sophie, en ze beende naar de deur.

Toen ze die opendeed, zei het kamermeisje dat in de deuropening stond verontschuldigend: 'Neem me niet kwalijk. Ik kom later wel terug.'

'Wacht even, Marina!' riep Emma, die ineens weer moest denken aan de enorme hoeveelheid toiletspullen die ze in haar koffer had gepropt.

Ze pakte een tube tandpasta en een doosje tampons, en vloog naar buiten om ze aan het meisje te geven dat zo aardig was geweest en zo goed voor hen had gezorgd door van hun badhanddoeken kleine beeldhouwwerkjes te maken en bloemblaadjes over hun bed te strooien.

Sophie klakte met haar tong. Als het haar ook maar iets had kunnen schelen wat een Cubaans kamermeisje dacht of voelde, zou ze zich voor Emma's gedrag hebben gegeneerd.

'Ik heb gehoord dat deze dingen hier moeilijk te krijgen zijn,' zei Emma, terwijl ze het meisje de spulletjes in de handen stopte.

'Ja, dank u wel – *muchas gracias*!' zei het meisje, verwoed knikkend.

Hoofdschuddend mikte Sophie haar bikini, boek en zonnebrandcrème in haar strandtas.

Emma sloot de deur en kwam naar haar toe.

'Wat heb jij?' vroeg ze defensief.

'Dat kind heeft elke dag toiletspullen in haar handen; ze werkt verdorie in een hotel! Ik wil wedden dat het haar geen moeite kost om te krijgen wat ze hebben wil.'

Emma wist niet zeker of Sophie gelijk had of niet, maar ze had een beter gevoel nu ze een goede daad had gedaan, en het was onaardig van haar zus om daar schamper over te doen.

'Ik wou na het ontbijt naar Varadero. Heb je zin om mee te gaan? Wie weet kunnen we een paar doosjes tampons meenemen om onder de armen uit te delen?' vroeg Sophie spottend.

Emma negeerde die opmerking, pakte haar witte Apple-laptop en stak die in haar tas.

'Ik geloof dat ik liever wat ga schrijven bij het zwembad.'

Sophie schudde haar haar uit haar gezicht en liep als eerste de hotelkamer uit.

Het begon haar op de zenuwen te werken om met haar zus dagenlang op elkaars lip te zitten en amper met iemand anders te praten dan het Cubaanse hotelpersoneel. Maar Emma had het tenminste niet over Paul. Ze vermoedde dat ze er waarschijnlijk beter aan deed om haar werkelijke gevoelens opzij te zetten en te proberen zich een beetje te amuseren. Mannen waren altijd een bron van plezier geweest, totdat ze Paul had leren kennen, de enige man met wie ze bereid was geweest zich te settelen. In Varadero kon ze eens kijken of er een goede nachtclub was, of een kans om interessante mensen te ontmoeten en aan haar zus te ontsnappen.

Emma was verrast door het gemak waarmee de woorden op het scherm van haar laptop verschenen. Het was een heel gedoe om eerst haar ligstoel in een beschaduwd gedeelte van het terrein bij het zwembad te zetten en de parasol naar beneden te laten zakken, zodat die voldoende schaduw bood om haar beeldscherm goed te kunnen zien, maar nu ze eenmaal zat te schrijven, liep het lekker.

Het was prettig om even bij Sophie uit de buurt te zijn; een moment voor zichzelf was precies wat ze nodig had.

Ze voelde zich heel anders dan wanneer ze thuis zat te schrijven, en dat kwam niet alleen door de Cubaanse zon of de warme wind die kwam aanwaaien vanaf het strand. Emma voelde dat er een andere kracht in het spel was die haar hielp de woorden neer te schrijven en haar toonde wat het volgende was dat haar personages zou overkomen. Ze schreef over Martin; hij was de hoofdpersoon van haar verhaal en in elk opzicht een held à la Hemingway: macho en sterk, zo zinderend van testosteron dat de vrouwelijke personages ervan in katzwijm vielen; die heetten Jill en Ruth, die altijd vriendinnen waren geweest, totdat Martin in hun leven was verschenen. Hij was degene die hun levenslot bepaalde. Tot dusver had ze hem donker haar gegeven, maar zijn ogen had ze nog niet beschreven. Ze overwoog hem hazelnootbruine ogen te geven, net als die van de taxichauffeur die hen naar Varadero had gebracht. Wanneer ze haar best deed om de personages die ze bedacht vorm te geven, nam ze wel vaker eigenschappen of gelaatstrekken over van een bestaande persoon. Martin was zijn carrière begonnen als een doodgewone politieman, maar toen hij in dat werk al snel beter was geworden, was hij gepromoveerd tot rechercheur. Hij moest kracht uitstralen, en weer dacht ze aan de taxichauffeur; de man die hen van José Marti Airport had afgehaald had ook over een soort stille kracht beschikt.

Emma vond het heerlijk om zo veel over de personages in haar roman te zeggen te hebben, heel anders dan in het echte leven, waarover ze maar weinig controle leek te hebben. Zelfs Finn was moeilijk in de hand te houden als hij per se iets wilde waarbij zij gevaren of risico's zag.

Het leven was veel veiliger als je op je laptop zat te tikken en het aan je personages overliet om alle fouten en misrekeningen te maken. Wanneer er een figuur in haar roman overleed, zouden er tenminste geen echte tranen worden vergoten, de begrafenis zou binnen een paar pagina's achter de rug zijn, en de andere personages zouden gewoon doorgaan, zonder dat hun geluk eronder te lijden had.

Toen ze het aantal van 25.000 woorden had bereikt, waar ze bijna acht maanden over had gedaan, drukte ze op OPSLAAN, leunde achterover en rustte even uit.

Een stukje verderop zag ze Dehannys over het pad snel naar haar toe komen, met een tas over haar schouder geslingerd.

Ze noemden elkaar inmiddels bij de voornaam en Dehannys had Emma verteld hoe ze de namen van de dagen van de week en de maanden van het jaar op de juiste manier moest uitspreken. En ze kon nu '*dos cervezas*' bestellen zonder accent.

'Ben je klaar met werken voor vandaag?' vroeg Emma toen Dehannys naderbij kwam.

'*Hola*, Emma,' zei ze met een glimlach. 'Nee, ik heb nu pauze.'

'Kom gezellig bij me zitten,' zei Emma.

Dehannys leek in verlegenheid gebracht. 'Ik denk niet dat mijn baas dat goed zou vinden. Personeel dat niet in functie is mag niet bij het zwembad komen.'

Emma nam het zichzelf kwalijk dat ze daar niet bij had stilgestaan. 'Hoe is het nu met je zoon?' Dehannys had haar verteld dat de jongen niet helemaal in orde was.

'Hij is *mucho* beter, *gracias*.'

'Is hij thuis?'

'Ja, mijn moeder zorgt voor hem.' Ze zweeg even. 'Wil je een keer bij mij thuis op bezoek komen, om mijn familie te zien?'

Bij dat voorstel kwam Emma op haar ligstoel overeind. Wat een geweldig idee! Het leek haar enig om te zien hoe een Cubaans gezin woonde. 'Wat een vriendelijk aanbod, Dehannys. Zou je dat echt leuk vinden?'

'O ja, heel leuk. Mijn moeder kookt soms voor toeristen – dat mag van de overheid – en dat heet dan een *paladar*, een klein restaurant. Ik zou je graag te gast hebben, maar zeg alsjeblieft niks tegen mijn baas hier!' Al pratend keek Dehannys om zich heen, bang dat iemand haar zou horen.

Voor het eerst realiseerde Emma zich hoe kwetsbaar de positie van haar nieuwe vriendin was. 'Hoe kom ik bij je? Kan ik een taxi nemen vanaf het hotel?'

Dehannys knikte. 'Ja, hoor. Ik geef je mijn adres.'

Emma zocht in haar tas naar papier en een pen. 'Schrijf het maar op. Vind je het goed als mijn zus ook meekomt?'

Dehannys glimlachte en knikte enthousiast. 'Zij is van harte welkom. Leuk! Dan zien jullie ook mijn zoon.'

'Heb ik je al een foto laten zien van míjn zoon, Finn?'

Dehannys schudde haar hoofd. 'O, laat eens kijken, alsjeblieft?'

Trots haalde Emma een foto tevoorschijn van haar zoon die in Dublin Bay op de rand van een Pico zat, met in de verte de Dublin Mountains.

'Hier woon ik – in Dublin, Ierland.'

'Wat prachtig. Hij is een knappe jongen. Kom morgenavond maar, want op woensdag hoef ik niet te werken.'

Emma glimlachte. 'Graag. Hoe laat?'

'Kom maar om vier uur; dan kunnen jullie Matanzas nog zien.'

'Goed, dan zie ik je om vier uur.'

'Ja, tot dan.'

Emma keek haar vriendin na toen die ongehaast losjes wegliep, met dat onmiskenbare ritme in haar tred dat de Cubanen zo kenmerkte.

Vanuit de tegenovergestelde richting zag ze haar zus aankomen, met twee witte plastic tassen in haar handen. Zelfs van een afstandje kon Emma zien dat Sophie haar fraaie voorhoofd gefronst had. Toen ze uiteindelijk bij Emma was, zuchtte ze diep.

'Die achterlijke bus is wel het toppunt! En op de markt verkopen ze alleen maar troep.'

'Zo te zien heb je anders aardig wat van die troep ingeslagen!'

Sophie plofte neer op de ligstoel naast Emma. Ze reikte in een van de tassen en haalde er een speelgoedautootje uit dat was gemaakt van een colablikje.

'Even een mojito scoren,' zei ze. 'Jij ook?'

'Ach, waarom niet?' zei Emma schouderophalend. Sinds ze op Varadero Beach was aangekomen was ze de plaatselijke cocktail zo lekker gaan vinden dat ze de eerste van de dag meestal al voor twaalven op had.

Toen Sophie naar de bar liep, boog Emma zich over haar laptop en ging weer aan het werk. Ze zou haar zus straks wel vertellen over het uitstapje naar Dehannys.

'Ik zie niet in waarom ik mee zou moeten,' pruttelde Sophie.

'Je hóéft niet mee. Je kunt ook hier blijven,' zei Emma terwijl ze vanuit de tuin het trapje op gingen naar de receptie.

'Het stikt hier van de kleffe stelletjes. Ik ga echt niet de hele avond in mijn eentje in de pianobar zitten.' Dat het hotel voor velen een romantisch toevluchtsoord was, was maar een deel van de reden waarom Paul en zij het als reisbestemming hadden uitgekozen. Nu brak die beslissing haar aardig op.

'Nou, jij mag het zeggen.' Emma draaide zich om en vroeg aan degene achter de balie: 'Zouden we een taxi naar Matanzas kunnen krijgen?'

De receptionist, een man in een glanzend grijs pak en met een potlooddun snorretje, glimlachte breed, wat Emma duidelijk maakte dat ze zojuist naar het onmogelijke had gevraagd.

'Hebt u gereserveerd?'

'Nee. Maar kunt u er niet gewoon eentje bellen?'

Hij ontblootte zijn gebit in een nog bredere glimlach en schudde zijn hoofd. 'Het spijt me, *señora*, maar vanuit dit hotel moeten we officiële taxi's gebruiken. En die moeten gereserveerd zijn.'

Emma geloofde haar oren niet. 'En huurauto's dan – is er daar eentje van beschikbaar?'

'De verhuur is voor vandaag gesloten. Het spijt me zeer!'

Opeens hoorde Emma boven haar hoofd een hese stem iets in het Spaans zeggen, en even later herkende ze de man die erbij hoorde. Hij sprak snel en op gezaghebbende toon, en uiteindelijk haalde de receptionist zijn schouders op.

'Deze meneer wil u wel naar Matanzas brengen,' zei hij. 'Hij moet toch naar Havana en hij kan u onderweg afzetten.'

'Hallo,' zei Emma met een glimlach. 'U hebt ons ook van het vliegveld gehaald, nietwaar?'

De taxichauffeur glimlachte terug en in het daglicht kon Emma beter dan de vorige keer zien dat hij hagelwitte tanden had, wat verbazingwekkend was voor iemand uit een volk dat zo moeilijk aan tandpasta kon komen.

'Weet u zeker dat het voor u niet te ver omrijden is?' vroeg ze.

'Nee, Matanzas ligt op de route. En als u wilt breng ik u ook weer terug.'

'Heel hartelijk dank,' zei Emma.

Sophie rolde met haar ogen terwijl ze achter haar zus aan liep naar de Renault van de chauffeur.

'Hoe vaak rijdt u heen en weer naar Havana?' vroeg Emma toen ze zich eenmaal in de taxi hadden geïnstalleerd.

'Soms drie keer per dag, maar meestal twee keer. Ik moet de hotelgasten ophalen en afzetten bij het vliegveld.'

Emma merkte op dat de meter niet aanstond en vroeg zich af of ze daar iets over moest zeggen. Misschien had hij een andere manier om de ritprijs te berekenen? Uiteindelijk besloot ze dat ze er beter een opmerking over kon maken, want het kon zijn dat hij het simpelweg vergeten had.

'Neem me niet kwalijk, maar u hebt de meter niet aanstaan.'

'De rit is gratis. Ik moet toch langs Matanzas.'

Sophie boog zich naar haar toe en fluisterde haar zus in het oor: 'Hij is zeker uit op een vette fooi!'

Emma voelde zich door die opmerking behoorlijk opgelaten. Hoe moest dat de man die hen uit de brand had geholpen, terwijl hij dat helemaal niet had hoeven doen, wel niet in de oren klinken? Ze wierp haar een dreigende blik toe om haar het zwijgen op te leggen. In het achteruitkijkspiegeltje kon ze de chauffeur zien, met zijn hazelnootbruine ogen. Die hadden haar eerst niet typisch Cubaans geleken, maar nu ze wat langer op het eiland was, was haar duidelijk geworden dat er helemaal geen 'typische Cubaan' bestond. De huidskleur van de Cubanen varieerde van licht romig tot donker chocoladebruin, en hun haar kon blond of ravenzwart zijn. Maar wat ze allemaal gemeen hadden waren gevoel voor ritme en een hartstochtelijke natuur.

Toen ze een bruggetje naderden, kwam er een groep voorname

koloniale huizen in zicht. Ze waren hard aan een opknapbeurt toe, en kalkachtige roze en blauwe verf bladderde aan alle kanten van de muren. In de verte doemden nog meer bruggetjes van diverse modellen op, sommige met spijlen aan de zijkanten, andere gemaakt van metaal en die eerder functioneel dan esthetisch vormgegeven. Een koloniale kerk rees boven de lage daken uit en wierp een romantische schaduw over de stad. Emma was nog nooit op zo'n soort plek geweest. Die had iets rauws, dat karakter en charme uitstraalde.

'Hebt u het adres?' vroeg de chauffeur.

Emma rommelde in haar tas om haar notitieboekje te zoeken. 'Ja, dat heb ik hier... Sorry, ik heb eerder uw naam niet goed verstaan.'

'Felipe,' antwoordde de chauffeur.

Wat een heerlijke naam, dacht Emma. 'Bedankt, Felipe. Ik ben Emma, en dit is Sophie.'

'Aangenaam, Emma en Sophie,' zei hij met een glimlach.

'Het adres is Cavadonga y Carnet, of zoiets.'

Felipe knikte. 'Dat ken ik wel. Mijn neef woont ook in die straat.'

Sophie slaakte een kreetje toen Felipe een straat in reed met aan weerskanten eenvoudige, maar uitnodigende haciënda's.

'Dit zijn mooie huizen,' zei Felipe, en Emma kon wel zien dat hij dat ook echt meende. 'Na de orkaan was het moeilijk om aan cement te komen om de schade te herstellen, maar ze zijn er nu een stuk beter aan toe.'

De meeste huizen hadden een voortuintje met een smeedijzeren hek en wilde bloemen, en ze zagen er vrolijk uit, want ze waren in alle mogelijke tinten groen, blauw en crème geschilderd.

Felipe zette plotseling de auto stil voor een groenblauwe deur.

'Dit is een heel mooie paladar.' Hij draaide zich om om naar de vrouwen achterin te kijken. 'Hoe laat zal ik jullie weer komen ophalen?'

Emma keek naar Sophie, en aan dier gezicht kon ze wel zien dat zij niet al te lang wilde blijven. 'Hoe laat kom je terug uit Havana?'

'Over een uurtje of drie.'

'Prima. Dank je wel, Felipe.' Emma stak haar hand in haar zak en haalde er twintig *chavito* uit, de Cubaanse toeristenvaluta, waar de Cubanen heel dol op waren, omdat ze daarmee spullen konden kopen die eigenlijk alleen toeristen konden aanschaffen.

'Bedankt,' zei Felipe met een knikje, en hij stapte uit om het portier aan haar kant open te maken.

'Tot straks dan maar,' zei Emma met een glimlach.

Sophie keek toe met een mengeling van geamuseerdheid en ongeduld. Toen Felipe wegreed, wendde ze zich met een frons naar haar zus. 'Heb je wel in de gaten dat je hem een fooi hebt gegeven die gelijkstaat aan twee maandlonen?'

Nu was het Emma's beurt om te fronsen. 'Ik vond dat hij dat verdiende. Hij heeft ons hiernaartoe gebracht, terwijl hij dat helemaal niet hoefde te doen!'

'Het lag op zijn route!'

'Sophie, kun je als iemand je op die manier wil helpen niet gewoon eens dankbaar zijn? De wereld draait niet om jou alleen!'

Sophie rolde met haar ogen en liet haar zus vooropgaan. Was ze maar in het hotel gebleven.

'Wat verrukkelijk!' zei Emma, terwijl ze haar mes in een stuk gebraden varkensvlees zette.

'Het heet *cerdo asado*, en de bonen en rijst noem je *moros y cristianos*,' legde Dehannys uit.

'Wat betekent dat?'

'De zwarte bonen zijn de Moren en de witte rijst staat voor de christenen!'

Emma lachte. 'Wat leuk bedacht!'

'*¿Cerveza?*' vroeg Dehannys' vader, terwijl hij opstond en een leeg flesje omhooghield. Hij glimlachte vrolijk en wreef over zijn buik, waar hij een felgroen shirt overheen droeg. Hij was een opgewekte man en vond het leuk om met zijn echtgenote en dochter de twee Ierse vrouwen te vergasten.

'*No, gracias, Alberto*,' zei Emma, op haar buik kloppend om aan te geven hoe vol en voldaan ze zich voelde. Het was lastig om een gesprek te voeren met iemand die geen woord Engels sprak, maar zich wel ontzettend uitsloofde om aardig en gastvrij te zijn.

'*¿Mama, peudo que yo ahora juego?*' vroeg de kleine Fernando aan zijn moeder.

'*Sí.*' Dehannys keek haar zoontje na toen hij via de keuken weghuppelde naar buiten.

'Je zoon is *mucho guapo*; hij lijkt precies op de mijne!' zei Emma.

'*Gracias*, Emma,' antwoordde Dehannys trots. 'Hij is een lieve jongen.'

Emma wilde dolgraag weten waar de vader van het knulletje was, maar wist niet zeker of ze daar wel naar kon vragen met de hele familie erbij. Misschien moest ze dat een andere keer maar doen.

'Ah, mijn broer!' zei Dehannys enthousiast toen een knappe jongeman met een koffiekleurige huid het huis binnenstapte. '*José, estas son mis amigas, Emma y Sophie.*'

Emma keek op toen Sophie voor het eerst die avond rechtop in haar stoel ging zitten.

José droeg een rood hemd en een zwarte broek met glimmende zwarte schoenen, en in Dublin zou hij er heel misplaatst hebben uitgezien, maar in de paladar in Matanzas, waar de stoffige hitte van die dag nog door de voordeur naar binnen dreef, leek hij wel regelrecht uit een filmset gestapt.

'José is... hoe zeg je dat... een muziekman. Hij speelt piano in Hotel Tryp in Varadero,' liet Dehannys hun trots weten.

'Wil je voor ons spelen?' vroeg Sophie, zo verleidelijk dat ze zeker wist dat ze zijn aandacht had getrokken.

'Geen piano in huis, helaas, maar ik speel hier wel op,' zei hij, en hij pakte een oude akoestische gitaar die in de hoek tegen een witgewassen muur stond, en begon wat te tokkelen.

Opeens voltrok zich een verandering in de kamer. José speelde en zong met zo veel emotie dat iedereen zijn bezigheden staakte om te luisteren. Het was een zachte Cubaanse ballade, die een sfeer opriep die de Ierse vrouwen in een soort trance bracht. Zijn stem rekte de gevoelvolle klanken lang uit.

'Louise zou dit prachtig vinden,' fluisterde Emma in Sophies oor, maar haar zus luisterde niet.

José kwam toen hij uitgespeeld was naar hun tafel en trok naast Sophie een kruk bij.

'Blijven jullie lang op Cuba?' vroeg hij.

'We hebben nog drie dagen in Varadero en dan gaan we drie dagen naar Havana.'

'*A La Habana*,' zei hij weemoedig. 'Schitterend is het daar.'

'Kom je er veel?' vroeg Sophie.

Hij schudde zijn hoofd. 'Reizen is lastig. Ik werk in Varadero, dus ik heb er niks te zoeken. Maar toen ik aan de universiteit studeerde heb ik er drie jaar gewoond.'

'Waar woon je nu, José?'

'Hier, bij mijn vader en moeder. Het is lastig om een gemeentewoning te krijgen.'

De zon was inmiddels ondergegaan en de moeder van Dehannys had het enkele peertje aangeknipt dat in het midden van de kamer hing. Op de vensterbank stonden waxinelichtjes, die ze met een lucifer aanstak. Ze wierpen flakkerende schaduwen op de witgewassen muren en gaven de kamer een knusse en intieme sfeer.

'Koffie of *ron*?' vroeg Dehannys aan haar gasten.

'Wat is *ron*?' vroeg Emma.

'Rum – Havana Club. Mijn vader werkt in de fabriek,' zei ze terwijl ze een lange, slanke bruine fles tevoorschijn haalde met midden op het etiket de kenmerkende rode cirkel.

José sprong overeind en pakte vier borrelglaasjes, die Dehannys vervolgens tot de rand toe volschonk. Hij pakte als eerste zijn glaasje op en sloeg de inhoud in één keer achterover.

Sophie hief haar glas en nam een slokje. De tranen sprongen haar in de ogen en ze begon te hoesten en te proesten.

José glimlachte en gaf haar het katoenen servet aan dat op tafel lag.

'Dank je,' zei ze, terwijl ze haar lippen bette.

Opeens ging de deur open en kwam Felipe de kamer in. Na een hele dag in de auto zag hij er ietwat verfomfaaid uit. Zijn gezicht klaarde op toen hij Emma aan de tafel zag zitten en hij schonk haar een vriendelijke glimlach.

'*¡Amigo!*' bromde José, en hij stond op om nog een glas uit de oude buffetkast in de hoek te gaan halen. '*¿Ron?*'

'*Sí, gracias,*' zei Felipe met een knikje, terwijl hij op een kruk naast Emma ging zitten. 'Hebben jullie lekker gegeten?'

'Ja, heerlijk. Wat ben je snel terug.'

Hij haalde zijn schouders op. 'Als er geen politie is, kan ik lekker doorrijden.' Hij pakte zijn glaasje met rum en hief het hoog op voordat hij het in één keer naar binnen sloeg.

Plotseling doofde het zwakke licht in het midden van de kamer. Dehannys' moeder begon te foeteren en als een klokkende kip te redderen.

'Op Cuba wil de stroom nog wel eens uitvallen,' fluisterde Felipe in Emma's oor.

Emma schonk hem een glimlach. Ze was blij dat hij terug was gekomen en wilde best nog even blijven.

José leek zich door het donker niet van de wijs te laten brengen.

'*¡Musica!*' riep hij uit, en hij stond op om zijn gitaar weer te pakken.

Vanuit de bijkeuken kwamen Dehannys' grootmoeder en een paar vrouwen uit de buurt de kamer in, en iedereen begon te klappen op de klanken die José aan de gitaar ontlokte.

Het zachte kaarslicht droeg bij aan de sfeer en Emma realiseerde zich voor het eerst in heel lange tijd dat ze op dat moment gelukkig was, met deze vreemdelingen in een vreemd land, en dat ze helemaal niet verdrietig was of aan Paul hoefde te denken.

6

Louise pakte de jongste kinderen beet en trok hen hun jassen aan.

'Het is veel te warm,' kreunde Molly.

'Op de pier is het altijd fris en vandaag staat er een noordenwind,' zei Louise terwijl ze Toms jasje dichtknoopte.

'In de auto hoeven ze hun jas niet aan,' zei Donal in een poging zijn vrouw tot meer spoed te manen.

Hij stond bij de geopende voordeur met zes golfclubs en een tas met ballen in zijn handen. De twee oudste jongens werden ongeduldig. Donal had hun allemaal beloofd dat ze op zondag in het Hertenpark zouden gaan midgetgolfen.

Louise controleerde in de spiegel nog een laatste keer hoe ze eruitzag, waarna ze het alarm instelde en achter de anderen aan naar de auto liep. Ze had meer werk gemaakt van haar uiterlijk dan anders voor een zondags tochtje naar Howth, met in haar achterhoofd de gedachte dat ze Jack Duggan misschien wel tegenkwamen.

Toen ze hem had opgebeld, had ze daar een hol gevoel aan overgehouden, en nu wilde ze heel zeker weten dat ze er op haar best uitzag voor het geval ze hem weer tegen het lijf liep. Donal leek er geen tegenspraak in te zien dat ze zelf een laaguitgesneden topje droeg, terwijl ze per se wilde dat haar kinderen zich dik inpakten.

De rit langs de zee verliep lawaaiig met vier kinderen achterin die elkaar aan één stuk door zaten te porren en te duwen. Gelukkig was het niet al te druk op de weg en waren ze vroeg genoeg vertrokken om de spits midden op de dag te vermijden.

Toen ze de poorten van Howth Castle and Demesne naderden, voelde Louise haar hart hameren. Wat nou als ze Jack vandaag tegen het lijf liep? Wat zou ze tegen hem moeten zeggen na hun stuntelige telefoontje?

'Ik zie jullie over een uurtje of twee wel weer; dan kunnen we een hapje eten,' zei Donal terwijl hij met de twee oudste jongens uitstapte.

'Ik ga met de kleintjes naar Casa Pasta of The Brass Monkey,' zei Louise, die zijn plaats innam achter het stuur. 'Tegen half drie kom ik jullie weer halen.'

'Oké,' zei Donal, en hij sloeg het portier stevig dicht.

Louise keek in de achteruitkijkspiegel haar man, zoon en neefje na toen die in de verte verdwenen.

'Gaan we nu pannenkoekjes eten?' riepen Molly en Tom in koor.

'Zo meteen,' zei Louise met een zucht. Ze wist niet precies wat haar doel met deze expeditie was, maar Jack had gezegd dat hij de markt op zondag heel leuk vond. Er wachtte haar een lange rij verkeer toen ze van het kasteelterrein af reed en de auto met een slakkengangetje het hele eind naar het DART-station tufte.

'Daar is een plekje!' riep Tom toen er een auto wegreed.

'Dank je wel, schat,' zei Louise, en ze draaide de parkeerplek op.

De lucht was opgeklaard en het was nu veel warmer dan toen ze uit Clontarf waren vertrokken. Met de weersverbetering stroomden de mensenmassa's toe, en Louise wist dat het langer zou duren dan anders om de kinderen te trakteren op crêpes met chocoladepasta en marshmallows.

'Mogen we als we onze pannenkoekjes op hebben naar de zeehonden gaan kijken?' soebatte Molly.

'Ja, hoor. Maar nu even op het verkeer letten, we moeten hier oversteken,' waarschuwde Louise toen ze verder liepen langs stalletjes met een overvloed aan lekkernijen.

'Daar verkopen ze de fudge die papa zo lekker vindt. Zullen we wat voor hem kopen?' vroeg Molly.

'Vooruit dan maar,' verzuchtte Louise. Het stalletje in kwestie was net zo'n goed vertrekpunt als elk ander.

De rood-wit gestreepte luifel beschutte hen toen ze in de rij gingen staan. De fudgekraam stond een stukje van de rest van de markt vandaan en was een prima uitkijkpost om de vele marktbezoekers gade te slaan.

Louise liet haar blik over het drukke terrein dwalen en zag opeens een bekend gezicht, maar vanaf die afstand viel moeilijk te zeggen of hij het echt was. Ze bleef staan wachten, terwijl de man verder praatte tegen de vrouw die naast hem liep. Ze voelde een steek van pijn toen ze zag dat hij zijn arm om de vrouw heen sloeg en haar een kus gaf. Natuurlijk, ze had het kunnen weten. Geen wonder dat Jack zo kortaf tegen haar was geweest aan de telefoon: hij had een vriendin, was misschien zelfs getrouwd. De emoties die ze had gevoeld in de DART waren alleen van haar kant gekomen en ze kon er niet van uitgaan dat hij nog iets voor haar voelde; dat deed hij duidelijk niet, want anders had hij háár wel teruggebeld. Wat was ze dom geweest!

'Mogen we ook chocola?' vroeg Molly met een rukje aan Louises jasje.

'Ja. Ik bedoel: nee!' beet ze haar afwezig toe.

Ze wist niet wat ze nou precies voelde. Misschien had ze zichzelf wel iets wijsgemaakt. De jonge vrouw was erg knap; misschien was ze wel fotomodel. Waarom zou zo'n spetter als Jack, met een blitse baan en de wereld aan zijn voeten, ook nog maar enige belangstelling hebben voor zijn oude schooljuf? Beroerder kon ze zich niet voelen.

'Gaan we nou pannenkoekjes eten?' bedelde Tom.

Louise keek om zich heen. 'Goed. En daarna kunnen we een kijkje nemen bij de zeehonden, als jullie willen.' In elk geval zou ze dan ver genoeg uit de buurt zijn van Jack en zijn vriendin.

De rij was veel langer dan anders en Louise wilde dat ze niet naar Howth was gegaan. De jongens hadden ook kunnen gaan midgetgolfen in St. Anne's; dan had zij thuis kunnen blijven. Aan de andere kant was het misschien beter dat ze nu met de waarheid werd geconfronteerd.

'Marshmallows en Nutella!' instrueerde Molly de crêpebakker die achter het kraampje stond.

'*Alstublieft*,' zei Louise streng. Het was moeilijk om haar hoofd erbij te houden als ze telkens over haar schouder keek.

'Vijf euro, alstublieft,' zei de crêpebakker vriendelijk.

Louise overhandigde hem het geld. 'Oké, jongens, laten we naar de zeehonden gaan,' zei ze terwijl ze de kleintjes de westpier op dirigeerde, waar ze hopelijk hun toevlucht konden zoeken aan de andere kant van het grote, van een blauw dak voorziene zee-aquarium, zodat ze Jack en zijn vriendin niet nog eens hoefden tegen te komen.

'Mooi schot, Finn,' zei Donal bemoedigend. 'Nu jij, Matt.'

Donal vond het heerlijk om leuke dingen met zijn kinderen te doen – misschien wel omdat hij zo veel tijd besteedde aan zijn eigen liefhebberijen. Hij had graag gezien dat Louise tevredener was. Ze was dol op haar kinderen en was een goede moeder, maar soms had Donal het idee dat ze haar eigen behoeften had opgeofferd ter wille van het gezinsleven. Toen hij haar leerde kennen, had ze het heerlijk gevonden om les te geven, maar het schuldgevoel dat ze haar kinderen achterliet bij vreemden had hun allebei opgebroken, dus had het voor iedereen het beste geleken dat Louise huismoeder werd.

'Jij bent, pap,' zei Matt monter nadat hij zijn bal in twee snelle slagen in het kuiltje had weten te krijgen.

Donal concentreerde zich op de bal en vervolgens op de hole slechts drie meter daarvandaan. Hij keek nog eens voordat hij afsloeg en volgde de bal toen die naar het randje rolde en even heen en weer rolde voordat hij besloot níét in het kuiltje te vallen.

'Jammer dan, pap!' zei Matt met een zelfvoldane grijns. 'Is dit onze laatste hole?'

'Volgens mij wel. Je hebt me overtroffen, zoon,' zei Donal trots.

Zijn kinderen waren belangrijk voor hem, maar zijn huwelijk ook. Hij voelde voor Louise geen spoor meer van intimiteit; het leek wel of ze mijlenver van hem af stond.

Hij besefte dat er iets moest gebeuren, want hij werd er ongelukkig en verdrietig van zoals zijn huwelijk er nu voor stond. Híj had tenminste nog de jachtclub en het zeilen. Misschien dat hij daar daarom wel zo vaak zijn heil in zocht.

Louise leunde tegen een balustrade en keek naar haar kinderen, die kraaiend van vreugde de zeehonden voerden. De meeuwen hadden vandaag niet veel geluk: de zeehonden waren hun te snel af.

'Kijk eens, een babyzeehondje!' riep Molly uit.

Nog niet zo lang geleden was je zelf een baby, bedacht Louise bij zichzelf. Wat jammer toch dat de babytijd zo snel voorbijging, maar nu ze haar kinderen gezond en sterk zag opgroeien, had ze toch het gevoel dat ze een prestatie had geleverd. Waarom vind ik dat dan niet genoeg? Ze riep zichzelf tot de orde omdat ze dreigde te zwelgen in zelfmedelijden, en had geen oog voor het stel dat naast haar kinderen kwam staan om ook naar de zeehonden te kijken.

'Louise!'

'Jack!'

'Wat toevallig dat ik je nou alweer tegenkom!' zei hij. Zijn arm lag om het middel van de jonge vrouw naast hem en hij schoof haar naar voren, waar Louise perplex en roerloos bleef staan.

'Jack... Hallo,' zei ze stuntelig. 'Ga eens weg bij die rand, Tom!' Ze gebaarde naar haar kinderen. 'Dit zijn mijn koters.'

'Dit is Aoife, mijn verloofde.' Jack deed helemaal niet onhandig, waardoor Louise zich nog ellendiger voelde. 'En dit is mijn oude muzieklerares, Louise.'

Het meisje glimlachte.

'Leuk je te zien,' zei Louise vlug, zonder dat ze kon uitmaken wat ze nou een grotere belediging vond: om voorgesteld te worden als zijn 'oude' of als zijn 'muzieklerares'. Maar ja, hoe moest hij haar anders voorstellen? *Louise was mijn minnares toen ik nog op school zat, en ze was mijn lerares!* Dat klonk niet best, ook niet al die jaren na dato.

'O, Jack heeft me veel over je verteld. Was jij niet degene die de Battle of the Bands organiseerde?'

Louise zou het liefst door de aarde verzwolgen worden. 'Ja, inderdaad. Wat enig om jullie te zien. Wanneer gaan jullie trouwen?'

'In de zomer – in juli,' antwoordde Aoife. 'Hopelijk is het dan mooi weer. We trouwen in Dublin. We willen graag al onze familie en vrienden erbij hebben, en daarom hebben we besloten niet weg te gaan.'

Louise knikte. 'Goed idee. Nou, succes dan maar met alles.'

'Bedankt,' zei Aoife.

'Nou, dag!' zei Louise, een tikje te abrupt naar haar eigen zin, maar ze wilde graag dat het stel doorliep, en Jack liet duidelijk blijken dat hij dat ook wilde.

'Dag Louise,' zei Jack, en hij leidde zijn aanstaande bruid weg over de kade.

Louise had het gevoel dat ze geen adem meer kreeg. Gelukkig hadden haar kinderen niets in de gaten van de hele poppenkast, en Aoife hopelijk ook niet. Ze kon er niets aan doen, maar als ze Jack zag raakte ze helemaal van slag. Misschien kwam dat door alle herinneringen die ze zo lang met zich had meegedragen.

Ze kon zich nog heel goed de eerste keer herinneren dat Jack en zij hun verhouding hadden geconsummeerd. Twee jaar lang waren ze, als leerling en lerares, helemaal opgegaan in hun liefde voor de muziek. Vaak bleef hij na de les nog wat na om over de moderne muziek te praten die hem beïnvloedde en waarover de leerlingen bij het examen geen vragen kregen. Louise koesterde de momenten waarop ze de verdiensten bespraken van Nirvana en Pearl Jam in vergelijking met de Stone Roses. Vaak ging daar de helft van de lunchpauze of langer aan op, maar geen van beiden vonden ze dat een bezwaar. Jack was muzikaal gesproken een heel stuk rijper dan de andere leerlingen in haar klas en zij was de enige muzieklerares op school, en ze vond het moeilijk om met haar collega's over haar vak te praten. Hij nam demo's mee van zijn band en op weg van en naar haar werk luisterde ze altijd graag naar die bandjes. Als Donal vroeg wat voor herrie er uit de stereo kwam, glimlachte ze alleen, want ze voelde zich er jong door en in contact met de jongere generatie. Ze had helemaal niet het gevoel dat er muzikaal gesproken een diepe kloof tussen Jack en haar gaapte; zij mocht dan vier jaar gestudeerd hebben, maar ze vond dat hij van nature goed aanvoelde wat muziek werkelijk betekende en een vanzelfsprekende kennis bezat die je je niet eigen kon maken uit boeken of door toonladders te spelen. Hij had er een gave voor en daar benijdde ze hem om. Zijzelf had hard geploeterd en zich op haar ambacht gestort door concerten na te spelen en urenlang te oefenen. Maar Jack hoefde maar een gitaar op te pakken, of hij wist daar klanken aan te ontlokken die voor haar te hoog gegrepen waren, al oefende ze nog zo veel.

Toen, kort nadat het derde trimester voorbij was, had Louise aangeboden Jack een paar verbetertips te geven met het oog op zijn einddiploma. Ze wisten allebei dat er aan haar aanbod een motief van een heel andere orde ten grondslag lag: het was een manier om een kriebel te bevredigen die ze allebei hadden gevoeld sinds de eerste keer dat hij na de les was nagebleven om over muziek te praten.

Destijds huurde Louise samen met Emma een klein rijtjeshuis in het oude gedeelte van Clontarf, en het viel niet mee om het schoon te houden, met de hoge normen die Emma er op dat gebied op na hield en haar eigen gebrek aan huishoudelijk talent. Meestal sloten ze compromissen, en Louise mikte haar kleren en andere spullen vaak lukraak in kisten en kasten om te verdoezelen dat het eigenlijk een bende was, terwijl Emma deed of ze dat niet zag.

Op de dag dat Jack zou langskomen, zette ze een vaas bloemen op de tafel in de kleine keuken en schoof de *Carmina Burana* van Carl Orff in de cd-speler in de voorkamer, waar ze hem zou bijspijkeren. In het half uur voordat hij zou aanbellen trok ze een paar keer andere kleren aan. Ze wilde niet overkomen als oud of als iemand die het allemaal zo goed wist, maar ze wist niet zeker of ze nog een keer een grens zouden overschrijden zoals ze na de Battle of the Bands in haar lokaal hadden gedaan. Het was bepaald niet zo dat ze nu opeens een stelletje zouden worden: zij had een ring met een steen om haar vinger die de buitenwereld duidelijk maakte dat ze op het punt stond te gaan trouwen, en hij wachtte tot zijn examens achter de rug waren voordat hij met recht kon zeggen dat hij de middelbare school had afgerond. Desondanks kon ze het toch niet laten om zich op dezelfde manier voor te bereiden als ze voor een eerste afspraakje zou hebben gedaan.

Toen hij aanbelde en ze opendeed, zag ze alleen zijn doorzichtige blauwe ogen en voelde ze dat ze samen een diepe band hadden.

De geur van zijn huid overmande haar toen ze hem voorging naar de woonkamer en hem naar de bank loodste. Daarvoor stond een kleine salontafel, waarop ze wat schoolboeken had uitgestald die ze zouden doornemen.

'Wil je iets drinken?'

'Heb je 7-Up in huis?'

Opeens besefte ze dat haar gevoelens helemaal niet in de haak waren. Hij mocht dan achttien zijn, maar hij was nog maar een schooljongen!

'Jawel,' zei ze, en ze haastte zich naar de keuken, waar ze naarstig naar een koolzuurhoudend drankje begon te zoeken. Achter in de kast stond een fles 7-Up light, die nog over was van het feestje dat ze met kerst hadden gegeven; ze hoopte maar dat die niet inmiddels doodgeslagen was. Ze schonk een glas vol en zag dat er nog wat luchtbelletjes naar boven kwamen drijven. Het moet maar, dacht ze.

Jack zat kaarsrecht op de bank toen ze terugkwam met het drankje. Zijn huid vertoonde de tekenen van een recente scheerbeurt en zijn haar zag eruit alsof het pas gewassen was.

'Hoe staat het met de studie?'

'Goed wel.' Jack haalde zijn schouders op. 'Engels en muziek zijn mijn beste vakken, maar dat komt natuurlijk doordat ik die het leukst vind.'

'Wil je nog steeds de artistieke kant op?'

Jack knikte. 'Maar mijn moeder wil dat ik een bèta-pakket kies. Ze denkt niet dat ik als musicus snel werk zal vinden.'

'Daar heeft ze ook wel gelijk in,' zei Louise bij wijze van grap.

'Nee, serieus, volgens mij heb je veel talent, en als je daaraan blijft werken kun je nooit voorspellen hoe het loopt. Het zou best kunnen dat jouw band het helemaal gaat maken.'

'De jongens zijn al gestopt met oefenen.'

'Ze maken zich waarschijnlijk zorgen om het examen. Als jullie allemaal gaan studeren, kunnen jullie weer regelmaat opbouwen.'

Jack schudde zijn hoofd. 'Waren zij maar net zo fanatiek als ik. Ik hoop echt dat we bij elkaar blijven.'

Even was het stil, en Louise voelde zich ongemakkelijk.

'Goed, waar wil je beginnen?' vroeg ze.

Jack kon geen woord uitbrengen. Hij was helemaal gefixeerd op Louises hazelnootbruine ogen.

Door de stilte ontstond er een statische elektriciteit tussen hen. Geen van beiden wilden ze als eerste avances maken, maar toch wilden ze allebei dat dat er wel van kwam. Hoe ver ze zouden gaan en waar die zoen hen zou brengen wisten ze niet. Dat zou zich vanzelf wel wijzen.

Jack schoof als eerste naar voren en hield vervolgens, toen zijn lippen nog maar een paar centimeter van die van Louise verwijderd waren, in. Maar zodra hij de smeekbede in haar ogen zag kwam hij weer dichterbij, totdat ze elkaar aanraakten. Het was heel anders dan in het klaslokaal. Deze zoenen waren meer berekenend, minder hardhandig dan de eerste keer. Jack had nu meer zelfvertrouwen terwijl hij zijn lippen op de hare drukte. Louise werd gegrepen door een groot verlangen: op dat moment wilde ze alleen maar Jack. Ze maakte zich van hem los en met een veelbetekenende blik pakte ze zijn hand en trok hem mee de kleine woonkamer uit. Woorden waren niet nodig; ze wisten allebei wat er zou gaan gebeuren.

Ze ging met hem de trap op. Vlak achter haar plantte Jack zijn voeten behoedzaam op elke tree. Op de kleine overloop bleef Louise even voor een deur stilstaan, en nog steeds zonder iets te zeggen drukte ze de klink naar beneden en duwde hem open. Voor hen stond het bed, dat pas was verschoond. Het was voor het eerst sinds Emma en zij in het huis waren getrokken dat Louise 's ochtends haar bed had opgemaakt. Stiekem was dit precies wat ze had gewild dat er zou gebeuren. Emma zou pas 's avonds thuiskomen en Donal kwam nooit langs zonder van tevoren te bellen. De enige die verder nog een sleutel had was haar vader, en die was weg. Ze zouden dus niet gestoord worden.

Toen ze naast het bed stonden, nam Louise weer de leiding en bracht haar hand naar Jacks gezicht. Vol verwachting haalde hij zwaar adem en toen hun lippen elkaar nogmaals raakten kon ze voelen hoe gespannen hij was. Dit keer hield hij zich niet in. Alle opgekropte emoties waarmee hij twee jaar lang achter in Louises lokaal had gezeten stonden op het punt van losbarsten.

Louise voelde haar knieën knikken en smolt vanbinnen zodra hun tongen rondtastten in elkaars mond.

Hij nam haar stevig in zijn armen en legde haar op het bed, waarna hij daar onmiddellijk spijt van leek te krijgen. 'O, sorry, ik was niet van plan om...!'

'Het is in orde,' verzekerde Louise hem. Zich maar al te bewust van zijn aarzeling spoorde ze hem aan om verder te gaan.

Ze zoenden elkaar langzaam en voorzichtig, totdat ze de zoom van zijn rugbyshirt beetpakte en het omhoogschoof over zijn bovenlijf, over zijn hoofd. Daarna trok hij zelf zijn t-shirt uit en onthulde een jong, strak lijf – precies zoals ze zich had voorgesteld dat hij eruit zou zien.

Met trillende vingers reikte hij naar de knoopjes van haar blouse en begon die los te knopen. Louise voelde haar tepels hard worden van opwinding en door haar crèmewitte kanten beha priemen. Zijn handen gleden achter haar rug, maar daar troffen ze geen sluiting. Ze nam zijn handen in de hare en leidde ze naar de voorkant.

'De sluiting zit hier,' zei ze, terwijl ze zijn vingers naar de haakjes voerde tussen haar borsten. Ze hapte genotzalig naar adem toen ze hem zag kijken zodra haar borsten uit de beha waren bevrijd. De gevoelens van macht en verlangen die door haar heen gingen waren heel anders dan wat ze ooit eerder had gevoeld als ze met een man samen was. Zijn ongebreidelde wellust was overweldigend en ze had het gevoel dat ze kon klaarkomen zonder dat hij haar ook maar met een vinger aanraakte. 'Ga eens liggen,' gebood ze hem, terwijl ze vaardig naar de gesp van zijn riem tastte en die losmaakte. Ze maakte de knopen van zijn spijkerbroek open en trok die omlaag over zijn dijen, en hij volgde haar voorbeeld en maakte de hare los. Allebei trokken ze hun spijkerbroek uit, totdat ze alleen nog hun ondergoed aanhadden, in de wetenschap dat ook dat zou uit gaan.

Toen zijn hand haar borst omvatte, huiverde ze van gelukzaligheid, en ze drukten hun lippen op elkaar.

Louise huiverde elke keer dat hij over haar tepel streek en slaakte een kreetje toen zijn hand over haar slipje gleed. Ze wilde ontzettend graag dat hij haar dáár aanraakte. Dat ze ondergoed aanhad maakte het op de een of andere manier des te opwindender.

'Alsjeblieft!' smeekte ze.

Hij wist wat hij moest doen, stak zijn hand tussen haar benen en begon daar onhandig te wrijven. Binnen een paar tellen kwam ze kreunend en steunend klaar, wat Jack fijn vond en hem genoeg zelfvertrouwen gaf om zijn erectie te ontbloten.

Louise begeerde hem vuriger dan ze ooit iemand in haar leven had begeerd, en ze greep hem vast en ging schrijlings op hem zitten. Ze was weer op en top de lerares en zou hem laten zien hoe hij de liefde moest bedrijven.

Hij wilde dat ze hem precies aangaf hoe ze het het fijnst vond. Bij elke stoot was hij in de zevende hemel; hij had het nog maar één keer met een andere vrouw gedaan en toen had hij een condoom om gehad. Louise was zo nat en omvatte hem zo stevig dat hij het gevoel had alsof hij weer voor de eerste keer seks had. Het voelde ontzettend lekker en hij wist niet hoe lang hij het nog zou uithouden voordat hij zijn kruit verschoot.

'Het is oké, kom maar,' fluisterde ze terwijl ze op zijn naakte lijf begon te schokken en te kronkelen.

Met een kreet kwam hij klaar en de tranen sprongen hem in de ogen. 'O god!' riep hij uit.

Louise kuste zijn hals en inhaleerde de geur van zijn huid. Hij rook stukken frisser en sexier dan Donal. Sinds Jack het huis was binnengestapt was dit de eerste keer dat ze aan haar verloofde moest denken. Ze dacht niet dat ze hem onder ogen zou kunnen komen als hij later bij haar langskwam.

'Gaan we papa en de anderen ophalen?' vroeg Tom.

'Ja,' zei Louise afwezig. Herinneringen ophalen waar haar zoon bij was maakte haar van streek, ook al had hij geen idee wat er in zijn moeder omging. 'Kom, we gaan!'

Toen ze door de toegangsport het terrein van Howth op reed, was ze helemaal van slag. Ze had zichzelf maar wat wijsgemaakt. Jack mocht dan nog maar een schooljongen zijn geweest toen hij verliefd op haar werd, maar al die tijd dat zij bezig was geweest haar kinderen groot te brengen en een leven in een buitenwijk te leiden was hij de wereld rond getrokken om avonturen te beleven waar zij alleen maar van kon dromen. Ze was stikjaloers op hem. Zijn vriendin was een knappe meid, iemand van een heel andere orde dan de slonzige huisvrouw die zij voor haar eigen gevoel was geworden.

7

'Hij was het einde!' meldde Sophie aan het ontbijt ademloos.

Ze hoefde geen nadere toelichting te geven. Dat was iets wat alle drie de Owen-zussen met elkaar gemeen hadden: ze hoefden tegenover elkaar maar zelden te vertellen wat ze precies bedoelden; als de ene zus ergens midden in een verhaal begon, konden de anderen haar prima volgen. De mannen in hun leven ergerden zich eraan en het was een trekje waar Paul een bloedhekel aan had gehad. Als hij met Sophie samen was, herinnerde ze hem voortdurend aan zijn echtgenote door zomaar ineens over een bepaald onderwerp te beginnen en dan van hem te verwachten dat hij kon volgen waar ze het over had. Dat was echter niet het enige wat hem aan het einde van hun verhouding was opgebroken, maar Sophie was zich er totaal niet van bewust dat er tussen haar en haar minnaar ook maar iets scheef kon hebben gezeten. Wat haar betrof was hij op wrede wijze van haar weggerukt, net zoals het lot hem had weggenomen van haar zus.

Aan Paul denken was iets heel anders dan de dagdromen waar ze zich nu op het zonnige terras van het vijfsterrenhotel aan Varadero Beach aan overgaf. José was met zijn Adonis-achtige verschijning een toonbeeld van mannelijkheid, maar als ze weer terug was in Dublin zouden haar gevoelens voor hem veilig een paar duizend kilometer verderop aan de andere kant van de Atlantische Oceaan achterblijven. Hij had geen vooruitzichten, dus was hij geen geschikte kandidaat voor een serieuze relatie, maar een vakantieliefde behoorde zeer zeker tot de mogelijkheden. Jammer alleen dat ze hem leerde kennen nu ze net op het moment stond om uit Varadero te vertrekken. Na alle noodgedwongen stille rouw om

Pauls overlijden vond ze dat ze wel recht had op een beetje plezier en geflirt.

'Wat een enige familie was het,' zei Emma, inhakend op Sophies gedachten. 'En zo gastvrij. Ik voelde me echt opgelaten toen Dehannys' moeder geen geld voor het eten wilde aannemen.'

Sophie zwaaide met haar arm door de lucht. 'Ze rekent er zeker op dat je haar dochter in het hotel dikke fooien geeft, dus dat diner was een goede investering.'

Emma wierp haar zus een donkere blik toe. 'Waarom denk jij toch altijd dat mensen bijbedoelingen hebben?' vroeg ze zuchtend. Het had geen zin om er verder op door te gaan.

Met grote ogen schudde Sophie zogenaamd onschuldig haar lange krullen. 'Jij bent gewoon niet erg bijdehand, Emma. Nooit geweest ook.'

Emma besloot dat ze er maar het best niet tegenin kon gaan. Ze zat op dit grootste eiland van de Cariben nog wel een poosje aan haar zus vast en het had geen zin om erover te discussiëren. Tot dusver was de vakantie soepel verlopen en was Sophie verrassend ontspannen geweest, maar nadat ze de vorige avond met Dehannys' broer hadden kennisgemaakt, besefte Emma dat haar zus niet zou rusten voordat ze hem aan haar lijst met veroveringen had toegevoegd.

'Ik heb tegen José gezegd dat we misschien later op de avond nog naar het hotel komen waar hij speelt,' zei Sophie op een toon die een vraag aan Emma impliceerde.

Emma knikte. Het besluit was kennelijk al voor haar genomen en ze kon er niets meer tegen inbrengen. Ze sneed een stukje af van een grote schijf ananas en stak dat in haar mond. Sinds ze op Cuba was gearriveerd had ze heel gezond gegeten, maar de Cubaanse witte rum smaakte haar beter dan goed voor haar was. Meestal dronk ze om een uur of twaalf haar eerste mojito van de bar bij het zwembad en ging ze daar vervolgens de hele dag mee door. En al was de barkeeper nog zo scheutig, ze voelde zich geen moment dronken en begon haast te denken dat ze misschien aan de sterkedrank gewend raakte. Haar schrijverij vlotte prima en ze had inmiddels de veertigduizend woorden bereikt. De verande-ring van omgeving deed haar zonder meer goed en ze besefte dat ze, nu ze van thuis weg was, flink opschoot zonder dat ze om de vijftien tot twintig minuten aan Paul hoefde te denken. Ze was er echt helemaal uit, en omdat Sophie hier de enige was die haar ken-de, voelde ze zich ook niet schuldig. Misschien zou ze eens wat va-ker op reis moeten gaan. Finn vond het vast niet erg om vaker bij zijn neefje te logeren.

Sophie stond op. 'Oké, ik ga even bijbruinen.'

'Ik kom ook zo. Eerst even een wandelingetje maken voordat ik aan het werk ga.'

Emma keek Sophie na toen die met haar strandtas losjes over haar schouder geslagen wegliep. Ze was echt een enorme schoon-heid.

Ze had erg veel van haar zusje gehouden toen Sophie nog klein was. Als het mocht van hun moeder, deed ze niets liever dan zor-gen en redderen voor haar levende pop. Het was Emma's taak om Sophie tegen Louise te beschermen en ervoor te zorgen dat die geen kans kreeg om haar veiligheid in gevaar te brengen. Ze besef-te echter niet dat haar jongste zus wel de laatste was in het gezin om wie de anderen zich hoefden te bekommeren. Sophie kwam al-tijd op haar pootjes terecht en wist zonder enige moeite te krijgen wat ze wilde. Louise bleek degene te zijn die de meeste zorg nodig had. Emma zou nooit de dag vergeten dat ze hun huurhuisje in Clontarf was binnengestapt en Louise poedelnaakt had aangetrof-fen op een keukenstoel terwijl ze schrijlings boven op een veel jon-gere man zat – een man die niet haar verloofde was.

Maar omdat Emma nu eenmaal Emma was, veroordeelde ze Louise niet en bood ze haar zus in plaats daarvan een schouder om op uit te huilen toen ze de toestand niet meer aankon en ze een einde maakte aan de geheime verhouding. Dat was voor Emma een hele opluchting, want ze wist hoe ouderwets haar ouders wa-ren en dat alles voor Louises bruiloft met Donal al een jaar voordat ze daadwerkelijk zouden gaan trouwen geregeld was. Louise was ook helemaal geen type om ineens uit Ierland weg te gaan; ze was nogal een huismus, dus weglopen was geen optie. Uiteindelijk vond Emma dat Louise de beste keus had gemaakt, maar de laatste tijd werkte haar voortdurende geklaag – vooral over Donal – haar steeds vaker op de zenuwen.

Emma was erg op haar zwager gesteld. Donal was een rots in de branding en toen Paul net was overleden was hij een poosje de enige geweest in wie ze vertrouwen stelde.

'*¡Hola, Emma!*'

Emma keek op en zag dat Dehannys de ontbijtboel begon af te ruimen.

'*¡Hola! Muchas gracias por la cena.*'

'*De nada,*' zei Dehannys met een glimlach. 'Fernando wil graag een brief schrijven aan je zoon. Hij zou het heel leuk vinden om in Ierland een vriendje te hebben.'

Emma knikte. 'Natuurlijk, dat zou fantastisch zijn,' zei ze enthousiast. Het zou goed voor haar zoon zijn om te leren hoe mensen elders ter wereld leefden en te beseffen dat niet elke kleine jongen een PSP of Wii had om mee te spelen.

Ze zei Dehannys gedag met de verzekering dat ze haar bij de lunch weer zou zien, en liep weg om bij het zwembad een rustig plekje te zoeken waar ze niet gestoord zou worden. Ze was net op het punt aanbeland dat haar held Martin dreigde te vallen voor een vrouw wier zaak hij onderzocht, en dit kon best wel eens een goed moment zijn om haar personage romantische gevoelens voor een andere vrouw te laten koesteren; zijn echtgenote was tenslotte al ruim vijf jaar geleden overleden en hij verdiende het om opnieuw de liefde te vinden. Ze voelde zich sterk bij Martin betrokken; hij had veel eigenschappen die zij ook bezat en hij was iemand in wie ze echt geloofde. Ze zag hem nu helder voor zich, en Felipe de taxichauffeur had hem ook een gezicht gegeven.

'Weet je zeker dat dat hotel het eerstvolgende is dat we tegenkomen?' vroeg Emma toen ze de lange rechte weg over liepen, waar de lichtjes steeds verder uit elkaar leken te staan.

'Ja, dat weet ik zeker.'

Emma was er echter niet helemaal van overtuigd dat Sophie wel wist waar ze heen gingen. Het was erg stil op straat en ze zou het veel prettiger hebben gevonden als ze een taxi hadden gebeld om hen naar het Tryp Hotel te brengen.

'Kijk maar, daar is het! Het Tryp. Ik zei toch dat het best te lopen was?'

Het hotelterrein was even weelderig aangekleed als dat van het Sol, en het personeel bij de receptie was Europeanen al even graag van dienst.

'Waar kunnen we de pianobar vinden?' vroeg Sophie aan de jonge vrouw achter de balie.

'Beneden aan uw rechterhand, mevrouw,' antwoordde ze in vlekkeloos Engels.

Sophie en Emma daalden de trap af en keken om zich heen terwijl de zwoele klanken van Josés pianospel hun de rest van de weg wezen.

Emma bleef staan en zei tegen haar zus, met één oor naar de geluiden uit de pianobar gekeerd: 'Ik vond hem al geweldig op de gitaar, maar piano is zo te horen helemaal zijn ding!'

'Ja, hij is goed, hè?' zei Sophie met een zelfvoldaan glimlachje, en voor Emma uit liep ze verder, totdat ze José zagen in zijn rode shirt.

Zodra hij Sophie zag, gooide José het meteen over een andere boeg en begon de klassieker 'I Got You Under My Skin' van Cole Porter te spelen. Na een paar maten begon hij erbij te zingen. Sophie wist dat hij het lied voor haar zong en vond het helemaal geweldig.

De zussen namen naast José plaats en hij hield al hun bewegingen scherp in de gaten. Hij zag er nu nog beter uit dan in de bescheiden omgeving van zijn moeders huis.

'Opgepast, Sophie,' waarschuwde Emma.

'Ik ben een grote meid!' antwoordde Sophie.

José was nog maar een half uur bezig en had nog anderhalf uur te gaan. Emma bedacht bij zichzelf dat ze beter in de kleine bar had kunnen zitten waar Dehannys werkte, of in haar hotelkamer over Martin Leon had kunnen schrijven.

'Misschien dat ik maar terugga naar ons hotel – zou je dat vervelend vinden?' vroeg ze.

Sophie keek haar verstoord aan en rolde met haar ogen. Haar maakte het niet uit. Emma begon haar toch al op de zenuwen te werken.

'Ga jij maar. Ik blijf hier om even met José te babbelen als hij is uitgespeeld.'

Maar Emma wist wel dat Sophie niet bepaald een babbeltje in gedachten had.

De receptionist belde een taxi voor haar en binnen vijf minuten was ze terug in het hotel. Het was heerlijk om even alleen te zijn nadat ze de afgelopen dagen zo veel met haar zus had opgetrokken. Ze had deze rust nodig om erachter te komen hoe ze zich precies voelde nu ze weg was uit haar comfortabele omgeving en weer vrijgezel was. Ze vond het niet erg dat ze geen deel meer uitmaakte van een stel. Finn herinnerde haar er voortdurend aan dat ze een relatie had gehad waaruit een prachtig mensenkind was voortgekomen. Maar er waren nog steeds een heleboel onbeantwoorde vragen. De lijkschouwing had maar tot op zekere hoogte duidelijkheid gegeven over de oorzaak van Pauls dood. Ze mocht van geluk spreken dat de patholoog niet al te zeer had doorgevraagd over de gemoedstoestand van haar echtgenoot en in hoeverre zij daarvan op de hoogte was geweest voordat hij was overleden; door dat soort ongelukkige omstandigheden konden er wel eens moorddossiers worden geopend. Maar nu er geen duidelijk aanwijsbare reden voor zijn dood te geven was, bleef ze toch twijfelen. Ze had gedacht dat Paul en zij samen heel gelukkig waren geweest. Van de echtparen uit hun vriendenkring waren er maar weinig die zo veel met elkaar gemeen hadden of die zo goed met elkaar konden communiceren als Paul en zij. Omwille van Finn was het maar beter niet te lang bij de details van zijn dood stil te staan. Ze was jong en sterk, en ze moest verder met haar leven.

José zong het laatste lied van zijn set voor Sophie. *'Got a black magic woman...'* begon hij vlotjes.

Toen Emma was vertrokken, was Sophie op het puntje van haar kruk vlak naast José gaan zitten, en bij elke song die hij speelde had hij volop genoten van hun geflirt. Ze luisterde gretig toe en liet zich zijn aandacht welgevallen totdat hij was uitgespeeld.

Elke keer als Sophie een mojito had genomen had hij er ook een gedronken, en samen ontspanden ze zich op een intieme manier waarvan de rest van het publiek in de bar was buitengesloten. Het kon hem niet schelen. Over een paar dagen zouden al die mensen weer vertrokken zijn, net als Sophie, en moest hij weer het vuur uit zijn sloffen lopen om met zijn jeugdigheid en knappe uiterlijk Europese en Canadese vrouwelijke hotelgasten te verleiden. Hij had het allemaal strak geregisseerd, inclusief een vrije kamer waarover zijn vriendin het kamermeisje hem elke dag tipte als ze klaar was met haar werk. Maria rekende erop dat hij vrouwen versierde en dikke fooien van hen zou krijgen, waarvan hij een deel aan haar zou afstaan. Het was voor hen allebei een goeie deal en ze deden niemand kwaad – tenminste, zolang niemand van het hotelmanagement erachter kwam.

Sophie nipte van haar mojito en staarde in Josés chocoladebruine ogen.

'Kunnen we als je klaar bent ergens heen?' vroeg ze.

'Ik weet wel een kamer in het hotel, als je wat meer privacy wilt.'

'Mooi zo.' Sophie grijnsde. Ze moest weer met een man samenzijn; daar had ze ontzettende behoefte aan. Ze miste het heel erg om met Paul te vrijen, en José was precies het soort man door wie ze hem althans voor een paar uur zou kunnen vergeten.

Dat was het antwoord waar José al op zat te wachten.

'Niet te geloven dat jullie zomaar een vrije kamer hebben genomen. Wat zou er wel niet met hem gebeurd zijn als de manager erachter was gekomen, en met jou als de politie ervan had geweten? Vergeet niet dat we in het buitenland zijn!'

Sophie sloeg haar ogen ten hemel. 'Relax, Em! Vanwaar al die paranoia? We zijn in zijn land en José weet precies aan welke touwtjes hij moet trekken!'

Maar Emma was er niet gerust op, want ze wist hoe strikt het regime in dit land was en ze wilde niet dat haar zus zichzelf of iemand anders in de problemen zou brengen.

'Hij was verpletterend!'

'Bespaar me de details,' zei Emma, en ze bracht haar kopje Engelse ontbijtthee naar haar lippen.

'Als je geen *Latin lover* hebt gehad, heb je niet echt geleefd,' vervolgde Sophie. 'Hij heeft de hele nacht geen oog dichtgedaan; om zes uur dommelde hij even in, maar om zeven uur waren we alweer uit de veren.'

'Hoe ben je hier teruggekomen?'

'Hij heeft me een lift gegeven achter op zijn motor.'

Emma nam nog een slokje en sloot haar ogen.

'Weet je, je moet echt verder, Em.' Sophie schudde haar hoofd.

De neerbuigende toon waarop ze dat zei vond Emma vreselijk. Sophie had vast geen flauw idee van alle pijn en narigheid die ze elke minuut van elke dag met zich meezeulde.

'Zelfs pap denkt er zo over,' ging Sophie verder.

Dat was een stap te ver. Emma kon het niet aanzien hoe Sophie haar vader om haar kleine vingertje wond. De gedachte dat ze samen hadden gepraat over de manier waarop zij met de dood van haar man omging was te veel voor haar.

'Ik ga even een stukje lopen.'

Abrupt stond Emma op en liet haar zus achter met haar pannenkoeken met ahornsiroop. Doelgericht liep ze naar de strandopgang en ze slaakte een zucht van verlichting toen ze de elektriserend blauwe zee zag. Terwijl ze over het bijna witte zand wandelde, voelde ze zich weer veilig – veilig om, op de manier die zij verkoos, aan Paul te denken, aan haar vader en aan haar familie.

Haar vader viel haar altijd hard; hij had hoge verwachtingen van haar en beschouwde haar als een intellectueel. Zij was de dochter die psychologie en Engelse literatuur had gestudeerd; de anderen kozen voor kunstzinnige opleidingen, en dat was prima, omdat

Emma hun was voorgegaan. Haar zussen benijdden haar daarom. Louise ging daarmee om door elke gelegenheid aan te grijpen om vervelend te doen, en Sophie beet zich vast in haar rol van benjamin om hun vaders aandacht en genegenheid te winnen – en dat werkte.

Toen Paul net was overleden, had Emma gedacht dat haar ouders haar meer zouden steunen, maar ze leefden op dezelfde manier door als toen Misty was gestorven. Misty was het enige huisdier dat de meisjes ooit hadden bezeten. Hij was een bruin-witte cocker spaniël en het hele gezin was dol op hem. Hij was het zesde lid van het gezin Owens; ze hadden hem gekregen met kerst in het jaar dat Emma acht geworden was, toen de eerste opwinding over haar nieuwe babyzusje was weggeëbd.

Larry Owens vond het wel fijn dat Misty een reu was, want daardoor voelde hij zich niet langer de enige man in een huis vol vrouwen. Emma wist nog goed dat hij tijdens de BBC-uitzending van *Pride and Prejudice* had opgemerkt dat hij zich heel goed kon voorstellen hoe Mr. Bennet zich voelde, en in zekere zin was hijzelf een moderne versie van dat personage.

Het strand was vandaag vrijwel verlaten. Emma zat verlegen om een praatje, dus liep ze terug naar de hotelbar, waar Dehannys achter de toog stond.

'*¡Emma, buenos días!*'

'*¡Buenos días, Dehannys! Agua sin gas por favor.*'

'Is het warm vandaag?'

Emma knikte. '*Puis la playa esta linda.*'

Dehannys zette het glas water op de bar.

'Jouw broer en mijn zus hebben het gisteravond heel laat gemaakt,' zei Emma toen.

Dehannys hield haar hoofd scheef, niet zeker of ze haar wel goed had begrepen. '*¿José? ¿Sophie?*'

'*Sí.*' Emma kon uit haar reactie wel opmaken dat ze dergelijke berichten over haar broer niet graag hoorde.

Dehannys pakte een glas van de bar en begon het met een theedoek verwoed op te poetsen.

'Dehannys, alles goed?'

Dehannys schudde haar hoofd. 'Mijn broer is een slechte man. Hij gaat trouwen met Gabriella, maar hij is helemaal niet goed voor haar.'

'Wie is Gabriella?'

'Mijn nicht. Een heel aardig meisje.'

'Wanneer gaan ze trouwen?'

'*Dos meses.*'

'In mei?'

'*Sí*, maar...' Dehannys schudde haar hoofd. Ze hoefde het niet uit te leggen.

Emma vond het vervelend dat ze erover was begonnen. 'Luister eens, Dehannys, we gaan morgen naar Havana, dus Sophie ziet hem toch nooit meer.'

Dehannys staakte haar gepoets en legde haar handen plat op de bar. 'Maar morgen komen er weer andere vrouwen – toeristen – en dan neemt hij ze mee naar zijn kamer in Hotel Tryp.' Ze slaakte een zucht. 'Maar ik vind het erg dat je weggaat, *amiga – ahora hablas mucho espanol!*'

'*Gracias – eres un professor muy bueno.* Zul je me schrijven als ik terug ben? Kan ik je mailen?'

Dehannys schokschouderde. 'Ik heb wel een e-mailadres, maar het is lastig om dat te gebruiken.'

'Kan ik dan misschien naar het hotel mailen?'

'*Es difficil.*'

'Ik zal je voordat ik wegga mijn kaartje geven en als je dan gelegenheid hebt, probeer mij dan alsjeblieft te mailen. Zodra ik terug ben zal ik een paar cadeautjes voor Fernando opsturen. Is er iets speciaals wat hij leuk zou vinden?'

Dehannys knikte. 'Hij heeft kleren en schoenen nodig.'

Aan haar oplichtende ogen zag Emma wel dat alles heel welkom was.

Haar nieuwe vriendin had maar een zwaar leven, met die lange werktijden in het hotel elke dag, en ze kon niet vaak bij haar zoon zijn.

'Waar werk je vanavond?'

'*Aqui*, in deze bar.'

'Oké, dan breng ik mijn laatste avond hier bij jou door en kunnen we naar de zonsondergang kijken en naar muziek luisteren, en als je even niets te doen hebt kunnen we praten. Goed?'

Dehannys glimlachte.

'Je gaat niet in je eentje lopend naar het Tryp!'

'Is dat een vraag of een gebod, Em?'

Emma kon haar jongste zus wel door elkaar rammelen. Ze trok zich er kennelijk niets van aan dat ze in een vreemd land waren en dat een jonge vrouw die in haar eentje het hele eind over een stille weg naar het Tryp liep van alles kon overkomen. Emma zag het bovendien als haar taak om haar zus te beschermen tegen die charlatan van een José, ook al was ze prima in staat om voor zichzelf te zorgen.

'Ik heb vandaag Dehannys gesproken en die vertelde me dat José verloofd is.'

Sophie bleef even roerloos zitten en grijnsde vervolgens. 'Wat maakt dat nou uit?'

Emma had het nu helemaal gehad met haar zus. 'Zullen we eerst gaan eten?'

'Ik heb geen trek meer,' zei Sophie. 'Ik eet later wel iets met José.'

Emma griste de kamersleutel en haar tas mee, en ging de kamer uit.

Ze koerste het welbekende pad af naar de kleine strandbar, waar Dehannys glazen zou staan spoelen en drankjes klaarmaken. De zon ging onder in een explosie van allerlei tinten rood, roze en geel, en Emma wenste met heel haar hart dat Paul bij haar was. Het hotel dat hij had uitgekozen was perfect, en dat voelde alsof hij haar vanuit het graf een cadeautje gaf. Straks zou het schemerdonker zijn op het strand en zouden de sterren aan de hemel verschijnen, helder en sprankelend als diamanten, op een manier zoals ze ze in Dublin nooit te zien zou krijgen. Sinds ze in Varadero was had ze er een klein ritueel van gemaakt om elke avond even het balkon op te stappen en omhoog te kijken om te zien welke sterrenbeelden ze herkende.

Vanavond was het in de Port Royal-strandbar drukker dan anders en Dehannys was net ijs met munt aan het vergruizen voor in de mojito's voor de hotelgasten die aan de toog zaten. Ze zwaaide toen ze Emma zag.

Emma ging zitten op het laatste vrije plekje aan het uiteinde van de bar, naast een drietal muzikanten die zich klaarmaakten om gitaar te gaan spelen. Ze had geen haast om bediend te worden en overwoog iets te eten bij de bar te bestellen. Het was pure verwennerij geweest om elke avond in een van de vele hotelrestaurants te eten en haar maag was wel toe aan eenvoudig voedsel. Bij elke maaltijd had ze volop kreeft en biefstuk van de haas kunnen eten, en Emma had zich geregeld afgevraagd wat de gemiddelde Cubaan 's avonds eigenlijk at. Als ze in de oase van Varadero zou blijven, was er nog wel meer dat ze dan nooit over dit land te weten zou komen, en ze keek uit naar haar reisje naar Havana en de kans om meer van het echte Cuba te zien, zoals in Matanzas was gebeurd.

Dehannys schoof een mojito over de bar naar Emma toe en gaf haar een knipoog. 'Waar is je zus?'

Emma slikte moeizaam. Ze wilde niet vertellen waar Sophie echt was, maar tegen haar vriendin kon ze niet liegen.

Uiteindelijk maakte Dehannys het haar makkelijker. 'Het geeft niet. Ze is zeker bij José?'

Emma knikte.

'Ik hoop maar dat hij niet bij haar gaat bedelen om geld.'

Emma schrok. Het was geen moment in haar opgekomen dat José zichzelf als een soort gigolo zou aanbieden. Voor zo'n soort man zou Sophie in elk geval geen belangstelling hebben. Emma giechelde even.

'Wat lach je nou?'

'Jij kent mijn zus niet! Hij mag nog van geluk spreken als hij haar zover krijgt om een drankje voor hem te betalen!'

'*Bueno*,' zei Dehannys, nu ook glimlachend.

Nu het in de bar even wat rustiger werd en de band zoete klanken van 'Chan Chan' was begonnen te spelen, zag Emma haar kans schoon.

'Dehannys, mag ik je vragen wie Fernando's vader is?'

'Jazeker wel. Maar die is er al een hele tijd niet meer.'

'Is hij overleden?'

Dehannys knikte. '*Sí*. We waren jong en dolverliefd. Hij werkte in de Havana Club-fabriek met mijn vader en heeft een ongeluk gekregen met een grote machine.'

'Waren jullie getrouwd?'

Dehannys schudde haar hoofd. 'Fernando kwam *tres mesos* nadat we hem hadden begraven.'

'Wat akelig allemaal. Dus die arme kleine Fernando heeft zijn vader nooit gezien?'

Opeens voelde ze zich ontzettend opgelucht en bevoorrecht, omdat zij een heleboel foto's en filmpjes had van Paul en Finn samen. Ze had de moed nog niet kunnen opbrengen om naar die videobeelden te kijken, maar de foto's waren 's avonds laat een enorme steun geweest als ze had willen weten hoe Paul er ook alweer uitzag.

'Maar Fernando heeft mijn vader. Die houdt heel veel van hem en neemt hem mee uit vissen.'

'En heeft hij ook José?' vroeg Emma voorzichtig.

Dehannys lachte. 'Niemand "heeft" José. José is helemaal van José zelf.'

'Ik mag hopen dat met Sophie alles goed gaat,' zei Emma terwijl ze een lange, lome slok van haar mojito nam en achteroverleunde om te genieten van de volgende gouwe ouwe van de serenades brengende muzikanten.

8

'Mam, ik wou je vragen of je Molly en Tom uit school kunt halen. Ik blijf niet lang weg.' Louise had haar moeder nooit gebeld als ze niet verschrikkelijk omhoogzat. In al die jaren dat haar kinderen naar de basisschool gingen had ze maar vijf- of zesmaal een beroep op haar gedaan, en al die keren had ze een vergelijkbaar antwoord gekregen.

Zelfs nadat Louise haar kinderen ter wereld had gebracht, verwachtte Maggie nog van haar dochter dat ze voor zichzelf en haar spruiten kon zorgen zonder dat zij een extra handje toestak.

'Ik heb jullie drieën helemaal in mijn eentje grootgebracht,' zei ze tegen Louise toen ze nog maar een paar dagen terug was uit het Rotunda. 'Jullie vader en ik waren met z'n tweeën. Mijn moeder kwam maar twee dagen over uit Cork en Larry's moeder stuurde als cadeau een gebreid vestje en een pak koekjes. Ik zag haar pas weer toen Emma al zes maanden was.'

Louise had het allemaal al vele malen gehoord en aan het eind van het hele verhaal zei ze altijd tegen haar moeder dat ze diep dankbaar was dat ze zo veel had opgeofferd om goed voor haar drie dochters te zorgen. Emma was haar moeder vaak ter wille door eveneens haar lof te zingen, maar Sophie kwam haar nooit tegemoet – maar dat deed ze nu eenmaal met niemand.

Maggie klakte afkeurend met haar tong en slaakte een zucht. 'Goed dan. Mijn golfles kan ik wel verzetten. Maar kom niet later dan drie uur, goed?'

Dat was de beste deal waar Louise op kon hopen.

'Bedankt, mam,' zei ze zuchtend, en ze hing op. Ze vroeg zich af hoe haar moeder het voor elkaar kreeg dat haar man zo het vuur voor haar uit zijn sloffen liep, terwijl ze toch meestal vrij onredelijk en veeleisend was. Soms was ze bang dat ze veel op haar begon te lijken. Ze vroeg haar maar zelden om bij te springen, en het gebeurde niet vaak dat niemand van haar vriendinnen haar in plaats van haar moeder uit de brand kon helpen.

In elk geval had ze nu haar handen vrij om Jack te zien. Nu de opvang van de kinderen was geregeld, ging ze eens kijken wat ze zou aantrekken. In de kast hingen twinsets naast nette op maat gemaakte blouses en eveneens nette op maat gemaakte broeken, en er stonden rijen en rijen schoenen. In de laden lagen haar gemakkelijke kleren en joggingspullen, die ze droeg als ze 's ochtends de deur uit moest en die de dresscode van de thuismoeder vormden. Haar garderobe was zonder dat ze het in de gaten had gehad veranderd in die van haar moeder.

Het was een zachte lentedag, dus ze kon aantrekken wat ze wilde. Uiteindelijk koos ze voor de enige spijkerbroek die ze bezat en een op maat gemaakt shirt met een smal streepje; ze had nog een lange ketting die er mooi bij zou staan. En haar regenjas, ook al was er voor die dag geen regen voorspeld en zag het er ook niet naar uit dat die nog zou komen.

Haar hart begon te hameren toen ze haar ogen opmaakte met haar favoriete Mac-make-up.

Het telefoontje van Jack was als een donderslag bij heldere hemel gekomen. Na hun ongemakkelijke ontmoeting op de westpier was ze geschrokken toen ze een sms'je van hem kreeg waarin hij haar voorstelde af te spreken in het nieuwe Quay West-restaurant in Howth.

Ze bracht een beetje van haar pasgekochte Benefit-lippenstift aan en stopte hem in haar tas. Een van haar vriendinnen had haar verzekerd dat het onder jongere meisjes de meest trendy make-up was, en als het jong en trendy was, was het precies het product dat ze wilde gebruiken.

Huiverend van verwachtingsvolle spanning stapte ze in haar auto. Waarom zou Jack haar in vredesnaam weer willen zien? Nog maar een paar dagen geleden had hij haar niet bepaald hartelijk begroet, maar deze uitnodiging klonk hoopvol.

Ze zou willen dat ze niet in een gezinsauto reed; die zei van alles over het leven dat ze nu leidde en wat voor soort vrouw ze geworden was. Wat was er terechtgekomen van haar aspiraties om fulltime musicus te worden of te componeren? Toen ze bij elk kind dat ze op de wereld had gezet steeds vaster in haar rol van huismoeder was gegroeid, waren die plannen meer en meer vervaagd.

Omdat het verkeer vlot doorreed, kon ze haar auto binnen een klein kwartier bij de westpier parkeren. Ze keek op haar horloge: het was klokslag half een en ze wilde niet te gretig lijken door precies op tijd te komen. Doordat ze gewend was te leven volgens de discipline van de schoolbel, vond Louise het echter moeilijk om expres aan de late kant te zijn.

In haar achteruitkijkspiegel zag ze Jack zelfverzekerd over de boulevard lopen. Ze dook weg achter het stuur en keek voordat ze uit de auto stapte in haar zijspiegels of hij het restaurant al was binnengegaan.

Met net zo'n knoop in haar maag als toen ze al die jaren geleden met Jack had afgesproken stapte ze het stijlvolle café in, met zijn knusse imitatieleren zitjes, marmeren tafelbladen en mozaïekvloeren. In de nis in de hoek, naast de keuken, zag ze Jacks achterhoofd boven de bank uitsteken.

Louise zette zich schrap terwijl ze zich een weg naar hem toe baande.

Toen ze naderbij kwam, keek hij op, want hij voelde al dat ze er was voordat hij haar zag.

'Louise – fijn dat je gekomen bent,' zei hij, en hij kwam overeind en gaf haar beleefd een kusje op de wang.

Ze plooide haar lippen in een brede glimlach, maar merkte dat ze niet dezelfde reactie kreeg. Jack leek zenuwachtig, bijna verlegen.

'Leuke tent is dit. Ik ben hier nog nooit geweest,' zei ze luchtig.

'Het is nieuw. Fijn om eens ergens anders heen te kunnen.'

Zijn stem klonk gespannen en hij straalde niet hetzelfde zelfvertrouwen uit dat hij een paar dagen geleden tentoon had gespreid toen ze elkaar op de pier tegen het lijf waren gelopen.

'Knappe vrouw is die verloofde van je,' waagde ze het op te merken.

'Ze is geweldig, het coolste meisje met wie ik ooit iets heb gehad.'

Louise glimlachte zenuwachtig. Wat had ze dan verwacht dat hij zou zeggen?

'De tijd is wel omgevlogen, hè?' zei ze, terwijl ze plaatsnam in de nis.

Jack zeeg ook neer en plantte zijn ellebogen op tafel. 'Voor mijn gevoel is het geen vijftien jaar geleden.'

Louise knikte. Ze wist precies wat hij bedoelde. Nu ze weer met z'n tweetjes waren, zonder anderen erbij, schakelden ze makkelijk over op het soort gesprek dat mensen voeren die elkaar ooit goed hebben gekend.

Hij vervolgde: 'Het is alleen wel een slecht moment om jou terug te zien. Een soort vingerwijzing.'

Hij zag er helemaal niet uit alsof hij op het punt stond met de vrouw van zijn dromen te trouwen. In plaats daarvan zag Louise eenzelfde spanning op zijn gezicht gegrift als ze zelf had gevoeld in de aanloop naar haar eigen huwelijk.

'Gaat alles naar wens?' vroeg ze.

Hij knikte, maar ze was niet overtuigd. Het gevoel dat ze overal over konden praten, net als toen ze vroeger op haar bed in het huisje in Clontarf hadden gelegen, kwam weer bij haar terug en ze stelde hem een vraag waar ze zodra ze de woorden had uitgesproken al meteen weer spijt van had.

'Heb je koudwatervrees?'

Precies op dat moment kwam de serveerster naar hen toe en overhandigde hun allebei een menukaart.

'Dank u,' zei Louise.

Toen de serveerster buiten gehoorsafstand was, staarde Jack Louise aan en zei: 'Had jij daar last van – van koudwatervrees? Was dát de reden waarom wij iets met elkaar kregen?'

Louise zat even met haar oren te klapperen. Zijn toon was beschuldigend en ze voelde een ongemakkelijke zwaarte tussen hen in hangen.

'Jack, het is erg lang geleden, maar wat wij hadden was heel bijzonder.'

Jack fronste zijn voorhoofd. Zijn blik was nu gericht op de menukaart, maar in zijn hoofd gingen heel andere gedachten om dan die aan vis en zeevruchten. Hij keek op, boog zijn hoofd vervolgens weer over de kaart en zei toen zachtjes: 'Jij wist er anders binnen de kortste keren een einde aan te maken!'

Louise haalde diep adem. Dit was niet de reactie die ze had verwacht, niet de lunch die ze zich had voorgesteld.

'Hebt u een keuze kunnen maken uit de wijnen?' vroeg de serveerster, die opeens uit het niets opdook.

'Voor mij graag alleen water,' zei Jack, die haar het liefst zo snel mogelijk weer zag vertrekken.

'Een Pelegrino, alstublieft,' zei Louise met een knikje.

Hoe moest ze nou op deze man reageren? Hij was bepaald geen jongen meer, maar hij koesterde nog steeds emoties die hoorden bij hun tijd samen, toen hij nog wél een jongen was geweest.

'Jack, ik weet niet wat ik moet zeggen, maar je herinnert je vast nog wel dat ik op de dag dat ik zei dat we elkaar maar beter niet meer konden zien net zo van streek was als jij.'

'Maar ik was nog maar een jongen en had me helemaal voor jou opengesteld; jij wist van het begin af aan precies waar je mee bezig was.'

'Ho eens even. Ik was net zo kwetsbaar als jij. Toen ik op mijn trouwdag naar het altaar schreed, dacht ik aan jou, en nog maar een paar uur daarvoor had ik de ogen uit mijn kop zitten janken.'

Dat was nieuw voor Jack. Hij wist niet of hij haar moest geloven of niet. 'Waarom ben je dan toch getrouwd?'

'Omdat dat het beste was.'

'Voor jou...'

'Voor ons allemaal. Jij was nog maar een schooljongen en ik had al een opleiding achter de rug en zat in een andere levensfase.'

'Wat maar weer eens bewijst dat ik gelijk heb.'

'Jack, zo makkelijk was het niet. Dat weet je. Wij hadden iets heel heerlijks samen, en neem maar van mij aan dat ik in de loop der jaren ontzettend vaak aan je heb gedacht.'

Jack knikte. 'Ik ook aan jou, maar ik moet erbij zeggen dat ik ook vaak ook heel kwaad was.'

'Ben je dat nu nog steeds?' vroeg ze vriendelijk.

Hij schudde zijn hoofd. 'Alleen maar verdrietig.'

'Het spijt me,' zei ze, zachter ditmaal, en ze legde haar hand op de zijne.

Hij verroerde zich niet.

'Ik heb gedaan wat ik dacht dat goed was,' zei ze. 'Niemand zou nu vallen over het leeftijdsverschil, maar in de tijd dat wij samen waren kon dat niet, en verder waren er onze omstandigheden.'

'Ik vind het bijna niet te geloven dat ik jou moest tegenkomen uitgerekend nu ik op het punt sta om met de geweldigste vrouw van de hele wereld te trouwen... Het voelt niet goed.'

Louise begreep wat hij probeerde te zeggen. 'Nu snap je misschien beter hoe het voor mij was, al die jaren geleden. Donal is een prima man, maar...'

'Ga me nou niet vertellen dat je niet met hem getrouwd zou willen zijn!'

'Dat wil ik ook niet beweren, maar het valt niet mee om erachter te komen of de keuzes die we in het leven maken wel de goede zijn.'

'*Sliding Doors*?'

Louise glimlachte en knikte. 'Zoiets ja. Als ik voordat ik trouwde niet iets met jou had gehad, had ik misschien nergens aan getwijfeld. Maar ja, wat was de reden dat ik überhaupt iets met jou begon?'

'Daar probeer ik nou ook achter te komen!' zei Jack, en hij pakte het glas dat de serveerster op tafel had gezet en nam een slok.

'Wilt u bestellen?' vroeg ze.

'Ik graag de Dublin Bay-garnalen.'

Louise liet haar blik over het menu gaan. 'Panini met geitenkaas, alstublieft.'

Jack nam nog een slok. 'Ik wil graag weten wat je precies voor Donal voelde in de tijd dat wij met elkaar gingen, want ik ging er toen van uit dat je je verloving zou verbreken en dat wij dan samen verder zouden gaan.'

Louise staarde omlaag naar de tafel. Een goed antwoord was er niet. 'Om eerlijk te zijn was ik in die tijd zo in de war dat ik niet wist wat ik moest doen. Ik wilde jou blijven zien en tegelijkertijd had ik het lef niet om de bruiloft af te blazen – ik werd meegesleept in alle voorbereidingen en het was een soort achtbaan –, maar neem van mij aan dat ik je nooit pijn heb willen doen.'

'Voor alle duidelijkheid: dat heb je wél gedaan.'

Louise slikte moeizaam.

'Ik moest het tegen je zeggen,' zei hij. 'Ik heb er jarenlang mee rondgelopen, en telkens kwam het weer boven.'

'Dat spijt me echt,' fluisterde ze. 'Maar ik had er ook een flinke knauw van gekregen.'

'Toen ik studeerde ben ik vier jaar lang met elke vrouw het bed in gedoken die ik krijgen kon, maar ik dumpte ze weer net zo snel. Ik zorgde er wel voor dat niemand ooit de kans kreeg om mij als eerste te dumpen – hoe ziek kun je zijn? Toen ik in Amerika woonde was het nog erger: de langste relatie die ik kon opbrengen was een onenightstand. Maar toen leerde ik Aoife kennen, en zij was anders.'

'Hoe lang zijn jullie al samen?'

'Drie jaar. We hebben elkaar in New York leren kennen en zij komt ook uit Dublin – uit Malahide –, dus hadden we het een en ander gemeen. Ze had modellenwerk gedaan en wilde graag de pr in, dus was ze er op hetzelfde moment klaar voor om naar Ierland terug te gaan als ik. We wilden allebei ons voordeel doen met de aantrekkende economie.'

'Daar heb je anders niet lang van kunnen genieten!'

'Nee, maar gelukkig hadden we een huurappartement en hadden we niets gekocht. Dan hadden we nu de hoofdprijs kunnen betalen.'

'En ben je nu voorgoed hier?'

Jack haalde zijn schouders op. 'Dat was wel ons plan, maar het gaat tegenwoordig zo slecht dat ik me afvraag of het wel de juiste beslissing was om terug te gaan.'

'En wanneer is die koudwatervrees begonnen?'

'Een maand of twee geleden. Daarom was ik ook zo van slag toen ik jou in de trein tegenkwam. Er worden de hele tijd plannen gemaakt en soms dreigt het allemaal uit de hand te lopen. Aoifes moeder verheugt zich ontzettend op het hele gebeuren.'

'Dat is ook de taak van een schoonmoeder,' zei Louise met een glimlach.

'In elk geval, ik wilde gewoon even weten of het wel normaal is.'

'Jack, niets is normaal, en iedereen en elke relatie is anders. Ik kreeg het pas benauwd toen wij samen iets hadden gekregen.'

'Had Donal daar ook last van?'

'Geen idee. Ik ben nu bijna veertien jaar getrouwd en ik weet nog steeds heel veel niet over mijn man. Er is denk ik ook een heleboel wat hij over mij niet weet.'

Jack schudde zijn hoofd. 'Kijk, dat is nou wat ik niét wil in een relatie.'

'Er loopt heus nergens een ware Jakob of Jakoba rond; je moet er gewoon het beste van zien te maken,' zei ze, en ze beet op haar tong.

'Hoor ik daar weer mijn oude juf, Louise?' grijnsde hij.

Louise schudde haar hoofd. 'Niet om het een of ander, maar ik geloof gewoon niet zo in "en ze leefden nog lang en gelukkig" – meer niet.'

Jack slaakte een zucht. 'Ik had gedacht dat ik me beter zou voelen als ik je had verteld hoe het voor mij was geweest. Ik heb jarenlang lopen repeteren wat ik tegen je zou zeggen, maar nu ik het gezegd heb, weet ik niet precies hoe ik me voel.'

'Het spijt me echt ontzettend. Ik heb je nooit pijn willen doen – en mezelf ook niet.'

'Volgens mij wisten we allebei heel goed waar we mee bezig waren,' zei hij met een glimlach. 'Onwerkelijk is dit, vind je niet?'

Louise knikte. 'Een beetje wel. Ik heb me vaak afgevraagd waar het, als we elkaar zouden tegenkomen, zou zijn, maar zo'n tent als deze had ik nooit kunnen bedenken!'

'We kunnen zeker geen vrienden blijven?'

Louise voelde dat haar hart sneller begon te kloppen. Wat een rare afloop!

'Of zou je dat wel leuk vinden?' vroeg hij.

'Dat geloof ik wel, ja.'

'Panini?' kondigde de serveerster aan, en ze zette een groot wit bord voor Louises neus.

'Dank u.'

'En de garnalen,' zei ze, terwijl ze de schotel voor Jack neerzette.

Toen ze was weggelopen hief Louise haar glas. 'Ik weet niet hoe we het moeten invullen, maar op de vriendschap!'

Jack pakte ook zijn glas op en klonk ermee tegen het hare. 'Op de vriendschap!'

Met iets kwieks in haar tred zette Louise het schaaltje cornflakes voor Finn neer.

'Nog drie dagen te gaan. Verheug je je erop om je moeder weer te zien?'

'Best wel,' zei hij, terwijl hij melk over de cornflakes schonk. 'Maar ze zou toch op dinsdag thuiskomen?'

'Ja, dat klopt. Ik had vier dagen moeten zeggen in plaats van drie, maar de dag dat ze aankomt telt eigenlijk niet mee. En, waar hebben jullie vandaag zin in?'

'Mogen we naar Malahide Castle?' vroeg Molly.

Het was een prachtige dag en Louise voelde zich goed door het geheimpje dat ze sinds haar ontmoeting met Jack met zich meedroeg. Hij had haar sindsdien twee keer ge-sms't en ze voelde weer helemaal opnieuw de opwinding van toen ze nog in de twintig was.

'Misschien ga ik dan ook wel mee,' zei Donal.

Louise wist niet wat ze hoorde. Het was helemaal niets voor hem om op zaterdag niet naar de jachtclub te gaan.

'Wil je dan niet gaan klussen aan je boot?'

Het was weer de tijd van het jaar dat er een heleboel onder-houdswerk aan hun motorjacht gedaan moest worden.

'Kevin kan morgen pas.'

Louise knikte. Het zeilseizoen zou binnenkort beginnen en dan zou Donal op dinsdag, woensdag en donderdag 's avonds laat thuiskomen en elke zaterdagmiddag weg zijn. Soms had hij zelfs de euvele moed om er in de winter op zondagochtend tussenuit te knijpen.

'Prima. Ik had alleen gedacht dat je de boot wilde schoonmaken of zoiets.'

'Als ik niet naar de club ga, kunnen we met z'n allen iets leuks gaan doen.'

Louise zuchtte. Dit was een kans uit duizenden! Zij had al een hele week met kinderactiviteiten achter de rug, maar het was aardig aangeboden van Donal. 'Misschien kun jij met de kinderen naar Malahide, zodat ik de tijd heb om wat achterstallige klusjes in huis te doen?'

'Oké,' zei Donal inschikkelijk. Maar hij had gehoopt dat ze met het hele gezin zouden gaan.

Louise had van Emma een tegoedbon gekregen voor de Pangaea Day Spa in Sutton die ze nog niet had kunnen verzilveren; als ze mazzel had, konden ze haar nog net inroosteren voor een Thaise massage. Dat was pure verwennerij en in de regel had Louise na zo'n behandeling een week lang een heerlijk gevoel.

'Fijn,' zei ze. 'En probeer ze ook maar lekker moe te maken.'

Louise liep de keuken uit naar de gang en pakte haar mobiele telefoon van het tafeltje. Ze wilde net op de zoekknop drukken toen ze een sms'je kreeg van Jack: koffiedrinken? J

Louises hart hamerde. Snel sms'te ze terug: heb massage gepland! Louise

Hij antwoordde vliegensvlug: ik weet een goed adresje!!!

Louise grijnsde, al wist ze niet zeker of ze hem wel goed begreep. Eén tekstberichtje kon alles in haar leven ontregelen; wilde ze echt weer die hele weg gaan en van voren af aan verliefd op Jack worden? Ze trilde van opwinding en spanning toen ze haar antwoord intoetste, want ze kon het niet laten: hoe kan ik een afspraak maken?

'Waar is Aoife?'

Jack pakte Louises jasje aan en hing het aan een haak achter de deur.

'Die is promotie aan het maken voor Coca-Cola.'

Louise liep het appartement door en liet haar blik over de foto's gaan die aan de muur hingen.

'Jullie hebben een geweldig uitzicht.'

'Dank je. Ja, daarom zijn we hier ook gaan wonen. We zouden eigenlijk allebei dichter bij de stad moeten zitten, maar toen Aoife de haven en Ireland's Eye zag, werd ze hier verliefd op.'

'Ik heb Howth altijd prettig gevonden.'

'Weet je nog dat je hier met mij naartoe ging?'

Natuurlijk wist ze dat nog. Ze waren over het hek van Howth Head geklommen en hadden de liefde bedreven in het lange gras op Upper Cliff Road. In die tijd hadden ze veel gemeen gehad; dankzij alle uren dat ze na school in het lokaal samen muziek hadden gespeeld waren ze een harmonieus duo geworden. Toen hun relatie ook een fysieke dimensie had gekregen, stroomde de emotie die ze in hun muziek hadden gelegd over en kleurde hun liefdesspel. Maar wat hadden ze nu eigenlijk nog samen, vroeg ze zich af. Misschien hadden alleen herinneringen aan die hartstochtelijke tijden hen hier op een zaterdagmiddag bij elkaar gebracht, op een moment dat ze niet verder af konden staan van degenen die ze ooit waren geweest.

Jack kwam naar Louise toe en legde een hand tegen haar wang.

Opeens voelde ze zich onhandig. Besefte ze wel waar ze mee bezig was? Wat betekende dit voor haar huwelijk? Als ze zich voor die tijd al ontevreden had gevoeld, hoe zou ze zich dan wel niet voelen als ze zich nu in een verhouding stortte?

Omdat Jack haar ongemak wel aanvoelde, liet hij zijn hand langs zijn zij zakken.

'Heb je zin om een stukje te lopen?'

Louise kon geen woord uitbrengen. Ze zou hier niet moeten zijn. De man die nu voor haar stond was niet haar Jack, degene over wie ze, terwijl de jaren voorbijvlogen en haar kinderen groter werden, had gedroomd en zich van alles had afgevraagd. Dit was een man met een eigen leven en een eigen liefde, die ze niet zomaar uit haar herinneringen aan voorbije tijden naar boven kon halen om mooie muziek mee te maken.

'Het spijt me, Jack. Ik geloof dat ik maar beter kan gaan.'

'Maar we hebben nog niet eens koffiegedronken!'

'Er schiet me net te binnen dat ik nog iets te doen heb. Sorry, Jack. Misschien een andere keer.'

Ze pakte haar jasje en friemelde aan de knip van de deur. Ze stond op het punt om de grootste fout van haar leven te maken en haar instinct voor zelfbehoud probeerde daar een stokje voor te steken. In het verleden had ze al genoeg schade aangericht aan haar eigen emoties en die van Jack; van nu af aan had ze zich verantwoordelijk te gedragen.

Jack bleef bij de deur staan toen Louise de trap af stommelde en begreep er niets van. Hij kon haar niet volgen. Het was al moeilijk genoeg om zijn eigen emoties te hanteren sinds hij haar twee weken geleden tegen het lijf was gelopen. Misschien waren die emoties wel niet echt. Ze waren in elk geval pijnlijk gekleurd door herinneringen aan hun verhouding van vroeger. Het zou heel makkelijk zijn om zich nu weer in haar armen te storten en de kloof van al die jaren te dichten, maar dat zou ook de mooie herinneringen bederven. Wist hij het maar.

9

Emma keek op haar horloge. Dat was nou weer typisch Sophie. Om tien uur zou de taxi hen komen ophalen, en nu was het kwart voor en was ze nog steeds niet terug van haar avondje stappen, laat staan dat ze haar koffer al had gepakt.

Emma had afscheid genomen van Dehannys en hoopte van harte haar vriendin in de toekomst ooit nog terug te zien. Wie weet wat er nog zou gebeuren als Cuba niet langer communistisch was en Dehannys makkelijker weg kon, of misschien zou ze zelf wel nog eens naar Varadero terugkeren.

Ze klapte het deksel van haar koffer dicht en keek onder het bed of daar niets was blijven liggen. Met elke minuut die verstreek raakte ze geagiteerder. Van Cuba was bekend dat men er op z'n Caribisch omging met stiptheid, maar ze wilde de taxichauffeur, mocht die toch op tijd zijn, niet nodeloos laten wachten.

Ze vroeg zich af of Felipe zou worden gevraagd voor de transfer. Ze had tegen hem gezegd dat ze vandaag om tien uur zou worden opgehaald om naar Havana te worden gebracht.

Hij was heel galant en vriendelijk geweest in de paladar, maar had er toen hij haar die avond bij het hotel afzette niets over opgemerkt dat ze elkaar nog eens zouden zien. Ze had zich schuldig gevoeld toen ze met hem naar buiten was gegaan om naar de sterren te kijken – alsof ze Paul daarmee tekortdeed –, maar een klein stemmetje had in het donker tegen haar gefluisterd dat er niets mee mis was om te genieten van andermans gezelschap. Dat maakte haar nog geen slecht mens en haar liefde voor Paul werd er niet minder van.

Emma wierp nogmaals een blik op haar horloge en zuchtte. Het werd nu echt tijd om de roomservice te bellen en haar bagage door de piccolo naar de receptie te laten brengen, maar ze kon niet in haar eentje op weg gaan naar Havana. Dus haalde ze Sophies koffer uit de kast en begon haar toch al wanordelijke verzameling kleren op stapeltjes te gooien. Met één zwaai veegde ze Sophies toiletspullen in haar grote roze make-uptas. Gelukkig had haar zus niet al te veel meegenomen, zoals ze op vakanties in hun jonge jaren altijd wel had gedaan.

Toen Emma de sluitingen van de koffer van haar zus dichtklikte, hoorde ze een sleutel omdraaien in het slot van de deur.

Verfomfaaid en opgewonden kwam Sophie naar binnen gestuiterd.

'Nou, je hebt het uitgehouden!'

'Relax, Em, we zijn op vakantie.'

'Ik heb je koffer voor je moeten pakken, of misschien was dat ook wel je bedoeling.'

Sophie beende naar haar koffer en sloeg hem open. 'Je had mijn kleren best eerst even mogen opvouwen, zeg!'

'Nog commentaar ook? Pak de rest van je spullen nou maar, voordat ik dingen ga zeggen waar ik spijt van krijg.'

Sophie rolde met haar ogen. Ze wilde tegen haar zus zeggen dat ze heel vervelend begon te worden, nog erger dan hun moeder, maar die belediging ging misschien te ver.

Ze kon haar maar het best negeren en de stilte tijdens de lange autorit naar Havana zien te verdragen. Misschien kon ze wel een paar uurtjes slaap pakken – slaap had ze hard nodig!

Emma liep met de piccolo naar de receptie.

Ze stond bij de balie toen het welbekende silhouet van Felipe hun richting op kwam.

'*Buenos días, Emma.*'

Emma bloosde. Het was niet echt een verrassing om hem weer te zien; ze had al zo'n idee gehad dat hij degene was die hen naar Havana zou brengen. Ze vroeg zich af of hij daar zelf nog de hand in had gehad.

'Felipe... Breng jij ons naar Havana?'

'Ja. Het is een mooie dag voor die rit.'

'Elke dag is voor Havana goed,' zei de receptionist met een hartelijke lach.

'Wil je voorin zitten?' vroeg Felipe toen ze naar de auto toe liepen.

'Ja, graag. Dan zie ik meer.'

'Ik kan als gids fungeren.'

Sophie schuifelde achter hen aan. Ze was er totaal niet van onder de indruk dat Felipe weer was opgedoken en kon niet wachten om zich op de achterbank te installeren.

Ze reden de lange rechte weg af die hen naar de hoofdweg naar Matanzas voerde.

'Als je wilt,' opperde Felipe, 'kunnen we onderweg stoppen om naar de roofvogels te kijken.'

'Goed plan,' zei Emma, met een blik achterom op haar zus, die opgekruld op de achterbank lag.

Een paar minuten later lag Sophie diep te slapen, met haar mond open. Misschien maar goed ook.

Felipe maakte een scherpe bocht en reed een steil, smal pad naar een uitzichtspunt op, precies halverwege tussen Varadero en Havana. Hij zette de auto op een parkeerplaats. Zoals zo vaak gebeurde op Cuba zat een groepje plaatselijke bewoners voor een kleine bar annex winkel muziek te maken en ze namen de giften in ontvangst van de toeristen die waren gestopt om het prachtige uitzicht te bewonderen. Wilde roofvogels met een enorme spanwijdte zweefden door de lucht en doken omlaag naar de vallei in de diepte.

'Koffie?' vroeg Felipe.

Emma knikte. Ze vond zijn stem heel mooi klinken als hij dat woord uitsprak. Zijn zwarte haardos en stoppelbaard gaven hem een ondeugend sexappeal.

Felipe zei: '*Dos*', en de barjuffrouw overhandigde hem de koffie zonder op betaling te wachten.

Ze namen hun espresso's mee.

'Kom, we gaan naar de vogels kijken,' zei hij.

Ze liep met hem naar de blauwe balustrades voor het café toen een van de roofvogels een werveling maakte en door de lucht cirkelde alsof hij speciaal voor hen een show gaf. Even later kwam er een tweede vogel bij, en de achtergrond van het viaduct en de logge brug die ze zojuist waren overgestoken zorgden voor een schitterend beeld.

'Ik snap wel waarom hier zo veel mensen stoppen om even een kijkje te nemen.'

'Het is goed voor het land als toeristen drankjes kopen in het café.'

'Is dat dan staatseigendom?'

Felipe lachte even. 'Alles hier is staatseigendom!'

'Je spreekt wel erg goed Engels, Felipe. Waar heb je dat geleerd?'

Felipe haalde bescheiden zijn schouders op. 'Op school, en...' Hij aarzelde. Hij wilde Emma nog niet te veel over zichzelf vertellen. 'Ik leer veel van de gesprekken met mensen in mijn taxi.'

Hij sloeg het laatste bodempje uit zijn espressokopje achterover en wenkte Emma om weer met hem naar de auto te lopen.

'Hoe ver zijn we nu van Havana vandaan?'

'Een uurtje rijden ongeveer. Zeg, je vroeg me naar Cojimar – heb je zin om daar nu te gaan kijken?'

Dat vond Emma een prima idee. Cojimar was het dorp vanwaar Hemingway er altijd met zijn boot op uittrok om te gaan vissen.

'Ligt dat dan op de route?'

Felipe schokschouderde. 'We moeten er een kilometertje of twintig voor omrijden.'

'Kom je dan niet in de problemen?'

Felipe lachte. 'Dan zeg ik wel dat ik autopech heb gekregen; dat gebeurt wel vaker.'

Emma realiseerde zich dat hij een risico nam om haar een plezier te doen, maar ze kon deze kans niet laten glippen.

Sophie lag achter in de auto nog steeds diep te slapen; zij had de vorige avond kennelijk haar pleziertje gehad. Wie weet werd ze pas wakker als ze al in Havana waren.

Na een half uurtje rijden sloeg Felipe rechts af de hoofdweg af. De omgeving waar ze doorheen kwamen was die van een arme voorstad. Emma kreeg nu een goed beeld van het soort plekken waar de meerderheid van de Cubanen woonde. De flatgebouwen zagen er vervallen en verwaarloosd uit, en de kleurige verf bladderde van de muren.

Felipe hield halt bij een benzinestation en vulde de tank. Niemand vroeg hem om geld, zoals dat ook in het café waar ze net waren geweest niet was gebeurd. Het was vreemd voor een westerling om te zien hoe het systeem werkte, maar het taximerkteken op de zijkant van de auto was blijkbaar genoeg om niet te hoeven betalen.

'Dit benzinestation is –'

'Staatseigendom!' maakte Emma zijn zin voor hem af. 'Ik geloof dat ik het begin te snappen.'

Na nog tien minuten rijden zagen ze opnieuw de zee. Een lichte neerwaartse glooiing van de weg voerde hen door een klein en slaperig stadje, zoals vele andere waar ze doorheen waren gekomen. Maar hier was een fraaie baai waar vissersbootjes aangemeerd lagen, en aan de overkant van de haven verrees een fort dat nog dateerde uit de koloniale tijd van het eiland. De bovenkanten van de kademuur en de meerpalen waren kleurig poederblauw geverfd: de kleur waarvan Felipe had gezegd dat ze die in Havana veel zou zien.

'Wil je naar het standbeeld van Hemingway?'

'Graag, dat zou ik geweldig vinden.'

Ze lieten de raampjes een stukje openstaan, zodat Sophie op de achterbank frisse lucht kreeg; Emma voelde zich genoodzaakt om voordat ze op weg togen voor de korte wandeling naar het gedenkteken even te controleren of ze nog wel leefde.

'Hier heeft Santiago gewoond, de oude man in Hemingways boek,' legde Felipe uit.

'O, *De oude man en de zee*! Prachtig vind ik dat. Ik heb het gelezen toen ik nog op school zat.'

'De vissers waren heel trots op Hemingway. Hij was hun vriend. Na zijn overlijden hebben ze alle metalen onderdelen van hun boten bij elkaar gelegd – haken, ankers – en daar dit beeld van gemaakt.'

De buste kwam nu in zicht en samen liepen ze de paar treetjes op om hem beter te kunnen bekijken.

In de verte reed een oude Amerikaanse Pontiac voorbij met een jong stel juichend en zwaaiend op de achterbank. Het meisje was in het wit gekleed en had bloemen in haar haar. Achter de Pontiac volgde een mengelmoes van andersoortige auto's, die allemaal verwoed toeterden.

'Een Cubaanse bruiloft. Je treft het!'

Emma keek toe toen de plaatselijke kinderen, zingend en vrolijk in hun handen klappend, achter de auto's aan renden. Het tafereel had iets heel moois, dat Emma tegelijkertijd verdrietig en blij maakte. Was Paul hier maar; dan zou hij foto's maken. Ze wilde dit moment ontzettend graag onthouden, maar ze wist niet hoe ze het moest vastleggen. Op dat moment legde Felipe zachtjes zijn hand op haar arm.

'Wil je dat ik een foto neem?' vroeg hij, en Emma vroeg zich af of hij haar gedachten kon lezen.

'Ik heb mijn camera in de auto laten liggen.'

'Met je telefoon dan?'

Daar had Emma niet aan gedacht. Ze haalde het toestelletje uit haar tas en gaf het aan Felipe. Hij wist het jonge paar en hun gevolg nog net te fotograferen vlak voordat ze een smalle weg op draaiden en voorgoed uit het zicht verdwenen.

'Als je naar Hemingway toe loopt, maak ik een foto van jou.'

Emma deed wat hij vroeg, maar voelde zich nogal dwaas. Ze had tot nu toe amper vakantiefoto's gemaakt. Elke keer dat ze op het punt stond het te doen werd ze eraan herinnerd dat Paul niet bij haar was, dus was het makkelijker om maar helemaal geen foto's te maken.

Ze hield haar hoofd schuin en glimlachte toen hij afdrukte. Vervolgens kwam hij naar haar toe en gaf haar het toestel terug.

'Kom eens naast me staan,' zei ze, en ze hield haar mobieltje op armlengte voor zich, met het kasteel en de zee op de achtergrond. Ze drukte af en draaide haar telefoon om om het kiekje te bekijken. Felipe was fotogeniek, en zijzelf ook! Het contrast tussen haar zongekuste Ierse huid en zijn donkere bruine kleur tekende zich af tegen de helderblauwe lucht.

Emma gaf de telefoon aan Felipe om hem de foto te laten zien. Hij keek even en sloeg toen zijn blik op naar Emma. Hun ogen vonden elkaar. Het was een beladen moment. Allebei dachten ze hetzelfde: hoe goed ze er samen uitzagen.

'Misschien kunnen we nu beter gaan?' opperde hij.

'Ja, ik denk dat we maar eens bij Sophie moeten gaan kijken,' hakkelde Emma. Het was voor het eerst in lange tijd dat ze zichzelf op een foto zag met een andere man dan Paul, en dat kwam hard aan – omdat het haar wel beviel.

Zwijgend liepen ze terug en Emma liet haar blik om de paar stappen over de haven dwalen, waar oude mannetjes aan het water hun netten zaten te boeten. Toen ze nog maar een paar meter van de auto vandaan waren, beseften ze dat er iets niet in de haak was, want alle raampjes stonden wijd open.

Mijn laptop! dacht Emma.

Sophie was weg.

Felipe vloekte in het Spaans en maakte snel de kofferbak open. Hij keek naar binnen en slaakte een diepe zucht van opluchting.

'Ik dacht dat jullie bagage weg zou zijn, maar jullie hebben geluk. En je laptop en camera zijn er ook nog.'

'Maar waar is Sophie?'

'Die kan niet ver weg zijn,' zei hij, waarna hij de kofferbak dichtklapte en de raampjes en portieren vergrendelde. 'Kom mee!'

Ze liepen de licht hellende weg op, totdat ze bij een uitstekend onderhouden geel gebouw kwamen met mahoniehouten luiken, dat er heel anders uitzag dan de andere panden in het plaatsje.

'Dit is La Terraza,' zei hij, wetend dat Emma het meteen zou begrijpen.

'Wauw, wat mooi,' zei ze, terwijl ze het restaurant binnenstapte. 'Dus hier zat Ernest Hemingway altijd met zijn visvrienden.'

Aan de lange mahoniehouten bar troonde Sophie met een hoog glas met een helder drankje in haar hand. 'Ik had wel dood kunnen zijn, zeg!' zei ze klagend, en ze nam een lange slok uit haar glas.

'Je hoeft niet zo melodramatisch te doen, want we hadden de raampjes opengedraaid,' antwoordde Emma. 'En je hebt wél mijn laptop en onze bagage onbewaakt achtergelaten!'

Sophie haalde haar schouders op. Zoals gewoonlijk had het geen zin met haar in discussie te gaan.

'Ik geloof dat ik maar een biertje neem,' zei Emma. 'Of hebben we tijd om iets te eten?'

Felipe schudde zijn hoofd. 'Ik zou wel willen, maar ik moet zo meteen naar het vliegveld om mensen op te halen en naar Varadero te brengen.'

Emma begreep het. Misschien was een biertje eigenlijk al te veel gevraagd, maar Felipe wilde graag koffie, dus gingen ze aan de bar naast Sophie zitten en lieten de atmosfeer op zich inwerken.

'Hoe lang blijven jullie in Havana?'

'We hebben maar twee dagen. Kun je ons iets aanraden om te gaan bekijken?'

'Morgen is mijn vrije dag. Als jullie willen, kan ik jullie de stad wel laten zien.'

Emma vond dat een goed plan, maar vroeg zich bij Felipes voorstel af of hij vrijgezel was; hij had weliswaar gezegd dat hij bij zijn vader woonde, maar dat wilde nog niet zeggen dat er geen mevrouw Felipe bestond. Hij had de uitstraling van iemand die gesetteld was, maar toen hij hen naar Matanzas had gebracht had hij ook al helemaal geen haast gehad om naar huis te gaan.

'Dat is heel vriendelijk aangeboden,' zei ze. Vanuit haar ooghoeken zag ze wel dat Sophie iets wilde zeggen, maar ze negeerde haar. 'Ik zou graag het Hemingway-huis willen zien.'

'Daar kan ik jullie naartoe brengen.'

'Heb je op je vrije dag je taxi ter beschikking?'

Felipe schudde zijn hoofd. 'Nee, maar mijn vader heeft een auto die we kunnen gebruiken.'

'Kunnen we niet gewoon maken dat we in Havana komen, verdorie?' riep Sophie uit. 'Wat doen we hier eigenlijk?'

De rest van de tocht was snel volbracht. Sophie lag weer achterin te slapen.

Emma dronk onderweg het uitzicht in. Het zag er hier heel anders uit dan op alle andere plekken waar ze was geweest. In de loop der jaren waren Paul en zij naar Thailand gereisd en naar Zuid-Afrika en andere exotische bestemmingen, maar daar was het nergens zoals hier. Dat kwam niet zozeer door het contrast met Ierland als wel door het soort energie dat de mensen hier uitstraalden. Toen ze door de buitenwijken van Havana kwamen, had Emma het gevoel dat ze zich op een filmset bevond. Wat haar vooral opviel was dat de mensen allerlei verschillende huidskleuren hadden. De mannen die op de straathoeken stonden, de vrouwen die voorbijliepen met zware tassen en de kinderen die rondrenden met een geïmproviseerde bal hadden alle kleuren van de regenboog. Ze wierp een blik op Felipe; hij had de kleur van een latino, terwijl veel van zijn landgenoten zwart waren. Ze vermoedde dat huidskleur voor niemand op Cuba een punt was en ze kreeg een heerlijk vrij gevoel.

'Felipe, is het op Cuba racistisch?'

Felipe lachte. 'Fidel heeft racisme verboden; dat stond ten tijde van de revolutie in zijn manifest. Maar hij zei er niet bij dat iedereen, met welke kleur ook, arm zou blijven.'

'Maar er zijn in deze samenleving toch vast wel mensen die meer bezitten dan anderen?'

'Niet echt. In deze stad heb ik de beste baan die je maar kunt hebben. Ik verdien tien Cubaanse dollar per maand, maar als je geluk hebt haal je dat op één dag ook bij elkaar aan fooien.'

'Hoeveel verdient een arts?'

Felipe schudde zijn hoofd. 'Ongeveer twintig Cubaanse dollar, dus je snapt wel waarom er zo veel mensen naar Canada of Amerika gaan. Een leraar verdient twintig, maar een fabrieksarbeider kan tien krijgen, plus alles wat hij voor de zwarte markt in zijn zakken mee naar huis weet te smokkelen. Werken in een rumfabriek is niet verkeerd.'

Emma liet al deze informatie bezinken. Misschien had Dehannys het dan helemaal niet zo slecht, met een vader in de rumfabriek.

Ze kreeg een groots en stijlvol gebouw in het oog. 'Moet je dat zien!'

'Ja, dat is het Capitolio. Een heel groot museum. Daar moeten jullie echt heen.'

'Ik heb maar heel weinig tijd om alles te bekijken wat ik hier wil zien.' Emma deed geen moeite haar enthousiasme te verbergen.

'Het is hier anders een stuk warmer dan in Varadero,' klonk een stem vanaf de achterbank.

Sophie was wakker.

'We zijn bijna bij jullie hotel,' zei Felipe, die even naar haar achteromkeek.

En ze hoefden inderdaad nog maar twee minuten over de hobbelige wegen te rijden voordat ze bij een groot hotel kwamen dat onlangs opnieuw in de gele verf was gezet, met helderblauwe kozijnen en deurposten.

Emma wilde niet dat Felipe wegging. Het was heel prettig om met een man te kunnen praten en ze was op zijn gezelschap gesteld.

'Dan zie ik jullie morgen,' zei hij. 'Om tien uur?'

'Prima. Bedankt voor alles, Felipe.'

'Weet je een goede nachtclub waar ik vanavond heen kan?' vroeg Sophie. 'Na Varadero kan ik wel wat actie gebruiken.'

'Wil je dansen?' vroeg Felipe.

'Ja.'

'Casa de la Musica – dat is van hieraf te lopen. Dat is de beste tent.'

'Ontzettend bedankt voor al je hulp, Felipe,' zei Emma nogmaals. 'Vooral omdat je me Cojimar hebt laten zien.'

'Fijn dat je het leuk vond,' zei hij met een glimlach.

Emma wilde hem een fooi geven, maar die weigerde hij aan te nemen.

'Alsjeblieft,' zei ze, 'het is het minste wat ik kan doen voor de omweg die je hebt moeten maken.'

'De staat betaalt!'

En vliegensvlug sprong Felipe zijn auto weer in.

Toen hij wegreed, zwaaide Emma hem na vanaf het bordes. Hij

was een aardige man en ze genoot van zijn gezelschap. In zekere zin was hij verlegen, maar tegelijk ook zelfverzekerd – een volslagen Cubaans raadsel. Ze pakte haar koffer en ging het hotel binnen. De piccolo schoot toe om hun bagage aan te nemen en wenkte het personeel dat ze de Europese vrouwen moesten inchecken.

De piccolo in Hotel Telegrafo was heel anders dan de gladder dan glad geschoren jongeling die zich in Varadero over hun bagage had ontfermd. Deze man zag er groezeliger uit en maakte meer van zijn klanten. Toen hij zich ervan had verzekerd dat de liftdeuren zich hadden gesloten, stak hij van wal.

'Als u goede sigaar wilt in Havana, komt u naar mij toe. Ik kan heel goedkoop krijgen. Echte Coheba, zoals Castro ze rookt. Havana Club, zeven *años*, heel goed.'

'Hartelijk bedankt,' zei Sophie bruusk. 'Wij roken niet, maar als ik rum nodig heb weet ik je te vinden.'

De gangen waren donker en de plafonds heel hoog. Toen de piccolo de deur van hun kamer opendeed, viel daar door de gordijnen een baan helder licht naar binnen. Hij haastte zich ernaartoe en trok ze open, zodat ze de hoge openslaande deuren konden zien.

'Parque Central! Kijk!' spoorde hij hen aan.

Ze stapten de kamer door en kwamen bij hem staan op het kleine, van een balustrade voorziene balkon.

Beneden hen trok het gonzende leven van Havana voorbij. Sommige mensen reden op brommers, anderen in fantastische oude Amerikaanse auto's die als lappendekens uit allerlei onderdelen waren samengesteld. Op de volgende straat reed een gigantisch merkwaardig uitziend voertuig met een paar honderd passagiers erin ronkend voorbij. De meisjes ontdekten later dat dergelijke voertuigen fungeerden als openbare bussen en *camellos* heetten, vanwege de bultige wagon met achttien wielen die achter de truck werd voortgetrokken.

'Wat slim bedacht, zo'n vervoermiddel!' zei Emma, wijzend naar een jongen die op een fietsriksja zat die was overdekt met een stuk zeildoek dat ooit had dienstgedaan voor een bierreclame. Te midden van dit alles reed een hele rij Renault-taxi's, dezelfde als waar Felipe ook in reed, als vertegenwoordigers van het moderne Cuba.

Emma beschouwde het als een vingerwijzing van het lot dat Felipe hen op de eerste dag van het vliegveld was komen halen en ze besefte dat hij niet voor niets degene was die haar alle plekken zou laten zien die ze wilde zien. Het kwam goed uit dat hij de volgende dag vrij had. Tot dan had ze vierentwintig uur de tijd om zich te oriënteren, en er was één plek waar ze na de lunch dolgraag heen wilde.

Emma gaf de piccolo een Cubaanse dollar fooi en verguld liep hij de kamer uit.

Sophie plofte neer op het bed.

'Wil je wat water voor me pakken, Em?' kreunde ze.

Emma liep naar de minibar, die discreet was weggewerkt in een kleine kast, en maakte het deurtje open. Ze gooide een flesje water op het bed naast haar zus.

De reis vanuit Varadero was lang en klam geweest. Emma nam een snelle douche en trok een comfortabele korte wandelbroek en een t-shirt aan.

'Waar ga je heen?' vroeg Sophie.

'Ik ga de oude stad verkennen. Dat is hiervandaan maar tien minuten lopen.'

'In je eentje?'

'Tja, jij bent zo te zien niet fit genoeg om waar dan ook heen te gaan.'

'Geef me twintig minuten...'

'Je hebt wel langer nodig. Bel me maar wanneer je zover bent.'

Sophie was niet alert genoeg om erover in discussie te gaan. Ze sloeg het gesteven laken terug en kroop in bed.

Emma zette haar zonnebril op haar hoofd; die zou ze straks nog nodig hebben.

Ze pakte haar stadsplattegrondje en begon haar wandeling met een tochtje door het park. Hier in de stad, waar de gebouwen alle hitte vasthielden, was het een stuk vochtiger. Ze verbaasde zich erover dat de plaatselijke bewoners, de *Habaneros*, in grote groepen zomaar wat bij elkaar zaten om de wereld aan hen voorbij te zien trekken. Jonge mensen van wie ze aannam dat die op dit uur wel druk aan het werk hadden moeten zijn, omhelsden elkaar openlijk en dronken zelfgemaakte limonade die bij karretjes te koop was. Die kostte twee cent – in Cubaanse peso's, niet in de toeristenvaluta.

Het drong nu pas goed tot Emma door dat bepaalde artikelen alleen voor toeristen te koop waren, of voor mensen die de hand wisten te leggen op Cubaanse dollars, en dat de rest van de bevolking maar gewoon moest accepteren dat zij daarvan buitengesloten waren. Niet dat het nou om zulke luxe spullen ging, maar bepaalde cosmetica, elektronica en allerlei spullen die in elke winkel in Dublin goedkoop waren en als vanzelfsprekend werden beschouwd, bleven voor de gemiddelde Cubaan onbereikbaar. Als ze nog steeds journaliste zou zijn, bedacht ze maar weer eens, zou ze een heleboel te melden hebben. Ze begreep nu wel waarom zo veel mensen hun leven op het spel zetten en het erop waagden de verraderlijke reis van negentig kilometer over zee naar Florida te maken. Maar op dit moment was ze op ontdekkingstocht en wilde ze kijken wat Cuba had dat de rest van de wereld níét te bieden had.

Sophie kreunde en stapte uit bed. Ze had nog wat Panadol in haar toilettas; ze had altijd een vol doosje bij de hand. Ze was nu blij dat ze uit Varadero weg was. José was een ontzettende eikel. Hij had het gore lef gehad om haar te vragen of ze wat geld voor hem kon wisselen; dan zou hij de euro's naar haar overmaken wanneer hij die aan fooien bij elkaar had. Maar daar trapte ze dus mooi niet in. Hij had met zijn vraag gewacht tot ze op zijn brommer waren teruggegaan naar haar hotel. Ze wist wel dat hij een schuinsmarcheerder was – dat had haar juist zo in hem aangetrokken –, maar ze had nooit gedacht dat hij zo brutaal zou zijn om het vanwege geld met haar aan te leggen.

Ze keek de kamer door en wierp een blik op de glanzende tegelvloer. Het hoofdeinde van het bed was met gemak drie meter hoog. Ze stapte het balkon op en keek naar de auto's, trucks en brommers die zonder systeem door elkaar krioelden. Op straat heerste niet veel orde en ze durfde te wedden dat die elders in deze stad ook ver te zoeken was.

Ze had het idee dat ze hier het echte Cuba te zien kreeg, dat er heel anders uitzag dan al die opgepoetste hotels en het zandstrand van Varadero. Nou, ze was er klaar voor om het ware Havana te zien, de stad waar alle beroemde musici, zoals degenen die in de Buena Vista Social Club hadden gespeeld, hun wortels hadden.

Dit was wat Paul voor hen op het oog had gehad. Hij had tenslotte háár mee op reis zullen nemen, en niet Emma. Ze was blij dat Emma de details van de vakantie op die bewuste dag aan haar had overgelaten en geen woorden had vuilgemaakt aan de voorletter van de Owens-zus die de reis zou gaan maken: de S. Emma had het natuurlijk wel gezien, maar was ervan uitgegaan dat het domweg een tikfout was. Sophie had het ticket op die naam gehouden en het was haar gelukt dat van Paul over te zetten op Emma's naam, waarbij ze tegenover de man van het reisbureau zoals gewoonlijk al haar charmes in de strijd had geworpen, hoewel hij de naam eigenlijk niet mocht veranderen zonder een hoge boete. Louise had de S op de papieren ook gezien, wat Sophie flink zenuwachtig had gemaakt. Louise had een spaak in het wiel kunnen steken; ze nam het altijd voor Emma op. Ze huiverde toen ze eraan dacht hoe Emma zou reageren als ze erachter kwam dat dit helemaal geen verrassingsreisje was dat voor haar was bedoeld, maar een vakantie om te vieren dat Sophie drie jaar een relatie had met haar zwager.

Een paar dagen voor zijn zevende trouwdag was Paul in de stad Sophie toevallig tegen het lijf gelopen, en hij had haar mee uit lunchen genomen in Cooke's Bistro. Toen ze in de Dublinse zon onder de donkergroene luifel zaten, hadden ze zich in Parijs of Rome gewaand. Kort tevoren had ze een einde gemaakt aan haar relatie met een nachtclubeigenaar, een flitsende flierefluiter, en ze was nu wel toe aan iemand met wie ze over kunst, cultuur en design kon praten. Sophie had als ze Paul naast Emma zag nooit beseft hoe aantrekkelijk hij eigenlijk was. Bij hen allebei sloeg de bliksem in. Paul noemde haar zijn *seven-year itch*, waarna zij altijd zei: 'Zal ik dan voor je krabben?'

Soms troffen ze elkaar bij hem op kantoor, soms op haar werk. Het was makkelijk zat om de rolgordijnen in zijn kamer naar beneden te trekken en de deur van binnenuit op slot te draaien. Ze liep wel eens schroeiplekken van de vloerbedekking op, maar daar moesten ze later altijd om lachen.

Die enkele keer dat Sophie geen goed gevoel had over waar ze achter Emma's rug mee bezig waren, foeterde Paul: 'Besef je wel hoe aardig ik voor je zus ben? Voordat jij en ik hieraan begonnen was ik een hork om mee samen te leven. Het is aan jou te danken dat ik stukken prettiger in de omgang ben geworden!'

Sophie geloofde dat niet. Zij zou hem nooit beschrijven met een woord als 'prettig'. Veeleisend, precies, dwangmatig, energiek en supergetalenteerd, oké – maar 'prettig' was Paul niet. Het erge was dat het precies het woord was waarmee Emma haar man in de kerk tijdens zijn begrafenis had beschreven. Daar bleek wel uit hoe slecht ze hem kende.

Sophie nam een slok water uit haar flesje en slikte de Panadol door. Nog een paar uur plat en dan was ze er klaar voor om Havana te veroveren.

Toen Emma het grote plein van Parque Central af liep en voet zette op de keitjes van de Calle Obispo, besefte ze dat ze niet ver meer van haar doel af was. De gebouwen om haar heen waren vervallen koloniale panden, en dit was het Habana Vieja dat ze had verwacht. De roze en blauwe verf waarmee ze hier en daar waren opgeknapt gaf de oude huizen een vrolijk aanzien. Sommige deuren waren gemaakt van ingewikkeld en rijkversierd metaalwerk en moesten er in hun hoogtijdagen prachtig hebben uitgezien.

Achter de deuropeningen zaten soms oude mensen naar buiten te kijken, beschut tegen de warme zon. Een paar kinderen die zo opgingen in hun spel dat ze haar niet opmerkten, renden voor haar uit. Twee van hen droegen geen schoenen. De stank die uit de rioleringen of van de vuilnishopen kwam – Emma wist niet precies wat de bron was – kwam vanaf de trottoirs naar haar toe gedreven. Plotsklaps kwam aan het einde van de straat de majestueuze roze gevel die in haar Dorling Kindersley-gids zo goed beschreven stond in zicht, en ze begreep dat ze was aanbeland op de volgende halte van haar Hemingway-pelgrimage.

Ernest Hemingway had een poosje in het Ambos Mundos Hotel gewoond voordat hij zich in La Finca Vigía had gevestigd, en ze stapte het luchtige, sfeervolle hotel binnen, omdat ze ontzettend graag de sporen van zijn aanwezigheid wilde voelen. Ze werd niet teleurgesteld.

Na een paar stappen door de foyer kwam ze in een helder verlicht bargedeelte. De barkeeper droeg een hagelwit overhemd en een zwarte vlinderdas, waardoor hij regelrecht uit de jaren vijftig leek te zijn gestapt. Door smalle jaloezieën voor de hoge ramen viel gespikkeld licht naar binnen en palmen die hier en daar in grote aardewerken potten waren neergezet deelden de ruimte tussen de bar en de foyer in tweeën.

Emma glimlachte de barkeeper toe en liep naar een wand vol foto's van Ernest Hemingway. Ze waren allemaal in zwart-wit, in grijs en in sepiatinten, en hingen ingelijst tegen het olijfgroene behang. Op een van de foto's haalde Hemingway een vis binnen, op een andere schudde hij Castro de hand, en op weer een derde zat hij met een groep vrienden kreeft te eten, zodat Emma hem benijdde om het exotische en cultureel rijke leven dat hij had geleid. Een bordje op de wand kondigde aan dat toeristen voor twee dollar de kamer konden bezoeken waar de schrijver in de jaren dertig een poosje had gebivakkeerd. Maar eerst wilde ze iets drinken. Het was warm en stoffig buiten, en de bar en het glimlachende gezicht van de barkeeper zagen er uitnodigend uit.

'*Buenas tardes, señorita*,' zei hij met een glimlach toen Emma plaatsnam op een hoge kruk. 'Wat mag het zijn?'

'Een mineraalwater – *con gas, por favor*.'

Hij schonk met vaste hand een glas vol en voegde er ijs en limoen aan toe.

'*Gracias*,' zei ze, en genietend nam ze een slok.

'Komt u de Hemingway-kamer bekijken?'

'*Sí*,' antwoordde ze met een knikje.

Ondertussen kwam er een lange, slanke gestalte naar de bar toe gelopen. Hij droeg een luchtig wit T-shirt en zijn huid leek op gladde melkchocolade. Zijn donkerbruine ogen glinsterden en werden groot, terwijl er een glimlach op zijn gezicht verscheen.

Hij was de mooiste man die Emma ooit had gezien.

'*¡Buenas tardes, Marco!*' zei hij tegen de barkeeper. '*¡Una cerveza, por favor!*'

'*Sí, señor Adams.* Hebt u een fijne dag gehad?'

'Heel goed, Marco.' Zijn accent veranderde toen hij op Engels overschakelde, en er viel duidelijk iets Amerikaans in te bespeuren.

De man wendde zich tot Emma en knikte haar beleefd toe, waarna hij op de kruk naast haar kwam zitten.

'Een vriendin van je?' vroeg hij aan de barkeeper, die over de toog een flesje bier naar hem toe schoof.

Emma voelde zich gek genoeg erg op haar gemak in deze onbekende omgeving met twee vreemde mannen aan haar zij. Doordat er maar zo weinig gasten in het hotel waren kreeg de ontmoeting met deze man iets huiselijks, en onder normale omstandigheden zou ze zich daar niet prettig onder hebben gevoeld, maar op dat moment leek het alsof ze precies was waar ze hoorde te zijn.

'Ik ben Emma,' zei ze, terwijl ze haar rechterhand uitstak. 'Uit Ierland.'

'Zozo, Emma uit Ierland,' antwoordde hij, en hij schudde haar de hand. 'Leuk om je te zien. Ik ben Greg, uit Canada, maar ik heb zeer gemengd bloed, dus ik mag mezelf waarschijnlijk wel een wereldburger noemen!'

Emma voelde zich tot deze man aangetrokken als een speld door een magneet. Er was niets mis met dat gevoel; ze had immers haar veilige haven verlaten en was duizenden kilometers van huis. Ze was hier niet Pauls weduwe of de moeder van Finn, maar voelde zich als een personage in een van haar romans, en deze Greg

Adams was zo verrukkelijk dat het misschien geen slecht idee was om hem samen met Felipe in haar boek te laten figureren.

'Bent u op vakantie?' zei ze, op een ietwat flirterige toon.

'Ik noem het zakenreizen, maar Cuba kun je niet bezoeken zonder plezier te maken. Mijn moeder is Cubaanse en ze heeft mijn vader hier leren kennen, maar hij heeft haar ruim veertig jaar geleden mee teruggenomen naar Nova Scotia en sindsdien is ze hier niet meer geweest.'

Emma was geïntrigeerd en haar journalistieke nieuwsgierigheid kreeg de overhand. 'Wat een geweldig verhaal! Dus u hebt hier familie?'

Hij knikte. 'Neven en nichten en tantes; die zie ik soms. En geloof het of niet, maar mijn grootvader leeft nog, alleen woont hij in Cardenes en daar kun je niet makkelijk komen. En ik ben hier meestal niet lang genoeg om het binnenland in te trekken.'

Deze man was zo open en eerlijk dat ze hem onmiddellijk mocht.

'In welke branche werkt u, als ik vragen mag?'

'Emma uit Ierland, jij mag me vragen wat je maar wilt!' grinnikte hij schalks. 'Ik koop kunst in en in Canada verkoop ik die weer. Daar is veel vraag naar Cubaanse kunstenaars. Ben je hier al op een markt geweest?'

Emma schudde haar hoofd. 'Ik ben pas sinds vanochtend in Havana.'

Gregs glimlach verbreedde zich. 'Nou, dan staat je heel wat moois te wachten. Heb je al geluncht?'

Emma schudde haar hoofd.

'Ik eet niet graag alleen,' zei hij. 'Heb je zin om met me naar La Bodegita del Medio te gaan? Ik ben een Hemingway-liefhebber, daarom logeer ik altijd hier.'

Nu begon Emma dan toch eindelijk een tikje zenuwachtig te worden. Greg leek geen kwaad in de zin te hebben, maar het was niet zo slim voor een buitenlandse vrouw om zich in welke stad dan ook met een vreemdeling in te laten, en ze ging ervan uit dat Havana daarop geen uitzondering vormde.

Greg voelde wel aan dat ze zo haar bedenkingen had. Hij wenkte de barkeeper. 'Marco, zeg jij eens even tegen Emma uit Ierland dat ik heus niet bijt!'

'Señor Adams logeert hier vaak; hij heel goede klant,' zei Marco, terwijl hij met een komisch gebaar zijn hand voor Greg ophield om een fooi te incasseren.

Greg glimlachte en legde plichtsgetrouw vijf Cubaanse dollars in zijn handpalm.

Emma wilde deze man dolgraag beter leren kennen, en ze had immers niets te verliezen. Sophie lag waarschijnlijk nog steeds op één oor, en omdat ze haar reisgids goed had bestudeerd, wist ze dat de bar waar hij het over had maar een paar straten verderop was.

'Oké, graag,' zei ze dus, en ze stond op om Marco voor haar water te betalen.

'Niet nodig!' zei hij met een glimlach, want Greg zou hem later nog wel een fooi geven.

Greg bood haar galant zijn arm en Emma haakte in.

Ze wandelden de Calle Mercaderes af, totdat ze bij de Plaza de la Catedral kwamen. De barokke gevel van de San Cristóbal straalde hun als een fraai staaltje koloniale architectuur tegemoet. Een oude vrouw, gekleed in het traditionele koloniale kostuum, compleet met wit kant en een rode roos, zat op de treden ervoor een sigaar te roken. Ze werd omringd door toeristen die foto's van haar namen, en aan haar voeten lag een hondje te keffen. Een oude man naast haar verkocht pinda's in witpapieren puntzakken.

'Wat prachtig hier!' zei Emma ademloos.

'Het is nogal toeristisch, maar mij bevalt het wel. Van de sfeer in La Habana Vieja krijg ik nooit genoeg. Dat daar is een mooi plekje om uit eten te gaan bij zonsondergang,' zei hij, wijzend naar een restaurant met een besloten terras dat er heel Europees uitzag. 'El Patio – uiteraard is het staatseigendom, zoals alles hier, maar in zijn hoogtijdagen, ruim een eeuw geleden, moet het behoorlijk spectaculair zijn geweest.'

'Ja, raar is dat, dat alles van de staat is. Ik was in Oost-Europa in de tijd van het IJzeren Gordijn, en hoewel het daar toen communistisch was, voelde het toch heel anders dan hier.'

'Cuba is met niets ter wereld te vergelijken. Castro heeft het helemaal in zijn eentje tot het grootste eiland van de Cariben gemaakt. Niet alles wat hij deed was goed, maar hij heeft ook niet alleen maar kwaad aangericht – laat mijn moeder me maar niet horen.'

'Wil ze ooit nog terugkomen, al was het maar voor een bezoek?'

'Nee. Ze vindt het vreselijk dat zij dat zou kunnen doen en dat zo veel anderen die mogelijkheid niet hebben. Ze zegt dat zij geluk heeft gehad omdat ze mijn vader heeft leren kennen, een lange blanke Canadees die haar een beter leven kon geven. Maar ik voor mij denk dat ze diep in haar hart Cuba toch mist.'

Emma vond het fijn zoals hij praatte. Niet veel mannen zouden zo open zijn tegen een vrouw die ze nog maar net hadden ontmoet – maar ja, dit waren nu eenmaal geen normale omstandigheden en ze wist nu al dat Greg geen gewone man was.

Het gele bord waar in grote zwarte letters BODEGUITA DEL MEDIO op geschilderd stond doemde in de Calle Emperado op als een visioen.

'Hier dronk Hemingway altijd graag zijn eerste mojito van de dag,' legde Greg uit. Hij duwde de louvredeurtjes open die toegang gaven tot de bar, waar het bomvol zat met toeristen.

Eerst dacht Emma dat de helderblauwe muren waren bedekt met een soort letterbehang, maar toen ze beter keek zag ze dat het de met donkerblauwe viltstift neergezette handtekeningen waren van de bezoekers van het restaurant.

'Kom maar mee,' zei Greg, en hij ging haar voor naar een eetgedeelte achterin. 'Je kunt jouw naam er straks wel bij zetten, toch?'

Het eetgedeelte leek uit diverse afzonderlijke zitjes te bestaan die met elkaar waren verbonden door hoge open bogen. Zelfs hoog op de muren hadden de gasten hun namen genoteerd. Miguel uit Venezuela was hier in 2001 geweest. Maria Cruz uit Madrid was hier in 2004, en er waren zo veel andere namen in zo veel talen en lagen neergekrabbeld dat ze in een onregelmatig patroon in elkaar overliepen.

Ze namen plaats aan het enige tafeltje voor twee dat nog beschikbaar was en de ober kwam meteen naar hen toe.

'*Buenas tardes.* Wilt u iets drinken?'

'*Dos mojitos, por favor*,' zei Greg.

Emma keek omlaag naar haar papieren placemat, die tegelijk dienstdeed als menukaart. Bovenaan waren de letters B en M afgedrukt in dezelfde naïeve stijl als waarin ze boven de bar waren aangebracht waar ze onderweg hiernaartoe langs waren gekomen. Overal waren donker hout en helderblauwe verf met elkaar gecombineerd, en aan de gewelfde plafonds hingen kroonluchters.

'Heerlijk is het hier,' merkte Emma op toen een trio in de hoek muziek begon te maken.

'We moeten voordat we weggaan nog wel onze handtekening op de muur zetten.'

'Als we tenminste nog een leeg plekje kunnen vinden.' Emma streek met haar vingers over de honderden handtekeningen op de muur naast haar. 'Mensen moeten ladders hebben gebruikt om zo hoog te komen!'

Greg pakte een blauwe viltstift op die midden op tafel lag.

'Ik wil wedden dat je "Emma uit Ierland" vast nog wel ergens tussen weet te wurmen.'

'Dank je,' antwoordde ze, en ze pakte de stift aan en begon een vrij plekje op de muur te zoeken. 'Ik ben nog nooit in zo'n restaurant als dit geweest. Maar goed dat ik jou ben tegengekomen.'

'Cuba is geweldig,' zei Greg. 'De mensen zijn superaardig. In Canada zou ik nooit een vreemde vrouw die ik in een hotel tegen het lijf liep mee uit lunchen nemen, en zij zou op zo'n aanbod waarschijnlijk ook niet ingaan, maar als ik in Havana ben, krijg ik altijd een heel apart gevoel vanbinnen.'

Emma snapte helemaal wat hij bedoelde, maar ze kon zich niet voorstellen dat er vrouwen waren die Gregs aanbod voor een lunch – of voor wat dan ook – zouden afslaan. Ze had het gevoel dat ze aan de rand van een afgrond stond, maar zich nu op een heel andere manier schrap moest zetten dan in de afgelopen zeven maanden.

Greg bestudeerde haar mooie gezicht terwijl ze haar naam over de lagen letters heen schreef.

'En, waar is menéér Emma uit Ierland, of bestaat die niet?'

'Hij is in Ierland,' antwoordde ze – want nou ja, dat was in elk geval gedeeltelijk waar. Ze kende Greg immers amper en was niet van plan hem te vertellen dat Paul op het Balgriffin-kerkhof lag.

Greg gaf geen krimp. Het leek hem totaal niet te deren dat ze een echtgenoot had.

'En hoe zit het met mevróúw Greg uit Canada?'

'Die zijn allebei in Canada, en ze zijn allebei *ex*-mevrouw Greg. Ik ben een prima vriend en altijd loopt alles lekker met de vrouwen in mijn leven – totdat we gaan trouwen, en dan...'

'Heb je kinderen?'

'Een dochter uit mijn eerste huwelijk. Met mijn tweede vrouw heb ik geen kinderen. En jij?'

'Ik heb een zoon, Finn. Hij is negen.'

'Mooie naam.'

Emma knikte. Het was de enige naam geweest waar Paul en zij het over eens hadden kunnen worden.

'Hou je van creools eten?' vroeg hij.

'Ik heb het nog niet echt geprobeerd. In het hotel in Varadero waren allerlei verschillende restaurants, en die ene keer dat we in Matanzas hebben gegeten hebben we niet veel etnisch eten geproefd.'

'We? Bedoel je dat er twéé Emma's uit Ierland zijn?'

Emma glimlachte. 'Min of meer. Er is ook nog een Sophie uit Ierland – mijn zus.'

'En lijkt ze een beetje op jou?' vroeg hij met een schalkse grijns.

'Totaal niet. Ze heeft aardbeiblond haar en groene ogen. Heel Iers.'

'Maar jij hebt prachtige Keltische trekken, Emma uit Ierland. Ik ben jaren geleden in Dublin geweest en mijn hoofd werd keer op keer op hol gebracht, telkens door vrouwen met blauwe ogen en zwart haar.'

Emma bloosde. Dit was een onverbloemd compliment, en ze voelde zich gevleid omdat het van zo'n goddelijke man kwam.

'Hoe lang ben je in Varadero geweest?' vroeg hij.

'Zeven dagen, en nu blijven we drie dagen in Havana.'

'Dat had ik precies andersom gedaan, denk ik. Begrijp me niet verkeerd. Varadero is oké, maar je zou daar willekeurig waar op de Cariben kunnen zijn. Havana is anders; daar is niets ter wereld mee te vergelijken.'

Emma had nu al het gevoel dat ze dat met hem eens was. 'Vertel me eens wat meer over Cubaanse kunst?'

'Goed. Iedereen kent Cuba's beroemde musici, maar de beeldend kunstenaars die ervandaan komen zijn niet minder bijzonder. Ik heb tentoonstellingen van Cubaanse kunst georganiseerd in heel Europa en de Verenigde Staten. Cubaanse kunst is goedkoop en de Cubanen zijn meesters in het figuratieve, wat goed uitkomt nu mensen door al die conceptuele flauwekul heen beginnen te prikken; die is veel te lang in de mode geweest.'

'Nu je het zegt... Ik geloof dat ik Cuba inderdaad altijd met muziek en dans heb geassocieerd.'

'Het is een smeltkroes voor kunstenaars. En denk maar eens aan alle schrijvers die zich erdoor hebben laten inspireren, onze vriend Hemingway voorop.'

'Hoe weet jij dat ik een liefhebber van Hemingway ben?'

'Waarom zou je anders in je eentje in het Ambos Mundos Hotel zitten als je daar niet logeert?'

'Maar misschien logeer ik er wél?'

'Ik heb er ontbeten, en als jij er was geweest had ik je zeer zeker gezien!'

Emma wapperde zichzelf met haar plattegrond van Havana koelte toe. Opgelucht zag ze dat de ober een mojito voor haar neerzette. Ze moest even afkoelen. Met zijn indirecte complimenten maakte hij zijn bedoelingen meer dan duidelijk.

Greg had fijne en gebeeldhouwde gelaatstrekken, eerder Europees dan Afrikaans. Hij zou een ideaal model zijn voor kleding van Armani. Maar dat was nou net het mooie aan hem: zelf leek hij zich dat niet te realiseren.

'Hoe lang blijf je hier?'

'Nog twee dagen, en dan zit mijn werk erop. Ik heb kunstenaars die tussen twee reizen in voor me schilderen in opdracht, maar ik kijk altijd uit naar nieuw talent.'

'Onderweg hiernaartoe kam ik langs een galerie in de Calle Obispo, maar daar zag het er meer uit als een privéwoonruimte met hier en daar een schilderijtje aan de muur.'

'Geweldig, toch?' zei Greg met een glimlach. 'Moet je nagaan: al dat talent dat voor een paar dollar te koop is. Als je wilt kunnen we na de lunch wel even naar de markt gaan; die is naast de Plaza de la Catedral.'

Emma nam een slokje van haar mojito. 'Oké, leuk.'

Sophie ging rechtop in bed zitten en keek door de hoge openslaande deuren naar de regen die met bakken uit de hemel viel. Ze deed de deuren open en zag de Habaneros als mieren rondkrioelen om te schuilen voor de bui. Zolang ze niet het balkon op stapte zou ze helemaal droog blijven, want de regen viel loodrecht naar beneden.

Een fietstaxi met passagiers reed door de plassen voorbij; de bestuurder werd helemaal nat door het opspattende water van een Cadillac. Voetgangers hielden plastic zakken boven hun hoofd als geïmproviseerde paraplu's. Een paar Habaneros leken zich niet druk te maken om de stortbui en stonden monter onder de palmen midden in het park.

Ze vroeg zich af waar Emma naartoe was. Ze kon haar natuurlijk altijd mobiel bellen, maar ergens was ze wel blij met de rust. Bij het zwembad in Varadero had ze het elke dag zwaar gehad. Van tijd tot tijd had Emma haar geërgerd met haar opmerkingen over hoe geweldig wijlen haar echtgenoot altijd was geweest. Ze wilde haar dolgraag vertellen dat zij óók van hem had gehouden, maar ze wist dat Louise haar zou vermoorden als ze ooit zou zeggen hoe het echt zat. Om nog maar te zwijgen van wat Emma haar zou aandoen.

De regen gaf even respijt van de plakkerige hitte van de dag. Ze besloot een snelle douche te nemen en dan de stad in te gaan.

Tegen de tijd dat ze zich stond af te drogen, was de regen opgehouden en waren de hitte en het stof van Havana teruggekeerd. Ze daalde de trap af naar de receptie en haalde daar een plattegrond van de oude stad. Ze had weinig bij zich: een schoudertas met wat Cubaanse dollars en haar mobiele telefoon. Midden op het plein stonden rijen staatstaxi's geparkeerd – auto's als die waar Felipe in reed.

Ze voelde zich een tikje ongemakkelijk toen ze door het Parque Central liep en de oude stad binnenging. De smalle straatjes waren smerig en vervallen, en de manier waarop de plaatselijke bewoners haar opnamen stond Sophie helemaal niet aan. Ze hield haar tas goed vast, voor het geval iemand die wilde meegrissen. Ze voelde haar oksels al klotsen. Ze stapte een cafeetje binnen op een hoek, waar een groepje toeristen iets zat te drinken. Met mensen die er vertrouwd uitzagen in de buurt leek het haar wel veilig om haar telefoon tevoorschijn te halen.

Ze belde Emma's nummer en wachtte.

'Hallo?'

'Emma, met mij. Ik ben in de oude stad.'

Emma wierp een spijtige blik op Greg. Hun samenzijn kwam nu ten einde.

'Ik ook. In welke straat ben je?'

'God, ik zou het niet weten. Het stikt hier van die vreselijke roze en blauwe gebouwen. De hele boel stort hier vlak voor mijn ogen in.'

'Kun je de Plaza de la Catedral vinden?'

Sophie vouwde de kleine kaart open die ze van de receptionist in het hotel had gekregen.

'Heb ik – de Cristóbal-kerk.'

'Ja. Nou, je moet rechts van de kathedraal aan de overkant de Calle Tacón hebben. Steek de weg over richting de zee; daar is een parkeerplaats en zie je stalletjes met kunst. Ik ben midden op de markt.'

'Ik ga mijn best doen.'

Er bleef een oude vrouw staan, die haar aankeek. Ze maakte een soort dansbewegingen en glimlachte vriendelijk naar de vreemde-linge met die ongebruikelijke roodtinten in haar haar. Sophie stormde langs haar heen, zonder aandacht te schenken aan de gastvrije houding van de vrouw.

De kathedraal had ze snel gevonden en ze sloeg rechts af, zoals Emma had geïnstrueerd. Ze liep door tot ze een bordje tegenkwam voor de Calle Tacón. Hier zag het er minder afschrikwekkend uit dan in de zijstraatjes waar ze vandaan was gekomen.

Toen ze de weg overstak, kwamen de stalletjes met kunst in zicht en reikhalzend keek ze rond of ze haar zus zag. Het was ech-ter niet de gestalte van Emma die ze het eerst in het oog kreeg, maar die van een lange en knappe man met een koffiekleurige huid die op Barack Obama leek. Hij was een ontzettende spetter en ze voelde zich genoodzaakt zijn kant op te lopen om hem eens na-der te bestuderen.

Toen ze naderbij kwam, kreeg ze een niet-geringe schok, want ze zag dat haar zus ongedwongen naast hem liep. Ze lachten en hun armen raakten elkaar telkens even aan terwijl ze voortslenterden.

Het tafereel paste zo slecht bij het beeld dat Sophie van haar zus had dat ze bijna hard begon te lachen. Ze versnelde haar pas en haalde hen in.

'Emma!' riep ze.

Het tweetal bleef staan en keek om zich heen.

'Hallo, Sophie! Dit is Greg. Greg, dit is Sophie.'

Greg stak zijn hand uit. 'Gegroet, Sophie uit Ierland.'

Emma en Greg moesten allebei tegelijk grinniken.

Sophie vond het niet leuk om het mikpunt van een grap te zijn. 'Zo, Greg, en hoe ken jij mijn zus?'

'Ik ben haar tegengekomen in mijn hotel; ik zal ze daar een fooi moeten geven als ik terugkom. Die zus van je is uiterst aangenaam gezelschap. We hebben heerlijk geluncht.'

Sophie fronste. Het beviel haar maar niks dat haar zus het mid-delpunt van de aandacht was; dat was háár rol.

Emma straalde bij het compliment en Sophie kon wel aan haar zien dat ze tot over haar oren verliefd was.

'Waar logeren de dames?'

'In El Telegrafo,' zei Emma.

'Ik moet nu even aan het werk, maar hebben jullie zin om vanavond uit eten te gaan? Ik eet niet graag alleen en ik weet in Havana een paar goede restaurants.'

'Goed idee, Greg,' zei Emma. 'Wij zijn de stad nog maar net aan het verkennen en het zou fijn zijn om door iemand die hier al bekend is te worden rondgeleid.'

'Is half acht een goede tijd? Zal ik jullie dan komen ophalen?'

'Oké,' zei Emma, en ze wierp een blik op Sophie, die schouderophalend instemde.

'Een fijne middag nog, dames,' zei hij met een knipoog naar Emma toen hij wegliep.

Emma bloosde zichtbaar terwijl ze hem nakeek.

'O mijn god, Emma, kun je nóg duidelijker zijn?'

'Hoe bedoel je?'

'Je deed ontzettend dweperig tegen hem – en dat terwijl je nog maar een paar maanden geleden je man hebt verloren!'

Emma's mond viel open. 'Ho eens even, Sophie!' Ze had het gevoel alsof ze een klap midden in haar gezicht had gekregen. 'Ik maakte alleen maar een praatje met die man.'

Sophie schonk haar een blik die duidelijk maakte dat ze heus wel doorhad wat er in het hoofd van haar zus omging. Zij had namelijk precies dezelfde gedachten over de bloedstollend knappe buitenlander gehad.

Emma beende weg in de richting van de Plaza de la Catedral, terwijl ze haar tranen probeerde in te houden. Ze was helemaal in de war – eerst door de vriendelijke aandacht die Felipe haar had geschonken en nu door de vleierij van de Canadees. Ze hadden haar allebei geholpen de pijn van de afgelopen zeven maanden te vergeten, en ze zat er bepaald niet op te wachten om zich door haar jongste zus een schuldgevoel te laten aanpraten.

Sophie ging achter haar aan, op een afstand die groot genoeg was om haar niet uit het oog te verliezen, maar ook niet te dicht bij haar in de buurt te komen. Ze vond het ontzettend oneerlijk: Emma hing de rouwende weduwe uit, terwijl zijzelf helemaal in haar eentje haar verdriet moest zien te verwerken, en nu sloeg Emma ook nog eens aan het flirten!

Greg gaf de koerier een gulle fooi. Twee Cubaanse dollars waren veel geld in de handen van een jonge jongen.

Hij had een paar slimme aankopen gedaan en was erg ingenomen met het verloop van zijn reis. Het was bijzonder prettig dat hij die intrigerende Ierse en haar zus was tegengekomen. Hij had een leuke avond voor de boeg. Het leven kon niet beter. Hij had echt het beste van twee werelden.

10

Donal pakte een tuinslang en begon de onderkant van de romp van zijn boot af te spuiten. Hij hoopte maar dat Emma het naar haar zin had. Het kwam haar toe om er even uit te zijn. Hij was na Pauls overlijden de enige man geweest bij wie ze terecht had gekund. Meneer en mevrouw Owens waren een paar apart en konden haar geen enkele steun bieden. Nadat ze hun dochters een studie hadden laten volgen, vonden ze dat hun werk erop zat en dat hun gezin was grootgebracht; hun kinderen moesten van nu af aan maar voor zichzelf zorgen – en dus rustten de kerstdiners en andere festiviteiten nu op de schouders van Emma en Louise, en nu hij, Donal, de enige schoonzoon was, voorzag hij dat hun ouders in de nabije toekomst meer eisen zouden gaan stellen aan Louise en hem.

Emma zou ermee doorgaan haar ouders ter wille te zijn, net als Louise. Het was niet eerlijk, maar zo waren de verantwoordelijkheden in de familie nu eenmaal verdeeld.

Aan Sophie wijdde hij niet veel gedachten. Zij was altijd de oorzaak van onmin tussen de zussen. Ze wist precies hoe ze Louise tegen de haren in moest strijken, wat zijn leven er niet gemakkelijker op maakte.

Maar hij had de meest fijnbesnaarde zus uitgekozen. Ze hadden elkaar door puur toeval ontmoet, maar van het begin af aan had hij al geweten dat Louise zijn vrouw zou worden. Destijds waren ze echt twee uitersten geweest – de levendige muzieklerares en de pragmatische accountant –, maar hij was altijd van mening geweest dat het lot hen bij elkaar had gebracht. Hij was een jonge kantoormedewerker en werd naar de school waar zij werkte toe gestuurd om daar de boeken te controleren. Hij herinnerde zich nog goed hoe het hem had geërgerd dat hij met het schoolproject was opgescheept. Later die week, toen hij aan het werk was gegaan en een keer de lerarenkamer binnenkwam, waar hij Louise aan een tafel zag zitten, terwijl ze haar armen vol armbanden door de lucht zwierde, dankte hij zijn gelukkige gesternte.

Eerst merkte ze hem amper op, maar toen ze een keer problemen had met het kopieerapparaat en stond te stampvoeten en te vloeken, schoot hij haar te hulp. Hij hielp haar het vastgelopen papier uit de machine te halen en de vellen aan elkaar te nieten. Ze was zo blij dat ze hem spontaan om de hals vloog, waarna ze weer wegstormde naar haar klas.

Het was precies dat soort impulsiviteit die hij nu ze veertien jaar getrouwd waren zo bij haar miste. Doordat ze die spontaniteit verloren had bracht hij tegenwoordig zo veel tijd bij de jachtclub door.

Kevin kwam naar Donal toe gelopen.

'Sorry dat ik zo laat ben!'

Donal knikte; Kevin was altijd laat. 'De jongens hebben me een handje geholpen, maar die zijn er kennelijk vandoor gegaan om geld te wisselen voor de automaat. Pak jij ook eens een slang; we hebben de kraan nog maar twintig minuten.'

Kevin had Donal als zijn zeilmaat gekozen omdat hij zo betrouwbaar was. Ze hadden elkaar in hun studietijd leren kennen en waren elkaar vervolgens uit het oog verloren toen ze ieder een andere weg gingen. Gezien de cijfers die Donal haalde had het er altijd al in gezeten dat hij trainee zou worden bij een groot bedrijf. Maar Kevin vond het prima om nadat hij zijn diploma had gehaald de verkoopbranche in te gaan, en tijdens de periode van economische bloei in Ierland had hij zijn sporen ruimschoots verdiend. Alleen gingen de zaken tegenwoordig niet meer zo goed als vroeger, en hij was blij dat hij Donal als zeilpartner had; hij moest hem nog vertellen dat hij dit jaar zijn helft van het havengeld en de onderhoudskosten van de boot moeilijk kon ophoesten.

'Heb je al plannen voor zaterdagavond? Judy vroeg zich af of je zin had het nieuwe menu in het restaurant uit te proberen en ze heeft Louise al sinds Santa Sunday niet meer gezien.'

Santa Sunday was een familiedag bij de jachtclub van Howth, en de Scotts en de Harleys gingen er altijd samen heen, met hun kinderen, die van dezelfde leeftijd waren. Judy Harley was op en top een zeilmoeder en was dol op het buitenleven; heel anders dan Louise, die niets om zeilen gaf en altijd mopperend meeging op de jaarlijkse excursies naar Ireland's Eye, en dan nog alleen op zonnige zomerdagen.

'Ik zal het vragen. Lijkt me leuk.'

'Ja, om te vieren dat het seizoen weer begint. Die Tony wil graag meevaren en volgens mij kunnen we wel van hem op aan.'

'Dus Jeremy zeilt dit jaar niet met ons mee?'

'Hij is bezig met een etchell,' liet Kevin hem weten. 'Hij wil graag aan het roer staan en Frank legt de helft bij.'

'O!' Donal ging door met schoonmaken. Kevin nam de meeste beslissingen en soms voelde hij zich net een ingehuurd hulpje. Hij mocht Tony niet, een blaaskaak die iedere gelegenheid aangreep om aan het roer te staan.

'Is er behalve Tony nog iemand die graag mee wil?'

Donals reactie verbaasde Kevin niets; hij wist hoe hij zich op kon winden over wie er op zijn boot meezeilde. 'Als je het niet ziet zitten, kan ik wel een bericht op de HYC-website zetten, maar het seizoen begint volgende week en we zouden wel gek zijn om nee te zeggen tegen iemand die goed kan zeilen.'

Donal besefte dat hij gelijk had. Hij pakte een borstel en begon de laatste restjes zeewier die aan de kiel waren vastgegroeid nog krachtiger weg te boenen. Hij wilde voet bij stuk houden, maar misschien was deze kwestie daar niet zo geschikt voor.

Jack werd naar Stephen's Green gestuurd om een paasfestival op straat te verslaan dat bijna de hele dag zou duren. Hij had er weinig zin in. Aoife was blij dat hij zo dicht bij haar zou zijn en ze hadden afgesproken samen te gaan lunchen in restaurant Sixty Six aan George's Street als zij klaar was met haar shoot in Dublin Castle. In het weekend werken vond hij vervelend, en hoewel hij het zelf bijna nooit hoefde te doen, had hij veel liever de tijd aan zichzelf gehad. Maar Aoife vond haar werk zo leuk dat ze graag alles aanpakte wat op haar pad kwam.

Jack keek op zijn horloge: bijna tijd om naar haar toe te gaan. Hij borg zijn notitieboekje op en liep het kippeneindje van Grafton Street naar George's Street. Ze zou wel te laat zijn; ze was altijd laat. Maar hij had honger en wilde zijn voeten even rust gunnen. Het restaurant was trendy en Aoife vond het daar zo leuk, omdat de inrichting haar deed denken aan New York; het had net zo makkelijk midden in SoHo kunnen staan als in Dublin.

Hij koos een tafeltje in de hoek en checkte zijn BlackBerry. Er waren geen boodschappen. Stiekem had hij gehoopt dat Louise contact met hem zou zoeken nadat ze er de vorige dag plotseling vandoor was gegaan, maar diep in zijn hart wist hij wel dat ze dat niet zou doen. Aoife maakte hem hoorndol met stalen van stoffen en verhalen over menu's en vakantiefolders voor hun grote romantische huwelijksreis. Hij zou liever hebben dat ze gewoon hun koffers pakten en teruggingen naar New York, en bruiloften en Louise helemaal zouden vergeten.

Maar hij kon Louise niet vergeten. Zij was zijn eerste echte seksuele ervaring. En dat betekende veel meer dan hij destijds had beseft. Als hij haar nu terugzag, wilde hij weer achttien zijn en zich net zo verbazen over seks als toen hij nog met haar samen was. Hij had geprobeerd dat gevoel bij elke vrouw die zijn pad had gekruist terug te krijgen, maar dat was niet gelukt en hij wist dat hij het waarschijnlijk nooit meer zou ervaren.

'Hai schat, sorry dat ik zo laat ben,' zei Aoife terwijl ze zich bukte om haar verloofde een kus te geven. 'Heb je al iets te drinken besteld?'

'Ik zit hier net.'

'Ik heb zo veel champagne gedronken dat ik er misselijk van ben. Ik neem maar een vruchtensapje, denk ik.'

Jack wenkte de serveerster. 'Twee verse jus graag.'

'Neem je geen koffie?' vroeg Aoife.

'Die heb ik de hele ochtend al gedronken, om te proberen warm te worden. Heb je trek?'

'Ik geloof dat ik maar een broodje neem. Straks serveren ze eten op het kasteel. Maar jij kunt best een maaltijd bestellen.'

De eetlust was Jack echter vergaan. 'Ik neem ook alleen een broodje.'

'Ik sprak Monica nog; die is met huwelijksreis naar een tropisch eiland in Maleisië geweest, waar ze in een villa heeft gezeten, helemaal privé en met vier man personeel voor elk stel dat daar logeert. Het klinkt goddelijk en we zouden dan een paar dagen naar Kuala Lumpur kunnen. Daar heb ik altijd graag heen gewild.'

Jack glimlachte. 'Klinkt goed, maar hoe duur is zo'n exclusief oord wel niet?'

'Maak je maar geen zorgen. Bij Cassidy Travel krijg ik tien procent korting.'

'Het hangt ervan af hoeveel zo'n vakantie kost; onze banen staan op dit moment behoorlijk op de tocht. Bij mij op de afdeling hebben ze vijf mensen ontslagen, en dat waren goede krachten die er langer werkten dan ik.'

'Het werd waarschijnlijk te duur om ze aan te houden. Maar goed, maak je niet druk. Mijn vader heeft gezegd dat hij ons met de huwelijksreis wilde helpen.'

'Maar hij betaalt onze bruiloft al, én de kleding en de fotografen. Als we eenmaal getrouwd zijn, kunnen we niet elke keer geld van hem aannemen.'

Aoife wapperde met haar handen door de lucht. 'Relax, Jack! Waarom zie je nu ineens overal beren op de weg?'

De ware reden daarvan kon hij haar niet vertellen. 'Volgens mij loopt de hele organisatie uit de hand. Kunnen we niet een beetje bezuinigen? Ik dacht juist dat je niet in het buitenland wilde trouwen vanwege de kosten.'

Aoife keek beteuterd. Ze had geen idee waar dit vandaan kwam. Jack was tot nu toe steeds meegegaan in alle beslissingen die zij had genomen. Haar ogen werden vochtig en ze zocht in haar tas naar een papieren zakdoekje.

'Het is nu wel een heel slecht moment om over bezuinigingen te beginnen.' Ze keek omhoog om de tranen terug te dringen.

'We hebben nog niet eens woonruimte.'

'We waren het er toch over eens dat het nu de goede tijd niet is om iets te kopen?'

'Volgens pap is het anders een prima tijd, want de huizenprijzen dalen.'

'Ik heb liever dat het onze eigen beslissing is en niet die van je vader. Het lijkt wel of we sinds we terug zijn uit Amerika geen enkele beslissing kunnen nemen zonder dat jouw familie erbij betrokken is. Ik dacht dat we vrije geesten waren. Toen we elkaar in New York leerden kennen waren we dat allebei, maar je lijkt opeens wel veranderd.'

Aoife kon haar tranen niet langer bedwingen en stond op. 'Zeg, je hoeft niet zo'n toon tegen me aan te slaan! Wat heb jij ineens, Jack Duggan? Jíj bent veranderd, niet ik!'

Hij ging haar niet achterna toen ze het restaurant uit beende en nam zijn hoofd in zijn handen. Ze had gelijk. Haar familie was een en al vriendelijkheid en tot nu toe had hij haar vader en de adviezen die hij gaf ook steeds gewaardeerd. Híj was degene die veranderde. Opeens wist hij niet goed meer wat hij wilde.

Louises ouders kwamen eten. Ze zette het grote braadstuk dat ze had voorbereid in de oven en stelde de temperatuur in. Het vlees moest twee uur garen, dus ze had ruim de tijd. De tafel was gedekt en de groenten waren gesneden, zodat ze die over ruim een uur zo op het vuur kon zetten.

Wat zou ze gaan doen zolang het vlees in de oven stond? De kleintjes speelden buiten met de buurkinderen. Matt en Finn waren met Donal bij de Yacht Club en de tijd en ruimte voor het avondeten kon ze alleen vullen met pogingen zichzelf ervan te weerhouden Jack te bellen. Nadat ze zich in zijn flat zo raar had gedragen, was ze sterk in de verleiding hem te bellen, maar als ze dat deed, zou ze niet weten wat ze moest zeggen.

Opeens had ze de oplossing.

Louise zette zich schrap voordat ze zich op de ebbenhouten en ivoren toetsen stortte. Ze had al heel lang geen Chopin gespeeld, maar de *Prelude in A mineur* paste helemaal bij hoe ze zich nu voelde. Ze moest iets van haar opgekropte emoties afreageren en ging helemaal in de muziek op. Het was heerlijk; een gevoel van rust en evenwicht kwam over haar. Ze wist niet precies hoe lang ze had gespeeld, maar toen ze ophield, was ze doodmoe.

Ze liep naar de keuken om de groenten op een laag pitje te zetten, waarna ze terugkeerde naar de piano. Terwijl ze een blad oppakte met muziek van Mozart besloot ze die te spelen bij wijze van oefening, maar algauw werd haar concentratie verstoord doordat de voordeur dichtsloeg.

'We zijn thuis!'

Louise staakte haar spel en stond op. In de gang zag ze Donal en de jongens staan, onder de modder en met natte plekken op hun kleren.

'Hallo. Hebben jullie het leuk gehad?'

'Heerlijk. We gaan de anderen even roepen, die zijn aan het voetballen,' zei Matt, en met Finn ging hij de voordeur weer uit.

'Heb je een fijne middag gehad?' vroeg Donal.

'Ik heb een beetje piano zitten spelen.'

'Mooi zo. Goed om te horen dat je weer speelt.'

Louise wist wat hij bedoelde: door muziek te maken was ze in een beter humeur gekomen.

'Zeg, heb je zin om zaterdag uit te gaan met Kevin en Judy?'

Louise trok een gezicht.

Donal keek haar aan, in de verwachting dat ze zou gaan protesteren. In plaats daarvan verraste ze hem.

'Ja, goed, ik geloof dat we wel kunnen.'

Wat stelde een dinertje met Donals zeilvrienden nou helemaal voor nu ze bijna overspel had gepleegd?

'Wanneer komen je ouders?' vroeg Donal.

Louise keek op haar horloge. 'Het eerstkomende half uur nog niet.' De geur van het gebraden vlees kwam aandrijven vanuit de keuken.

'Ik ga me boven even omkleden.'

Met een zucht liet Louise Mozart in de steek en liep naar de keuken om zich om de groenten te bekommeren. Ze haalde het braadstuk uit de oven en liet het vlees rusten op de zijplaat van het fornuis. De telefoon ging; ze trok haar ovenwanten uit om op te nemen.

'Hallo.'

'Louise...' Haar moeder snikte. 'Je vader... Er is iets verschrikkelijks gebeurd!'

'Kalm maar, mam. Wat is er aan de hand?'

'Je vader is aangevallen. Door inbrekers! Ik ging net naar buiten om de kranten te halen en toen ik terugkwam was hij...' Maggie barstte uit in een onbeheersbare huilbui.

'Heb je de politie gebeld?'

'Ik weet het nummer niet.'

'Ik bel ze wel. Blijf waar je bent. Ik ben onderweg.'

'Vraag je of Donal komt? Ik ben doodsbang dat die inbrekers nog in huis zijn.'

Louise belde het alarmnummer en drukte alle knoppen van de elektrische keukenapparaten uit.

Ze praatte Donal bij terwijl hij zich stond om te kleden.

'Kom, laten we gaan,' zei ze.

'En de kinderen dan?'

'Matt moet maar even op ze letten. Als we in de auto zitten bel ik Marie van hiernaast wel om te vragen of ze een oogje in het zeil houdt.'

Donal scheurde naar Raheny. Maggie wachtte hen op bij de voordeur, nog steeds met haar jas aan. Buiten stond een politiewagen geparkeerd en in de verte hoorden ze de sirene van een ambulance hun kant op komen.

Louise rende de oprit op en sloeg haar armen om haar moeder heen, die in tranen uitbarstte uit opluchting dat ze haar dochter zag.

'Hoe is het met papa?'

'Hij is buiten bewustzijn. De politie is bij hem.'

'Heb je iemand gezien?'

Maggie schudde haar hoofd. 'Ik vond het al zo gek dat de deur openstond, maar je weet hoe je vader is; ik dacht dat hij misschien even de tuin in was gelopen. Maar toen ik hem riep kwam er geen antwoord. Toen liep ik de keuken in, en daar lag hij voorover op de grond met de zijkant van zijn hoofd onder het bloed.'

'Daar is de ambulance al,' zei Donal, en de mannen in felgele jassen stormden met allerlei apparatuur naar binnen.

Ze liepen achter hen aan. Larry was op zijn zij gerold. Het bloed sijpelde nog steeds uit de fikse snee bij zijn slaap. Zijn mond stond open en hij had zijn ogen gesloten.

'O mijn god, hij is dood!' snikte Maggie.

'Het komt goed met hem, hij heeft alleen een flinke tik gehad,' zei de lange politieman die naast haar stond om haar gerust te stellen.

'Weet u het zeker?'

De ambulancebroeders legden Larry op een brancard en droegen hem naar de ambulance.

'Donal, ga jij met pap mee? Dan kom ik met mam achter jullie aan.'

'Mij krijg je niet naar het Beaumont-ziekenhuis,' zei haar moeder. 'Daar wemelt het van de ziektekiemen. Die MRSA-bacterie zit daar overal!'

'Neem je moeder maar mee naar ons huis en kijk of met de kinderen alles goed gaat,' zei Donal. 'Ik ga wel naar het ziekenhuis; dan hou ik jullie op de hoogte van de ontwikkelingen.'

Louise glimlachte haar man dankbaar toe. Hij spreidde een kalmte tentoon waardoor ze allemaal kalmeerden.

'Dank je wel,' zei ze.

Donal gaf haar de autosleutels en liep achter de broeders met Larry aan naar de ambulance.

'Ik geloof dat ik geen hap door mijn keel kan krijgen na wat er met je vader is gebeurd, maar ik moet natuurlijk wel zorgen dat ik op krachten blijf,' zei Maggie somber.

Louise snapte niet hoe haar moeder nog kon eten nadat ze had gezien hoe haar man eraan toe was, maar ze kende haar inmiddels goed genoeg om toch het vlees aan te snijden en haar een portie te geven.

'Heb je daar misschien wat mierikswortelsaus bij?' vroeg Maggie toen ze haar mes in de dunne plakken vlees zette.

'Ja hoor,' zei Louise, en ze haalde de pot uit de koelkast, waarna ze de kinderen riep: 'Jongens! Het eten staat op tafel!'

De vier kinderen troepten rond hun oma aan de keukentafel.

'Kalm aan, jongens. Ik heb net iets heel verschrikkelijks meegemaakt,' zei Maggie scherp.

Om maar te zwijgen van die arme vader van me, dacht Louise, maar ze onthield zich van commentaar. Het had geen zin de zaken nog erger te maken, en haar moeder kon als ze het op haar heupen had erg onverdraagzaam zijn.

Opeens ging Louises mobiele telefoon en op het schermpje verscheen de naam van haar echtgenoot.

'Donal, hoe is het met hem?'

'Hij is weer bij, maar ze zeggen dat hij van geluk mag spreken. Die inbreker had hem wel doodgeslagen kunnen hebben als hij hem net een paar centimeter verder naar achteren op zijn hoofd had geraakt. Ze verwachten dat het weer helemaal goed komt, maar dat kan wel een tijdje duren. Hoe is het met je moeder?'

'Niet te harden,' fluisterde ze in de telefoon.

'Ik kom naar huis, zodat jij hierheen kunt. Je moeder blijft zeker logeren?'

Louise had er al net zo weinig zin in als haar man om haar moeder bij hen te laten blijven, maar ze besefte dat ze daar nu niet onderuit kon.

'Vind je het erg?'

'Ach, nee.'

'Je bent geweldig. Dank je wel, Donal.'

'Geen dank. Tot zo.'

Louise was haar man ontzettend dankbaar. Hij mocht dan zodra hij ook maar even weg kon gaan zeilen, maar als de nood aan de man kwam en ze hem nodig had, dan was hij er ook.

11

'Ik ga een kijkje nemen op de Malecón. Je kunt meegaan of hier blijven,' zei Emma tegen Sophie.

'Waarom rust je niet even uit voor het eten?'

Emma slaakte een zucht. 'Ik wil het gewoon zien, dat is alles.'

'Dat je zo nukkig doet heeft zeker alles te maken met die Greg, hè?'

'Wat kun jij toch ongevoelig zijn, Sophie. Met Greg heb ik alleen een praatje gemaakt. Hij is een aardige man en hij heeft me mee uit lunchen gevraagd, maar het beviel me helemaal niet zoals je Pauls naam te pas en te onpas in de mond nam.'

'Op de markt maakte ik alleen maar wat geintjes!'

Emma fronste. Ze wisten allebei dat dat niet waar was. 'Als ik wil lunchen met een onbekende man, dan doe ik dat, oké?'

Sophie sloeg haar ogen ten hemel. 'Kom op, laten we gaan wandelen.'

Ze stapten de straat op. Sophie keek op haar plattegrond, terwijl Emma naast haar kwam staan. 'Als we de Paseo del Prado af lopen, komen we uit bij de Malecón. De zon gaat bijna onder en rond die tijd gaan de plaatselijke bewoners er flaneren.'

Emma keek op haar horloge. Ze hadden nog anderhalf uur te gaan voordat ze met Greg hadden afgesproken.

Ze staken de straat over naar het voetgangersgedeelte, dat werd overhuifd door hoge bomen. Halverwege de doorgaande weg stonden twee enorme bronzen beelden van majestueuze leeuwen. Een paar jonge jongens klommen lachend op hun rug. Ze waren lang en slungelig, en hun broekspijpen waren een paar centimeter te kort. De schoenen die ze droegen waren bij de neuzen opengesneden om hun tenen meer ruimte te geven. Andere kinderen amuseerden zich op hun eigen manier door te dansen op de muziek die een van hen maakte met een doos en een lepel.

Toen ze bij de promenade en de zee kwamen, stond daar geen wind, maar de vloed kwam op met woeste golven die te pletter sloegen tegen de muur. Jonge mannen met ontbloot bovenlijf en vodderige bermuda's stonden op een rij langs de muur. Sommigen dronken rum, anderen dansten op een onzichtbare beat, weer anderen overlegden boven op de muur of ze nu wel of niet een duik in het water zouden nemen.

Aan de overkant werd de weg omzoomd door een reeks fraaie gebouwen. Stuk voor stuk waren de gevels in een andere pasteltint geschilderd, verbleekt door de meedogenloze zon. In de verte zakte die omlaag boven de hoge bouwwerken in de wijk Vedado.

'Het is precies zoals ik me had voorgesteld.'

'Dat geldt voor mij ook,' verzuchtte Sophie.

Emma keerde zich abrupt naar haar toe. 'Ik heb nooit geweten dat jij zo graag naar Havana wilde.'

'Ik heb hier altijd graag naartoe gewild. Paul wist dat wel!'

Emma schudde haar hoofd. 'Wat heeft Paul nou te maken met jouw verlangen om hiernaartoe te gaan?'

Sophie staarde haar zus aan. Ze zou het haar dolgraag willen vertellen. Maar dat ging ze niet doen. In plaats daarvan zou ze een leugen ophangen.

'Paul heeft er met me over gesproken toen hij deze reis aan het voorbereiden was. Hij wilde zeker weten dat die naar jouw zin zou zijn.' De woorden sneden haar door de keel.

'O, moet je zien!' Emma draaide zich om om naar de zon te kijken en zag die donkerder worden, terwijl de hemel allerlei tinten oranje en geel aannam, maar met haar gedachten zat ze heel ergens anders.

Waarom had Paul dat gedaan? Waarom had hij zijn plannen besproken met haar jongste zus? Daar snapte ze niets van. Maar er was de laatste paar weken van Pauls leven wel meer geweest waar ze geen wijs uit had kunnen worden. Zoals dat hij naar de dokter was geweest, aan wie hij verteld had dat hij depressief was en die hem extra sterke slaaptabletten en antidepressiva had voorgeschreven, die ze in de zak van zijn jasje had gevonden.

'Kom, we gaan. We mogen ons die Canadese spetter niet laten ontglippen,' zei Sophie terwijl ze haar zus aanstootte. 'We kunnen altijd nog zo'n grappige gele taxi nemen als je geen zin hebt om terug te lopen.' Ze doelde op de 'coco-taxi's' die over de Malecón heen en weer reden.

'Die zien er inderdaad leuk uit,' vond Emma. Ze moest stoppen met die zelfkwelling. Waarschijnlijk zou ze nooit de echte oorzaak van Pauls dood kunnen achterhalen.

Sophie hield een van de eivormige scootertaxi's aan die net groot genoeg waren voor de chauffeur en twee passagiers. Op de terugweg naar het hotel balanceerden de vrouwen vervaarlijk op de rode plastic stoeltjes, terwijl de wind langs hen heen waaide. Ze voelden elke hobbel in het wegdek.

Tegen de avond kwam het Parque Central tot leven. De jongeren die eerder wat hadden rondgehangen waren in groteren getale toegestroomd, zodat er op het plein nu meer mensen waren dan palmbomen en ornamenten. Sommigen maakten met geïmproviseerde instrumenten hun eigen muziek. Het plein gonsde en bruiste in een levendige kakofonie, waarbij de percussie werd verzorgd door autoclaxons en motoren.

Ze stapten uit de coco-taxi en liepen langzaam het bordes van het hotel op. In de van een marmeren vloer voorziene foyer zat Greg, met een krant in zijn handen. Hij droeg een grijs shirt en een crèmekleurige broek, en zijn verschijning zou in een modeblad niet hebben misstaan. Toen de twee zussen naderbij kwamen, sprong hij op.

'Hallo, Greg! Wat ben je vroeg. We hebben ons nog niet eens omgekleed voor het diner,' zei Emma.

'Maak je maar geen zorgen, ik moet me eerst nog op de hoogte stellen van het wereldnieuws. We hadden inderdaad pas om half acht afgesproken, maar ik wilde graag zien in wat voor hotel jullie logeerden. Het ziet er goed uit, al moet ik bekennen dat ik mijn eigen stek prettiger vind.'

Sophie was een en al glimlach en friemelde wat aan haar haar.

'We komen zo snel mogelijk weer beneden,' zei Emma.

'Voor mij hoeven jullie je niet te haasten, hoor dames. Ik zit hier goed!'

Toen ze de lift in stapten meed Sophie Emma's blik. Het was een lastige situatie. Ze voelden zich allebei gevleid door en aangetrokken tot de knappe buitenlander. Emma had het gevoel dat Sophie voortdurend over haar schouder meekeek, alsof ze iets verkeerd deed. Betekenden zeven maanden genoeg tijd en afstand om na Pauls dood een relatie met een andere man te overwegen? Ze had geen idee. De tijd had sinds Pauls overlijden een heel nieuwe dimensie gekregen; dagen voelden als uren en minuten als weken, en soms zou ze niemand kunnen zeggen wat er nou precies in haar omging.

'Hoor eens,' zei Sophie, 'ik weet ook wel dat jij hem het eerst had gezien, maar volgens mij ben jij er nog niet klaar voor om iets met een nieuwe man te beginnen. Ik bedoel maar, dat is toch veel te snel na Pauls dood?'

Emma geloofde haar oren niet. 'Goed hoor. Als hij jou ook leuk vindt, moet je voor hem gaan,' zei ze kortaf.

Sophie glimlachte en voelde zich van alle blaam gezuiverd. Omdat ze Paul nu niet meer had, moest ze gecompenseerd worden. Ze was nog jong; ze moest haar leven een beetje leuk zien te maken. Emma had de luxe dat ze in het openbaar kon rouwen, financieel niets tekortkwam en haar zoon had die haar altijd met Paul zou blijven verbinden. Maar Sophie was na Pauls dood achtergebleven met alleen maar gevoelens van verlies. Nu zou ze zich met Greg kunnen amuseren en Emma zou moeten toekijken, zoals ze bij familiegelegenheden en feestdagen altijd had gedaan.

Greg hield de deur van het Floridita open en met het gevoel dat ze terug in de tijd gingen stapten de zussen naar binnen. De obers schoten heen en weer in hun kenmerkende rode blazers met witte biezen langs de revers. In de hoek bespeelde een trio de bas, gitaar en drums. Emma rook de geur van de oude instrumenten in de lucht. Haar blik viel op een groot koperkleurig beeld van Hemingway dat op de bar stond; het hoofd leek veel op die van het beeld dat ze eerder op de dag in Cojimar had bekeken.

'Is dat wie ik denk dat het is?'

'Ja.' Greg lachte Emma toe. 'Hoe meer je van deze stad ziet, hoe vaker je hem tegenkomt!'

Onder de roodleren bekleding van de bar was in reliëf de tekst HOME OF THE DAIQUIRI aangebracht.

'Oké, dames, dit is de plek waar Hemingway in de jaren dertig het speciale recept voor de daiquiri bedacht.'

'Wat zit daar dan in?' vroeg Sophie, terwijl ze druk met haar wimpers werkte. Ze was al sinds ze bij El Telegrafo waren vertrokken bezig Greg in haar netten te strikken.

'Het is een mix van witte rum – uiteraard – en citroen, suiker en een paar druppels marasquin op vergruisd ijs.'

'Mmm, dan wil ik er wel een,' zei Sophie, suggestief langs haar lippen likkend.

'Wil jij er ook een proberen, Emma?' vroeg Greg.

'Lekker – het klinkt goed.'

Greg ging hun voor naar een roodplastic tafeltje dat er in het eenentwintigste-eeuwse Ierland misplaatst zou hebben uitgezien, maar dat in Havana authentiek en op zijn plaats leek.

Er kwam een ober naar hem toe, zijn broek bedekt door een lange witte sloof die paste bij zijn gesteven witte shirt. Hij had stralend blauwe ogen, die een schril contrast vormden met zijn koffiekleurige huid.

'U wenst?' zei hij, terwijl hij voor elk van hen een papieren onderzettertje neerlegde.

'*Tres daiquiri, por favor*,' zei Greg, en hij leunde achterover op zijn plastic stoel en sloeg zijn ene been over het andere. 'Ziezo, dames, hebben jullie zin om hier te eten? Er zijn wel veel toeristen, maar het is hier goed.'

'Ik vind het prima,' zei Emma.

'We hadden tot voor kort ook een Floridita in Dublin, maar daar zag het er heel anders uit dan hier,' zei Sophie.

'Zo is het met alles wat buiten Cuba voor Cubaans moet door-gaan. Het was daar vast een glimmend opgepoetste bende.'

Sophie knikte. 'Ja, zoals alle trendy bars in Dublin. Ik was er voor de lancering van een product waar mijn vriend de reclame en promotie voor deed.'

'Wie van jouw vrienden zat er in de reclame?' kwam Emma er-tussen. Sophie had het immers nog nooit over een vriend in de re-clamewereld gehad.

'O, die ken jij niet,' zei Sophie haastig. 'Gewoon iemand met wie ik een paar weken iets heb gehad.'

'Kende Paul hem? Hij heeft er wel eens iets over gezegd – iets over een presentatie die ze hadden in het Floridita. Ik had begre-pen dat Evans zich daarmee bezig had gehouden.'

'Hij was nog maar een piepjonge medewerker. Ik geloof niet dat hij lang bij Evans heeft gewerkt.'

De ober zette drie cocktailglazen op tafel.

Sophie pakte het hare snel op en kroop er bijna achter weg. 'Hebt u een menukaart? We willen hier graag een hapje eten,' vroeg ze de ober.

Emma fronste. Dit was voor het eerst dat ze hoorde dat Sophie een vriend had gehad die bij Paul op de zaak had gewerkt. Waarom had hij haar dat nooit verteld?

'Ziezo, Emma uit Ierland, wat zou je straks leuk vinden om te doen?'

Emma kon er nog steeds niet over uit dat haar zus iets had ge-had met een collega van Paul. Ze zou graag de lege plekken en we-ken voor Pauls vroegtijdige dood ingevuld willen zien. Maar Do-nal had haar gewaarschuwd dat ze niet naar vooruitwijzingen moest zoeken en dingen gaan zien die er niet waren. Volgens hem zouden ze waarschijnlijk nooit te weten komen waarom Paul had gedaan wat hij had gedaan.

'Mij maakt het niet veel uit,' zei ze schouderophalend. 'Of ja... Ik zou wel willen dansen. Zullen we naar het Casa de la Musica gaan, waar onze taxichauffeur Felipe het over had?'

'Dan wordt het het Casa de la Musica!' besloot Greg.

Toen ze zich te goed hadden gedaan aan de vele kreeft- en schaaldiergerechten op het menu van het Floridita, maakten ze de korte wandeling door het Parque Central en de Calle Neptuno naar het Casa de la Musica. Bij de ingang keken de twee zussen elkaar aan; allebei dachten ze hetzelfde.

'Dit lijkt precies op die zaal in Longford waar we vroeger altijd heen gingen als we bij tante Joan logeerden.'

Sophie haalde de woorden uit Emma's mond. De naargeestige gang met een groezelig loketje vlak achter de deur had zó naar een dancing uit de jaren tachtig op het platteland van Ierland kunnen leiden.

Greg betaalde de vijftien Cubaanse dollar entreegeld voor hen drieën en ze liepen verder een stel grote dubbele deuren door, waarachter het ritme van een moderne dansmix klonk, vermengd met een salsabeat.

'Een beetje renovatie zou hier geen kwaad kunnen!' fluisterde Sophie in Emma's oor.

Emma liet haar blik langs de sombere bar gaan met vijf zwakke lampjes die de drankjes achter de barkeepers verlichtten. Veel keus aan drank was er niet, maar er stond wel de ene rij Havana Club-flessen na de andere. Geen wonder dat er op de kaart zo veel rumcocktails stonden vermeld.

'Zoeken jullie een plekje voor ons, dames? Dan zal ik iets te drinken voor ons halen,' zei Greg.

'Graag,' zei Sophie met een flirterige glimlach, en ze loodste haar zus naar een tafeltje naast de dansvloer.

'De laatste keer dat ik op zoiets gezeten heb was op school,' merkte Emma op terwijl ze een oranje plastic stoel naar achteren trok. 'Maar het is wel eens leuk om in een heel andere gelegenheid te komen dan de nachtclubs waar toeristen altijd heen gaan.'

'Het stinkt hier, en ik moet naar de wc. Wedden dat de toiletten er niet uitzien?'

'Ach, het is hier alleen oud. In Ierland zijn we eraan gewend geraakt dat alles glimt van nieuwigheid.'

Sophie rolde met haar ogen en liep weg om de toiletten te zoeken.

Greg kwam terug met drie mojito's in zijn sterke handen en zette de drankjes op tafel.

'Dank je, Greg,' zei Emma, terwijl ze haar glas oppakte om een slokje te nemen.

'Waar is Sophie?'

'Die komt zo terug.'

'Sophie is een leuke meid, Emma uit Ierland, maar ze is niet zo verfijnd als haar oudere zus!' zei hij met een knipoog.

Emma bloosde en nam nog een slokje. Hij had iets over zich wat niet zo oprecht was als ze eerst had gedacht. De dansvloer was leeg en hier en daar zaten wat mensen op stoelen; een enkeling leunde tegen de balustrade rondom de dansvloer.

'Er treedt vanavond een zanger op, een Cubaanse beroemdheid, en als hij uitgezongen is wordt er pas echt gedanst.'

Gabriel Martinez gaf een geweldig optreden en zong ruim anderhalf uur. Een paar plaatselijke bewoners stonden op en dansten op zijn muziek. De toeristen, voornamelijk Zuid-Amerikanen en Canadezen, zaten aan de zijkant en keken toe hoe de salsa werd gedanst.

Toen de dj op het podium verscheen, stroomden de Cubanen de dansvloer op; de Ierse vrouwen hadden nog nooit zoiets gezien. Eén jong Cubaans stel onderscheidde zich van de rest. Hij droeg een honkbalpet en een strak zittend wijnkleurig shirt, dat mooi paste bij zijn donkere huid. Hij was zo wendbaar en soepel als een stuk elastiek. Zijn danspartner zag er exotisch uit en droeg een roze minirokje met ruches en een laag uitgesneden blouse. Haar zilveren sandaaltjes zwierden keer op keer door de lucht als haar partner haar ronddraaide en haar liet wervelen op de beat. Ze bewogen zich beter dan alle deelnemers aan dansprogramma's die Emma en Sophie thuis op tv zagen.

'Kom op, Greg, jij weet vast wel hoe je je moet bewegen. Zullen we?' zei Sophie, en ze stond op.

Greg kwam ook overeind en pakte haar hand.

Emma keek jaloers toe toen Greg, die een vaardig danser was, haar zus liet ronddraaien en met een paar salsabewegingen de leiding nam. Ze lachten en leken zich uitstekend te amuseren.

Emma vroeg zich af hoe oprecht Greg was, want het ene moment maakte hij haar een compliment en het volgende flirtte hij met Sophie. Zat ze er nou echt op te wachten om emotioneel helemaal overhoop te worden gegooid? Sinds Paul was overleden stond ze toch al zo wankel in haar schoenen. Hij was immers niet door een auto overreden of op zee verdronken, of gestorven na een maandenlang ziekbed. Het onderzoek naar de doodsoorzaak was een marteling geweest, en hoewel het niet meer dan een formaliteit was en Donal haar had verzekerd dat ze er zelf niet bij hoefde te zijn, vond ze de vragen waarmee de dood van haar man was omgeven heel vreselijk. Ja, hij had een hartaanval gekregen en die was hem fataal geworden, maar omdat er twee lege medicijnpotjes waren aangetroffen, eentje met antidepressiva en eentje met slaaptabletten, kon de doodsoorzaak niet met zekerheid worden vastgesteld. Ze had geen idee waarom haar man antidepressiva had moeten slikken. En de ontdekking dat hij die vlak voor zijn dood had gebruikt was nog veel verontrustender.

Ze nam een drankje en probeerde het allemaal van zich af te zetten, toen er ineens een bekende gestalte voor haar stond.

'Emma!'

Het was Felipe. Hij stond voor haar in een wit overhemd en een zwarte broek – hij kwam vast regelrecht van zijn werk – en had een glas rum in zijn hand. Zijn haar zat in de war en zijn kaak vertoonde de schaduw van een vroegeochtendbaard, maar hij zag er geweldig uit.

'Felipe, wat leuk om je te zien!' Emma was blij dat hij er was. Hij straalde iets veiligs uit dat ze in Gregs gezelschap miste. 'Wist je dat ik hier zou zijn?'

'Ik hoopte dat je hierheen zou komen. Is het goed?'

'Ja. Fantastische muziek. Je had helemaal gelijk.'

Felipe trok een plastic stoel bij en kwam naast haar zitten. 'Heb je een leuke dag gehad?'

'Ja, prima, dank je. We zijn een Canadees tegengekomen en hebben samen met hem gegeten.'

Felipe keek naar de dansvloer en naar Sophie en haar partner. Meestal deed hij geen moeite om toeristen te leren kennen; hij had drie jaar geleden zijn vrouw verloren door banden aan te knopen met een Mexicaanse man. Tegenwoordig paste hij dus goed op met wie hij vriendschap sloot. Maar Emma mocht hij echt graag; zodra hij haar in de aankomsthal van het vliegveld had gezien, had hij zich aangetrokken gevoeld tot haar blauwe ogen. Toen hij de dag daarop was teruggegaan naar het hotel om iemand op te halen, was hij het balkon op gestapt dat uitkeek over het zwembad en had hij de ligstoelen af gespeurd tot hij haar in de schaduw van een parasol had zien zitten werken op haar laptop. Het lot en zijn goede gesternte hadden hem die avond dat ze een taxi nodig had gehad naar het hotel gevoerd, en sindsdien was ze nooit lang uit zijn gedachten geweest. Maar diep vanbinnen was Felipe een schuchtere man, die geneigd was zijn gevoelens voor zichzelf te houden.

'Waar zijn jullie vandaag allemaal naartoe geweest?'

'O, ik heb het oude Havana een beetje bekeken en ik ben naar het Ambos Mundos en de kathedraal geweest. Maar ik verheug me op morgen.'

'Ja, dat wordt een leuke dag. Heb je zin om te dansen?'

Emma voelde dat ze rood aanliep. Maar de gedachte om met Felipe te dansen beviel haar wel.

Felipe nam zo vanzelfsprekend de leiding dat ze zich in haar bewegingen veilig en zelfverzekerd voelde.

Ze wervelden langs Greg en Sophie.

Greg was van zijn stuk gebracht doordat er ineens een andere man was opgedoken, maar wist dat uitstekend te verbergen.

'Greg Adams,' zei hij, en hij stak zijn hand uit.

'Felipe,' zei de Cubaan, de hand ferm schuddend.

'En, waarvan ken jij de dames?'

'Ik heb hen vanuit Varadero hiernaartoe gebracht.'

Greg glimlachte breed. Van een taxichauffeur had hij niet veel te vrezen.

'Zal ik iets te drinken halen?' vroeg Emma. 'Sophie, help jij even?'

'Een dame hoort niet aan de bar te staan. Laat mij maar. Wat wil jij drinken, Felipe?' vroeg Greg.

'Ik hoef even niks.'

De zussen liepen met Felipe terug naar hun plekje. Sophie kon de grijns op haar gezicht niet verhullen. Felipe was de ideale afleiding voor haar zus, zodat zij Greg helemaal voor zichzelf zou hebben.

'Wat ontzettend leuk dat je langskomt, Felipe!' riep ze uitgelaten.

Felipe voelde zich enigszins ongemakkelijk door haar enthousiasme. Hij wist heel goed dat zij totaal niet in zijn gezelschap geïnteresseerd was en voelde precies aan wat ze in haar schild voerde.

Emma glimlachte naar Felipe. Plotseling waren zij vieren in twee stelletjes verdeeld en toen de muziek weer begon deed Sophie er alles aan om Greg als haar date op te eisen. Emma liet zich door Felipe over de dansvloer voeren totdat ze aan een drankje toe was.

'Ben je moe? Wil je weg?' vroeg Felipe.

Emma pakte haar drankje op en schudde haar hoofd. 'Nee, ik was alleen aan het dagdromen – of nachtdromen beter gezegd!' zei ze luchtig met een blik op haar horloge. 'O! Ik had helemaal niet in de gaten dat het al drie uur is.'

'Als je wilt kan ik je terugbrengen naar het hotel.'

'Waarom gaan we niet met z'n allen?' zei ze kortaf, en ze riep de anderen en vroeg: 'Zullen we teruggaan naar de bar van El Telegrafo? Die is voor de gasten vast nog wel open.'

'Goed plan!' zei Greg, en hij pakte zijn glas op en klokte zijn mojito naar binnen.

'Oké, dan,' zei Sophie, terwijl ze zich naar Greg toe wendde en hem een flirterige blik zond waarvan Emma de rillingen over de rug liepen.

Felipe reed de paar straten terug naar het Parque Central en voor de deur van het hotel zette hij abrupt de auto stil. 'Zie ik jullie morgen, om tien uur?'

'Kom je niet meer mee naar binnen voor een drankje?' vroeg Sophie.

Felipe schudde zijn hoofd. 'Nee, ik zie jullie morgen wel.'

Greg leidde de twee vrouwen naar de bar, terwijl Felipe in de nacht verdween.

'Waarom wilde hij nou niet mee naar binnen?' vroeg Emma met een zucht.

Greg haalde zijn schouders op. Hij had de twee vrouwen graag voor zichzelf. Een paar jaar geleden had hij in Miami een heerlijk triootje gehad met twee Zweedse vrouwen en hij zou er helemaal geen bezwaar tegen hebben om die ervaring met twee Iersen te herhalen.

Maar Emma had liever gewild dat Felipe er nog bij was. Ze verdroeg het niet langer om te moeten toekijken hoe Sophie Greg probeerde in te palmen.

'Ik denk dat ik toch maar naar mijn kamer ga. Ik ben echt moe en morgen gaan we een heleboel bekijken.'

Sophies ogen begonnen te stralen. 'Oké, tot later dan. Wij maken het ook niet laat, hè Greg?'

'Nee hoor. Tot morgen, hoop ik.' Hij gaf haar zijn kaartje. 'Daar staat mijn mobiele nummer op, voor het geval je morgen nog iets zou willen afspreken.'

'Bedankt,' zei Emma, en zonder nog om te kijken liep ze naar de lift. Ze wenste Sophie veel geluk. Ze mocht Greg hebben; ze mocht iedereen hebben die ze maar wilde. Het kon haar niet meer schelen. Het risico om voor een andere man te vallen was te groot. Kijk maar naar wat ze haar man had aangedaan, die zo veel had gehad om voor te leven.

'Wil je nog ergens heen?' vroeg Greg aan Sophie.

Sophie trok haar wenkbrauwen op. 'Goed. Ik zou jouw hotel wel eens willen zien.'

Greg schokschouderde. Hij zou genoegen moeten nemen met één zus.

Ze liepen het Parque Central in, waar het nog steeds een drukte van belang was.

'Vertel eens iets over Canada; daar heb ik altijd al een keer heen gewild.'

'Het is daar fijn wonen, al is het 's winters verrekte koud. Mijn reisjes naar Cuba plan ik dan ook het liefst in de wintermaanden.'

'Maar jullie hebben zeker wel sneeuw?'

'Volop. Wat doe jij voor werk, Sophie?'

'Ik ben ontwerper. Ik ontwerp gebreide kleding voor een Iers bedrijf, maar we hebben momenteel maar weinig personeel, omdat het grootste deel van onze productie aan China wordt uitbesteed.'

'Het is overal hetzelfde verhaal: zware tijden voor de modebranche.'

Sophie leek niet van haar stuk gebracht. 'Ik ben een heel goede ontwerper!'

Greg glimlachte. Hij vond de verontwaardiging van deze Ierse wel amusant. 'We zijn er bijna. Zie je dat gebouw daar op de hoek?'

Sophie knikte. Ze liepen een bordes op en gingen de foyer binnen, die afgezien van een stokoude gast en Marco achter de bar uitgestorven was.

'Lange dienst gehad vandaag, Marco?'

Marco glimlachte, maar toen hij zag wie Greg bij zich had verdween de vermoeidheid van zijn gezicht. Wat een verpletterende exotische schoonheid; hij keek zijn ogen uit naar haar rode haar. Hij was het van Greg wel gewend dat hij met allerlei mooie vrouwen het hotel binnenkwam.

'Zin om iets te gaan drinken op mijn kamer?' fluisterde Greg in Sophies oor.

Sophie knikte; dat was precies wat ze wilde.

De lift was een oud geval en Greg loodste haar naar de trap. 'Ik logeer op de verdieping hierboven.'

De kamer was schoon en fris toen Greg het licht aandeed. Hij had er zijn eigen sfeer geschapen en her en der lagen zijn persoonlijke spullen.

Sophie werd aangetrokken door een kleine mahoniehouten speeltafel in de hoek. Die was ingelegd met vierkantjes van een lichtere houtsoort.

'Kun je op deze tafel schaken?'

Greg kwam naar haar toe en streek met zijn lange vingers over het gladde hout.

'Als we schaakstukken hadden wel, maar we kunnen ook met iets anders spelen. Wat dacht je van de flesjes uit de minibar?'

Sophie giechelde. Dat leek haar wel wat.

Greg haalde een collectie whisky, wodka, gin en rum uit de bar en zette de flesjes op tafel.

'Hoe weten we wat wat is?'

'Tja, dat is nog niet zo eenvoudig,' beaamde Greg. 'Maar we kunnen ook dammen, toch? Op z'n Canadees? Maar dan hebben we waarschijnlijk te veel flesjes nodig, dus laten we het maar op z'n Engels doen. Neem jij de whisky en gin?'

'Vind je het erg als ik rum en gin neem?'

'Nee hoor, dames gaan voor. Dan ben ik wel whisky en wodka. Ik weet iets leuks: als je een stuk van je tegenstander slaat, moet je het flesje leegdrinken – afgesproken?'

Sophie giechelde weer. 'Oké.' Door al het dansen was ze weer een stuk nuchterder geworden.

Greg zette de stoelen bij de tafel en deed zijn eerste zet. Het spel was begonnen.

Sophie was gretig en sloeg zo gauw ze kon een van Gregs stukken, waarna ze zich realiseerde dat ze nu eerst het flesje zou moeten leegdrinken.

'Kan ik er cola of jus bij krijgen?'

'Dat is vals spelen, als je het mij vraagt.'

Sophie glimlachte flauwtjes en dronk de wodka op. Ze grimaste bij de scherpe smaak op haar tong. De warme vloeistof gleed door haar keel en ze voelde meteen het effect van de alcohol.

Greg lachte en deed zijn volgende zet. Hij wilde graag dat ze nog een stuk van hem sloeg.

'O, nee,' protesteerde ze. 'Moet je nou zien! Als je die kant op gaat, kun je er twee van mij slaan!'

Greg deed wat ze voorstelde en sloeg de inhoud van de twee flesjes snel achterover. Hij was lang en sterk; hij was wel bestand tegen een beetje alcohol.

'Deze is voor mij,' zei Sophie, en ze pakte weer een flesje wodka en schroefde het dopje eraf.

Greg glimlachte verzaligd terwijl hij Sophie gadesloeg. Toen ze haar volgende zet deed, legde hij zijn hand boven op de hare. 'Ik zal het wel even voor je openmaken.'

'Dat lukt me wel,' zei ze. Maar door de alcohol was ze niet meer zo handig. Ze gaf hem het flesje aan en hij haalde de dop eraf. Ze dronk en likte haar lippen af.

'Mag ik met je meedoen?' vroeg hij.

'Natuurlijk!' Het was toch maar een spelletje, een aanloop naar iets dat ze allebei graag wilden.

Greg klokte een flesje rum naar binnen en stond op. Hij stak zijn hand uit en Sophie pakte die.

Ze liepen naar zijn bed, waar een witte sprei overheen lag. De ventilator boven hun hoofd draaide rond en bracht de vochtige lucht in beweging.

Greg bracht zijn hand naar haar gezicht en kuste haar wang.

Sophie kon de spanning en opwinding tussen hen voelen aanzwellen. Ze kon niet wachten om zijn prachtige gekleurde huid te zien, die schuilging onder zijn grijze shirt.

Maar hij wilde haar eerst voorbereiden. Voorzichtig liet hij haar op het bed zakken, streek met zijn donkere gladde vingers over haar lichaam, knoopte haar topje open en pelde het van haar schouders. Zijn ogen werden groot toen hij haar beha met voorsluiting zag; die zou hij tot later bewaren. Hij stak zijn vingers onder het elastiek in haar rok en trok hem zachtjes naar beneden, waarbij hij meteen haar slipje meenam. Vervolgens knielde hij neer op de grond en liet zijn handpalmen over haar dijen gaan om haar benen te openen.

Sophie hield het niet meer. Ze wilde niets liever dan zijn tong over haar allergevoeligste plekje voelen glijden. Ze hoefde niet te wachten. Hij was een ervaren minnaar en wist hoe hij een vrouw snel tot een hoogtepunt moest brengen, zonder iets af te doen aan de genotvolle verwachting. Sophie slaakte een kreetje toen hij zijn vingers bij haar naar binnen stak om haar nog meer genot te bezorgen.

Sophie legde haar handen in zijn nek en trok hem omhoog naar haar borsten.

Hij maakte de sluiting van haar beha open en drukte heel even zijn lippen tegen haar tepels, waarna hij er begerig zijn tong overheen liet gaan. Hij moest zijn shirt uittrekken, dat nu warm en plakkerig was van het zweet.

Sophie hielp hem met zijn broek. Hij droeg geen ondergoed en haar ogen werden groot toen ze voor het eerst zijn erectie zag. Ze kon haar verlangen om die vast te houden en de lengte en omvang ervan te voelen niet meer beheersen. Sinds de eerste keer dat ze met Paul de liefde had bedreven op de vloer van zijn kantoor was ze niet meer zo opgewonden geweest. Het goddelijke lichaam van de prachtige man die voor haar stond bracht haar in alle staten. Ze voelde hem naar binnen gaan; haar gezicht smolt bij het genot van elke stoot. Dit was het soort gelukzaligheid waardoor Sophie het uitschreeuwde. Had ze dan eindelijk de man gevonden die Pauls plaats kon innemen?

12

De wekker ging en Donal schoot rechtovereind. Hij drukte op de alarmknop en ging langzaam weer liggen.

'Sorry,' zei hij tegen Louise. 'Ik moet hem gisteravond zeker hebben gezet. Toen we naar bed gingen waren we er allebei met ons hoofd niet bij.'

'Het geeft niet. We moeten toch kijken of alles goed is met mam, en ik wil graag weer naar het ziekenhuis.'

Donal nam zijn vrouw van top tot teen op. Ze rook 's ochtends vroeg altijd zo lekker. Het was drie maanden geleden dat ze voor het laatst hadden gevreeën.

Louise glipte uit bed en trok haar ochtendjas aan, zonder zich bewust te zijn van de gevoelens die ze bij haar man opriep. Ze liep regelrecht naar de logeerkamer, waar haar moeder languit op bed met open mond lag te snurken.

Ze had een afschuwelijke schok te verwerken gekregen, maar was de avond tevoren nog genoeg bij de pinken geweest om Louise te bellen voordat die uit het ziekenhuis vertrok en haar te vragen of ze even langs haar huis wilde gaan om haar gezichtscrème en een paar andere spullen op te halen die ze nodig zou hebben voor de nacht.

Maggie Owen was een opmerkelijke vrouw: uitermate behoudend, uitermate gelovig en met uitermate veel eigendunk. Maar Louise bewonderde haar om hoe ze eruitzag en zich wist te handhaven. Ze kon met gemak doorgaan voor iemand die tien jaar jonger was. Maar er was een reden waarom ze niet veel rimpels in haar gezicht had, en dat was geen botox en ook niet de hoed die ze droeg om haar huid te beschermen tegen de zon: Maggie liet alle zorgen van financiële of emotionele aard over aan haar echtgenoot. Hij was immers een man en al dat soort dingen kwamen op zijn bordje terecht. Zijzelf had er een dagtaak aan om er goed uit te blijven zien en om een oprecht lid van de samenleving te zijn, al had ze haar oordeel wel altijd snel klaar.

Louise wist dat Maggie het tragische incident waarbij haar vader in elkaar was geslagen zo zou weten te draaien dat het uiteindelijk een persoonlijke aanval op haarzelf zou lijken.

Ze overwoog haar zussen in Havana te bellen, maar het had geen zin om hen op de hoogte te brengen. Waarom zou ze Emma's vakantie ook maar een dag bekorten? Ze verdiende het om er even tussenuit te zijn. Louise zou het niet erg vinden om Sophies vakantie te moeten onderbreken, maar ook dat had geen enkele zin.

Finn kwam zijn kamer uit en krabde op zijn hoofd.

'Hoe is het met opa?'

'Het komt helemaal goed met hem, lieverd,' stelde Louise hem gerust. Nu hij op zo'n akelige manier zijn vader verloren had, besefte ze hoe belangrijk mannelijke rolmodellen waren in het leven van de jongen.

'Fijn,' zei hij schaapachtig, en hij stapte de badkamer in.

Louise liep terug naar de slaapkamer om zich aan te kleden.

'Ik ga naar het ziekenhuis om te zien hoe het met pap gaat,' zei ze tegen Donal. 'Geef jij de kinderen ontbijt en zorg je dat het mam nergens aan ontbreekt?'

'Ik was anders van plan naar de club te gaan.'

Met een wanhopige blik keek Louise haar man aan.

'Nou, goed dan,' zei Donal. 'Het zijn bijzondere omstandigheden.'

Louise griste haar tas mee en vloog de trap af. Ze pakte een banaan uit de fruitschaal en wipte de autosleutels van het haakje waar ze altijd hingen naast de telefoon. Vervolgens stapte ze in haar gezinswagen en reed naar het Beaumont-ziekenhuis.

Ze was nog niet lang onderweg toen haar telefoon bliepte ten teken dat er een bericht was. Het leek haar beter om maar even te kijken, want het kon zijn dat er thuis iets mis was gegaan. De boodschap was echter niet van Donal, maar van Jack.

moet je zien j

Trillend keek ze naar het schermpje. Ze had er voortdurend aan moeten denken hoe ze zichzelf afgelopen zaterdag voor schut had gezet, totdat die toestand met haar vader was begonnen. Hij was zelf een vrijgezel die niemand verantwoording schuldig was, dus verwachtte hij van haar dat ze elk moment bereid was hem te zien of te spreken. Maar dit was niet het goede moment. Haar familie ging voor.

Met een kalm gangetje reed ze verder over Sybil Hill, terwijl ze haar best deed niet aan Jack te denken, maar tijdens de hele rit naar de Artane-rotonde bleef hij door haar hoofd spoken.

Ze kon de verleiding uiteindelijk niet weerstaan. Ze drukte op de Bluetooth-functie op haar stuur en belde Jacks nummer.

Hij nam snel op.

'Hallo Louise, ben jij dat?'

'Hai, Jack. Hoor eens, ik zit momenteel midden in een familie-crisis. Mijn vader ligt in het ziekenhuis; hij is in elkaar geslagen door een inbreker.'

'Wat verschrikkelijk. Vervelend om te horen. Komt het goed met hem?'

'Ik denk het wel. Maar toen ze hem opnamen ter observatie is er iets anders aan het licht gekomen. Met jou alles oké?'

Jack voelde zich opeens weer een leerling die geruststelling zocht bij zijn lerares, terwijl zij probeerde een echte grotemensen-crisis op te lossen.

'Met mij is alles best. Ik wil alleen graag even met je praten, na-dat je zomaar was weggerend. Het spijt me.'

'Jack, jij hebt niks verkeerds gedaan. Maar ik ben getrouwd en mijn positie is anders dan de jouwe.'

'Ik schijn er tegenwoordig een handje van te hebben om men-sen van slag te maken. Vooral Aoife!'

'Wat is er dan tussen jullie gebeurd?'

'Ik ben niet erg aardig tegen haar geweest. Het zal wel weer door die koudwatervrees komen waar we het over hadden.'

'Jack, doe nou maar alsof je me helemaal niet bent tegengekomen. Dit is voor ons allebei niet goed.'

'Ik doe mijn best, maar het wil niet erg lukken. Het spijt me ook ontzettend wat ik die dag in het café tegen je heb gezegd.'

'Luister eens even, dat moest je gewoon kwijt. Met mij is alles prima, maar ik ben getrouwd en vergeet niet dat je last hebt van koudwatervrees.'

Jack zuchtte. Wat verwachtte hij nou van haar? 'Bedankt voor het terugbellen, Louise. Ik wilde gewoon even zeker weten dat het wel goed zit tussen ons.'

'Natuurlijk zit het goed, Jack, maar de komende tijd heb ik mijn handen vol aan de akelige dingen die mijn ouders zijn overkomen.'

'Ik snap het. Ik zal je niet meer lastigvallen. Hou me op de hoogte.'

'Pas goed op jezelf, Jack. Je hoort van me.'

Louise hing op. Voor het eerst sinds ze Jack weer was tegengekomen was ze blij dat ze de kracht had weten op te brengen om zich niet in een affaire te laten meeslepen. Haar leven was al ingewikkeld genoeg.

Jack voelde zich niet veel beter nadat hij Louises stem had gehoord. Hij had gehoopt dat ze iets konden afspreken en dat ze zijn gevoelens op een rijtje zou kunnen krijgen, maar voor haar lag het nu allemaal heel anders.

Hij moest Aoife spreken. Wat voelde hij? Waarom was hij zo in de war?

Hij pakte zijn mobiele telefoon en belde haar nummer. Hij moest íéts doen.

Aoife had de nacht doorgebracht in Malahide. Ze belde haar vriendin Cathy en ze vertrokken naar Gibneys, waar het op zondagavond altijd lekker druk was, en dronken de ene fles Smirnoff Ice na de andere. Ze haalden een zak chips bij de Beachcomber en zaten tot vier uur 's ochtends thee te drinken in de keuken van haar moeder. Maar toen ze wakker werd, voelde ze zich niet beter. Hoewel ze in Gibneys met een heleboel mannen had geflirt en haar beste vriendin haar had verzekerd dat ze volkomen in haar recht stond en dat Jack maar eens een paar lesjes moest leren, voelde ze zich slecht – slecht tegenover Jack en slecht tegenover zichzelf.

Waarom deed hij nou opeens zo raar? Er was iets veranderd!

Ze ging de badkamer in en keek in de spiegel. Meestal haalde ze haar make-up eraf voordat ze naar bed ging, maar na het lange gesprek met Cathy had ze dat dit keer niet meer op kunnen brengen; ze herinnerde zich dat ze had zitten huilen en haar tranen had weggeveegd met stug keukenpapier. Ze móést met Jack praten. Ze veegde haar gezicht schoon met een washandje en liep terug naar haar vroegere meisjeskamer om zich aan te kleden. Ze zou hem er direct op aanspreken. Hij moest maar eens over de brug komen.

Opeens ging haar telefoon. Ze herkende het nummer en liet het toestel rinkelen tot vlak voordat de voicemail aansprong.

'Ja?'

'Met mij. Ik moet je zien.'

'Ik weet nog niet zo zeker of ik jou wel wil zien.'

'Aoife, het spijt me echt ontzettend wat ik gisteren allemaal heb gezegd.'

'Waarom zei je het dan, als je het toch niet meende?'

'Ik meende het wél. Maar het was niet de bedoeling dat het er zo uit kwam als het klonk.'

'Je hebt een heleboel uit te leggen, Jack Duggan.'

'Weet ik. Zullen we iets afspreken?'

Aoife slaakte een zucht. 'Ik kom wel naar Howth. Ik wil ook andere kleren ophalen.'

'Laten we een wandeling over de kliffen maken. Het is goed weer.'

'Het is laat geworden gisteravond en ik ben kapot.'

'O!' Jack vroeg zich af met wie ze uit was geweest. 'Oké, dan praten we in de flat. Ik wacht hier op je.'

'Goed,' zei Aoife, en ze hing abrupt op.

Onderweg in de auto leek ze wel een snelkookpan die borrelde van angst. Ze had de moed niet gehad om haar ouders over de ruzie te vertellen. Voor zover zij wisten was ze de avond tevoren gewoon met Cathy gaan stappen, als meiden onder elkaar, wat ze al een hele tijd van plan waren. Ze geneerde zich te erg om hun te vertellen wat voor kwetsende dingen Jack allemaal had gezegd.

De poort van de St. Lawrence's Quay Apartments ging open en ze parkeerde haar auto. Ze keek naar haar handen, die trilden. En dat kwam bepaald niet door haar alcoholconsumptie van de vorige avond.

Na een korte rit in de lift stond ze voor de deur van het appartement en stak haar sleutel in het slot. Maar voordat ze die kon omdraaien had Jack de deur al opengetrokken.

'Hai,' zei hij schaapachtig.

Ze nam zijn jongensachtige blauwe ogen en fijne trekken in zich op, en smolt weer helemaal. Wat hield ze toch veel van hem. Maar nu mocht ze dat nog niet laten blijken.

'Ik moet even iets uit de slaapkamer halen. Ik kom zo praten.'

Ze glipte langs hem heen en zette haar tas op de bank. Eenmaal in de slaapkamer sloeg ze de deur achter zich dicht en liet zich op het bed vallen, waar ze haar gezicht in haar handen verborg. Haar onderbuikgevoel zei haar dat er iets vreselijks stond te gebeuren. Ze moest er niet aan denken dat ze tegen haar ouders zou moeten zeggen dat de trouwerij zou worden uitgesteld, of erger nog: moest worden afgeblazen.

Ze probeerde zichzelf weer bij elkaar te rapen en trok andere kleren aan. Terwijl ze haar make-up in orde bracht en haar haar borstelde, liet ze Jack vol angst en beven op de bank in de woonkamer zitten. In de spiegel controleerde ze hoe ze eruitzag; ze voelde zich nu stukken beter toegerust om de confrontatie met haar verloofde aan te gaan.

'Nou, waar wil je over praten?' vroeg ze, terwijl ze stevig op haar benen op het voddenkleed ging staan.

'Kom eens even naast me zitten.'

Stug bleef ze op haar plek. 'Ik blijf liever staan, als je het niet erg vindt.'

'Aoife, dit is het allermoeilijkste wat ik ooit heb moeten doen.'

'Nou, voor mij is het ook niet makkelijk. Zeg maar gewoon wat je te zeggen hebt.'

Jack stond om zijn verloofde in de ogen te kunnen kijken.

Ze deed een paar stappen naar achteren.

Hij kwam naar voren en bracht zijn hand omhoog om de zijkant van haar gezicht te strelen, maar ze deinsde achteruit.

'Ik denk dat we de bruiloft moeten uitstellen.'

Aoife hapte naar adem. 'Is er een ander?'

'Nee, er is geen ander,' zei hij – te snel om overtuigend te klinken.

'Dus dat is het: je hebt een verhouding.'

Jack schudde heftig zijn hoofd. 'Ik héb geen verhouding, geloof me alsjeblieft, en ik wil graag dat we samen blijven wonen, maar het wordt me allemaal een beetje te veel: je ouders, al die plannen voor onze bruiloft, de huwelijksreis... Ik zou het liever klein en simpel houden, gewoon wij saampjes.'

'Maar dat heb je nooit eerder gezegd!'

'Ach, het is allemaal een beetje uit de hand gelopen. Eerst zouden we alleen familie uitnodigen, toen ook een paar vrienden, en vervolgens een paar mensen van het werk, en voordat we het wisten wilden we iedereen uitnodigen die we kenden, en nu wil je ook nog een trouwjurk van een bekende ontwerper... Het houdt maar niet op.'

'Nou, iedere vrouw droomt van haar trouwdag en ik wil er graag iets speciaals van maken.'

'Ik ook, maar het trouwen moet centraal staan, niet de bruiloft.'

Aoife keek hem ernstig aan. 'Ik dacht dat dat ook zo was!'

Jack had niet goed weten uit te leggen hoe hij er nu precies over dacht, omdat hij niet oprecht was. Het idee om zijn leven met een en dezelfde vrouw door te brengen schrikte hem af. Het maakte hem bang dat hij, toen hij Louise was tegengekomen, had gemerkt dat hij nog steeds gevoelens voor haar koesterde waarvan hij niet wist dat hij ze nog had, en nu kneep hij 'm ook nog eens bij de gedachte om Aoife kwijt te raken.

'Alsjeblieft, kunnen we de bruiloft uitstellen en het simpeler houden? Het is niet goed om zo uit te pakken in een tijd dat een heleboel mensen hun baan kwijtraken en het er zo slecht voor staat met de economie.'

Aoife ademde scherp in. 'Ik ga een tas inpakken en een paar dagen bij mijn ouders logeren. Ik weet niet wat ik hiervan moet denken. Het is niet eerlijk van je om me hier ineens zo mee te overvallen.'

'Weet ik. Maar kom je wel terug?'

Ze schudde haar hoofd. 'Geen idee.'

Opeens besefte Jack wat hij had aangericht. 'Ga dan niet! Het spijt me, Aoife. Ik wil je niet kwijt.'

Aoife probeerde uit alle macht haar tranen terug te dringen. 'Voor mijn gevoel is er iets kapot tussen ons. Ik hield verschrikkelijk veel van je, ik wist heel zeker dat ik de ware had gevonden.'

'Dat bén ik ook, dat ben jíj ook, dat zijn we ook,' hield Jack vol.

'Als jij er net zo over dacht als ik, zouden we dit gesprek niet voeren.'

Ze had gelijk, en Jack was degene die het allemaal verprutst had. 'Wat moet ik doen om het goed te maken?'

'Wat je hebt gezegd kun je niet ongedaan maken. Het lijkt me het best als ik terugga naar mijn ouders – voor een paar dagen in elk geval.'

Jack knikte. Hij had tijd nodig om te verwerken wat hij overhoop had gehaald. Hij moest zeker zijn van wat hij nu echt wilde.

'Pap is door minimaal drie kleine etterbakken in elkaar geslagen,' zei Louise terwijl ze haar tas op de keukentafel zette.

'Gaat het wel met je?' vroeg Donal. 'Doe nou even rustig en vertel het me nog eens, maar dan langzamer.'

Louise stond te trillen, maar waardeerde het dat Donal zich op zo'n kalmerende manier bezorgd maakte.

'Toen ik bij hem was werd pap ondervraagd door de politie en hij zei dat het jonge knullen waren in sweaters met een capuchon over hun hoofd. Ze kunnen niet ouder zijn geweest dan vijftien, zestien.'

'Weet hij dat zeker? Dat klinkt wel erg jong.'

Louise knikte. 'De politie heeft het bevestigd. Ze zijn op zoek naar een stel jongeren van rijke ouders in Raheny die aan de lopende band oudere mensen terroriseren en hen bestelen en vervolgens in elkaar slaan; ze zijn niet eens bang genoeg om zich te vermommen. De politie zegt dat het moeilijk is om ze te pakken te krijgen en nog moeilijker om ze te laten veroordelen, vanwege hun leeftijd. Waar moet het met de wereld naartoe, Donal?'

Donal krabde op zijn hoofd. 'Tja, het ziet er niet best uit.'

'Ze hadden hem wel kunnen vermoorden, en dat hadden ze waarschijnlijk ook gedaan als mam ze niet had gestoord.'

'Nee toch?!'

'Donal, ze hebben hem met stokken geslagen, en slachtoffers mishandelen is voor hen een deel van de lol. Een paar weken geleden hebben ze bijna een jonge vent vermoord die om acht uur 's avonds met zijn vriendin naar huis liep. Ik kon de verhalen van de politie gewoon niet geloven.'

'Nou, met je vader komt het in elk geval weer in orde.'

'Hij is ontzettend geschrokken en ze maken zich zorgen om zijn hart; dat is heel zwak, zeiden ze.'

'Komt dat door die overval?'

Louise haalde haar schouders op. 'Ik weet het niet precies. Misschien wel, maar zijn hart was toch al niet in orde; drie van de kleppen zijn geblokkeerd.'

'Wat willen ze daaraan doen?'

'Het ziet ernaar uit dat hij een driedubbele bypassoperatie moet ondergaan.'

'Dat is niet zo best, zeker niet op zijn leeftijd.'

Louise knikte: precies wat zij ook dacht.

'Hebben ze nog iets meegenomen?'

'Zijn portemonnee. Daar zat maar twintig euro in. Verder hadden ze alleen iets gehad aan mams sieraden, maar ze zijn niet lang genoeg binnen geweest om die te vinden.'

'Wat een gedoe allemaal.'

'Ja, maar toen ik daar zat vroeg ik me toch onwillekeurig af of dit niet een geluk bij een ongeluk is. Als er iets niet in orde is met zijn hart, zou deze operatie zijn leven kunnen redden, en als hij niet naar het ziekenhuis had gemoeten voor observatie na die inbraak, hadden we hier nooit iets van geweten.'

Donal trok zijn wenkbrauwen op. 'Dat is dan wel een heel merkwaardige speling van het lot.' Opeens keek hij verschrikt. 'Wacht eens even. Hoe moet het dan met je moeder als hij geopereerd moet worden?'

Louises gezicht betrok. Zij vond het al net zo'n weinig aanlokkelijk vooruitzicht om voor haar moeder te moeten zorgen als Donal. 'Nou, gelukkig komt Emma dinsdag thuis; dan kunnen we haar samen opvangen.'

13

Het eerste wat Emma opviel toen ze wakker werd was het lege bed naast het hare. Daar keek ze niet van op. Sophie had al vanaf het allereerste moment dat ze Greg zag haar zinnen op hem gezet en ze kreeg altijd wat ze wilde.

Ze keek op haar horloge. Het was een goed moment om Finn te bellen en te horen hoe het met hem was. Ze reikte naar het bedtafeltje en pakte haar telefoon.

'Finn?'

'Hoi, mam.'

'Lieverd, hoe is het met je? Ik mis je ontzettend.'

'Het is hier een hele toestand geweest. Opa is in elkaar geslagen door een inbreker en oma heeft vannacht hier geslapen. Tante Louise is naar het ziekenhuis en oom Donal doet zijn best om oma tevreden te houden!'

Emma schoot van schrik rechtovereind in bed. Haar hart begon te bonzen.

'Is alles goed met opa?'

'Ik geloof het wel. Tante Louise is nog niet terug. Hij had bloed op zijn hoofd en alles...'

'O mijn god! Kan ik oom Donal even spreken?'

'Ja hoor, ik zal hem even roepen.'

Er gingen allerlei gedachten door Emma heen. Haar vader was een forse man, maar sinds hij zeventig was geworden had hij iets breekbaars over zich gekregen, en hij was zich niet goed bewust van de beperkingen die zijn lichaam hem op zijn leeftijd oplegde.

'Emma, met Donal.'

'Ha, Donal. Finn vertelde het me net van pap. Hoe is het met hem?'

'Louise wilde je niet ongerust maken, omdat je op vakantie bent en toch morgen thuiskomt.'

'Ik kan proberen vandaag naar huis te komen.'

'Nee hoor, dat is nergens voor nodig. Met je vader komt het prima in orde. Hij heeft een flinke schok gehad en ze hebben hem opgenomen ter observatie.' Ze hoefde niet nodeloos ongerust gemaakt te worden met de details van zijn aanstaande operatie. 'Waarschijnlijk waren ze er niet gerust op vanwege zijn leeftijd en willen ze hem daarom een poosje in het ziekenhuis houden.'

'Dat had Louise me moeten vertellen!'

'Het is mijn schuld dat ze dat niet heeft gedaan. Echt, Emma, hier is alles goed.'

'Ik bof maar met zo'n zwager. Hopelijk beseft Louise ook hoe blij ze mag zijn met jou als echtgenoot. Het is vast niet makkelijk om het mam naar de zin te maken.'

'Dat gaat me best goed af. Je moeder maakt het prima.'

'Bedankt voor alles.'

'We zijn familie, Emma.'

Dat had hij ook tegen haar gezegd toen hij met haar was meegegaan naar de lijkschouwing van Paul. Hij had het zo geregeld dat zijn goede vriend John, een advocaat, de zaak onder zijn hoede had genomen, en die was met de grootst mogelijke fijngevoeligheid afgerond. Niemand hoefde te weten waarom Paul was gestorven; dat bracht niemand verder. En Finn, of welk ander lid van de familie Owens of Condell ook, zou zelfs hoeven te weten dat er een lijkschouwing had plaatsgevonden. Emma wist dat als ze Donal op dat punt kon vertrouwen, ze op elk ander denkbaar vlak ook van hem op aan zou kunnen.

'Heel erg bedankt, Donal.'

Soms vroeg Donal zich af of hij niet met de verkeerde zus was getrouwd. Emma was zo kalm en stabiel – alles wat Louise niet was. Maar anderzijds leken Emma en hij misschien wel te veel op elkaar; kwam het niet juist doordat tegengestelden elkaar aantrekken dat hij voor Louise was gevallen?

'Ik zie je dinsdag. Geniet nog van je vakantie.'

'Tot dan.'

Emma hing op en overwoog Sophie te bellen. Nee, ze wilde Greg niet het idee geven dat ze hem controleerde. In plaats daarvan schreef ze haar op het briefpapier van het hotel: *Ingebroken bij mam en pap. Pap in ziekenhuis, maar alles goed.*

Emma nam een douche en bedacht dat ze ruim de tijd had om te ontbijten voordat ze had afgesproken met Felipe. Ze wilde Sophie niet zien en had helemaal geen zin om de details te horen over haar nacht met de knappe Greg.

'O mijn god, jij bent ongelofelijk!' riep Sophie terwijl ze naast Greg neerplofte en haar hoofd neervlijde op zijn glinsterende borst. Zweetdruppeltjes parelden op haar besproete gezicht, dat een kleurtje had van de zon, en drupten neer op zijn koffiekleurige huid. Ze wilde ze aflikken. Hij haalde dierlijke instincten in haar naar boven waarvan ze niet had geweten dat ze die bezat.

'Zou je zus zich niet afvragen waar je blijft?' vroeg hij, zo terloops alsof hij zojuist een kop koffie had gezet in plaats van seksuele gymnastiek had bedreven.

'Ze weet wel waar ik ben.'

Dat wist Greg ook, en het speet hem. Hij had Emma leuker gevonden, maar Sophie had het meest speels geleken. En dat had hij goed gezien. Maar uitspattingen van het soort waar hij zich nu met Sophie aan overgaf waren voor Greg doodnormaal, en hij voelde zich aangetrokken tot Emma's manier van doen. Hij had waarschijnlijk beter niet voor de makkelijke weg kunnen kiezen. Maar de zussen zouden nóg een nacht in de stad blijven. Hij kon later altijd nog zijn geluk bij Emma beproeven.

'Wat zijn je plannen voor vandaag?'

'Emma heeft afgesproken met die taxichauffeur en ze gaan naar een of andere plek die met Hemingway te maken heeft, dus ik heb vrij!' grijnsde Sophie. 'Fijn om even van haar verlost te zijn, want het valt niet mee om dag in dag uit met je zus op te trekken. Zeker niet na al die toestanden met Paul.'

'Is Paul haar man?'

'Wás – hij is overleden.'

Greg vroeg zich af waarom Emma daar niets over had gezegd toen ze hem over haar man had verteld.

'Wat vervelend. Wanneer is hij gestorven?'

'Afgelopen september. Sindsdien lijkt Emma een beetje de weg kwijt.'

'Het zal ook wel niet meevallen. Waar is hij aan overleden?'

'Hartaanval.'

'Maar hij was toch zeker nog jong?'

'Veertig. Hij was echt te gek.'

Greg raakte geïntrigeerd door de toon waarop ze dat zei en door hoe ze erbij keek. 'Dat klinkt alsof je een oogje op hem had.'

Sophie knikte. Aan Greg kon ze het wel vertellen; ze had toch niets te verliezen. Ze zou hem tenslotte nooit meer zien en het zou fijn zijn om aan iemand te vertellen dat zij ook van Paul had gehouden. 'Eerlijk gezegd was ik verliefd op hem, en hij op mij. De laatste drie jaar van zijn leven waren we minnaars.'

Greg ademde scherp in. 'Was dat dan niet spelen met vuur?'

'Je kunt niet altijd zelf bepalen op wie je valt.'

'Maar het had verschrikkelijk mis kunnen lopen als je zus erachter was gekomen.'

'Hij stond op het punt haar een paar dagen later over ons te vertellen. We hadden deze vakantie geboekt om het te vieren. Hij was van plan haar in hun huis te laten wonen en bij mij in te trekken.'

'Wauw!' Greg had zelf de laatste jaren ook het een en ander aan gevaarlijke relaties meegemaakt, maar deze vrouw had wel lef! 'Dus Emma heeft geen flauw idee?'

Sophie schudde haar hoofd. 'En jij gaat het haar ook niet vertellen. Toch?'

'Ik heb in de loop der jaren heel wat dingen gedaan die niet door de beugel konden, maar hier kan ik niet tegenop. Het lijkt mij het best als Emma er niets van te weten komt; en als ik jou was zou ik het ook niet aan anderen vertellen.'

De verandering in de toon die Greg aansloeg beviel Sophie niks.

Ze liet zich niet graag door een ander vertellen wat goed en fout was.

'Kalm nou maar, Greg. Een man als jij heeft vast zelf wel een paar lijken in de kast. Waar is jóúw vrouw?'

'Ik ben gescheiden. En omdat ik nu single ben, ben ik zo vrij als een vogeltje.'

Sophies ogen werden groot. Ineens had ze er spijt van dat ze zo veel aan Greg had prijsgegeven, want misschien was hij wel iemand met wie ze een toekomst kon opbouwen. Sinds ze Paul niet meer had wilde ze dolgraag weer liefde vinden; ze wilde een gezin, een kans om hetzelfde te ervaren als haar zussen.

Over Paul zou ze geen woord meer zeggen. Misschien moest ze het met Greg wel heel anders aanleggen.

Emma stond in de foyer van El Telegrafo, waar ze de avond tevoren van Sophie en Greg afscheid had genomen. Bij de receptie stond een hele bups gasten die om hulp en informatie verlegen zaten voordat ze die dag op verkenning uit zouden gaan. Ze wierp een blik op haar horloge; het was precies tien uur toen Felipe aan kwam lopen, gekleed in een nonchalant zwart T-shirt en een kaki broek, met een leren bandje om zijn pols. Hij zag er heel anders uit dan in zijn vertrouwde zwart-witte uniform en leek nu eerder een rebel dan een taxichauffeur.

'Goedemorgen, Emma. Lekker geslapen?'

'Ja, dank je, Felipe.' Ze aarzelde even. Haar hoofd tolde nog van het stressvolle telefoontje met thuis.

'Alles goed?'

'Ik heb net slecht nieuws gehad van het thuisfront. Mijn vader is gisteren aangevallen door inbrekers. Ik vind het heel vervelend dat ik nu niks kan doen omdat ik zo ver weg zit.'

'Dat klinkt niet best. Ligt hij in het ziekenhuis?'

Emma knikte. 'Ik denk dat het wel goed komt met hem, en ik kan waarschijnlijk toch niets doen voor ik thuis ben.' Glimlachend keek ze hem aan. 'Laten we maar gewoon op stap gaan. Het is erg aardig van je dat je me op je vrije dag wilt rondleiden.'

Felipe glimlachte. 'Graag gedaan.'

En Emma vond het fijn dat ze iemand bij zich had die haar afleidde van de zorgelijke ontwikkelingen thuis.

'Wat doe je anders meestal als je vrij hebt?' vroeg Emma.

Felipe haalde zijn schouders op. 'Soms ga ik op bezoek bij mijn moeder in Pinar del Rio.'

Hij ging haar voor het bordes af naar een rode Buick convertible.

'Is dit jouw auto?' vroeg ze.

Felipe knikte. 'Mijn vader en ik hebben hem uit onderdelen opgebouwd. Er zit een Lada-motor in, maar die werkt goed.'

Emma liet Felipe het portier voor haar openmaken en nam opgetogen en vol verwachting plaats op de warme leren stoel.

Felipe zette een zwarte zonnebril op en startte de motor. De dampen van een enorme Camello-bus werden de auto in geblazen, maar Emma stoorde zich er niet aan. Dit kwam haar voor als de meest stijlvolle manier om Cuba door te trekken.

De weg was ongemarkeerd, zoals alle wegen waar ze op Cuba op had gereden. Het was heerlijk om de stadse drukte van Havana vanuit de romantische vintage-wagen gade te slaan. Ze keek opzij naar Felipe; hij zag er anders uit dan eerst. Nu hij zijn taxichauffeurkleren niet aanhad, leek hij meer zichzelf. Emma had het gevoel dat er een heleboel verborgen lag onder de oppervlakte van de raadselachtige man die naast haar zat. Hij was niet zoals de andere Cubanen die in de hotels en bars werkten, en hij was ook anders dan de familie van Dehannys. Ze kon er de vinger niet op leggen, maar zijn stilzwijgen maakte haar nieuwsgierig.

'Ben je vanochtend uit Matanzas hierheen komen rijden?'

'Ik heb bij mijn nicht in Vedado geslapen. Mijn vader is de auto vandaag komen brengen; hij is bij zijn zus op bezoek.'

'Blij dat te horen. Ik had het geen prettig idee gevonden als je voor mij had moeten omrijden.'

'Het is fijn om de dag zo door te brengen. Die Hemingway mag ik wel.'

Daar keek Emma van op. 'Heb je zijn boeken dan gelezen?'

'Twee romans maar. Het is hier lastig om boeken te pakken te krijgen die niet over de revolutie gaan.'

'Ik kan je er wel een paar sturen, in het Spaans. Ik zou ze bij Amazon kunnen bestellen.'

Felipe glimlachte. 'Graag. Maar dan in het Engels, zodat ik kan oefenen.'

'Zodra ik weer thuis ben zal ik een paar boeken van Hemingway voor je op de kop tikken en die naar je opsturen.'

Ze tuften naar de rand van de stad, waar de wegen nog hobbeliger werden dan in Havana zelf. Bij een smallere weg reden ze een helling op, en in de verte kon Emma het bord zien van de Finca Vigía.

Ze bestegen de trap die naar de ingang van het huis voerde en Emma had het gevoel dat ze terug in de tijd ging naar de jaren zestig en de laatste keer dat Hemingway hier was geweest.

Naast de favoriete stoel van de schrijver stonden halflege flessen sterkedrank. Jachttrofeeën hingen in rijen aan de muren, en Felipe en zij bleven staan om naar de fraaie gazelle te kijken die was gedood in Afrika en helemaal de Atlantische Oceaan over was gebracht.

'Het is wreed allemaal, maar het hoort wel precies bij het soort man dat hij was,' zei Emma.

'Kom eens mee.' Felipe wenkte.

Ze liepen naar Hemingways werkkamer, waar duizenden Engelstalige boeken tegen de wanden stonden. Emma keek de ruggen langs en wilde ze dolgraag vastpakken en de woorden tot zich laten doordringen die de grote man op enig moment moesten hebben geïnspireerd. De curator van het museum hield haar echter nauwlettend in de gaten. In zijn werkkamer rustte Hemingways aftandse zwarte typemachine op een dik boek met een harde kaft – dankzij die verhoging had hij staande kunnen schrijven.

'Vind je het wat?' vroeg Felipe.

'O, het is hier prachtig. Beter nog dan ik me had voorgesteld. Ontzettend bedankt dat je me mee hiernaartoe hebt genomen.'

'Het bevalt mij hier ook wel. Ik hou van boeken, maar toen ik klaar was met mijn studie had ik een hele poos geen zin om er nog een open te slaan.'

'Wat heb je gestudeerd?'

'Ik heb rechten gedaan.'

'En heb je het afgemaakt?'

'Jawel. En ik heb ook als jurist gewerkt, maar twee jaar geleden ben ik daarmee gestopt. Nu verdien ik beter.'

'Ach! Ben je gestopt met de juristerij om taxichauffeur te worden?'

Emma kon haast niet geloven dat Felipe een goede baan had opgegeven om toeristen rond te rijden, zodat hij een beter leven had. Ze had aldoor al gedacht dat er meer achter Felipe school, en deze onthulling bevestigde dat.

Felipe had haar nog niet al te veel over zichzelf willen vertellen, maar hij vond het nu wel oké om persoonlijke details prijs te geven. Door zijn ervaringen uit het verleden schonk hij mensen niet snel zijn vertrouwen, zeker niet als ze uit het buitenland kwamen. Maar hij mocht Emma echt graag en het beviel hem wel dat ze hem niet aan een kruisverhoor onderwierp of meer vragen stelde over zijn vroegere beroep.

Ze bekeken de rest van het huis, wat niet veel tijd kostte, en toen Emma op haar horloge keek was het nog maar half twaalf en hadden ze de hele middag nog voor zich.

'Heb je zin om in Havana te lunchen? Ik weet wel een leuke plek.'

'Graag, Felipe. Ik geloof dat we hier wel zo'n beetje alles hebben gezien.'

Hij maakte het portier van zijn auto open, die vanbinnen wel een oven leek doordat hij in de hete zon had gestaan. Er waaide een warm briesje naar binnen toen ze terugreden naar Havana.

'Mijn vrouw was dol op het Hemingway-huis; ze wilde zelf altijd graag in zoiets wonen.'

Emma geloofde haar oren niet. 'Ben je dan getrouwd geweest?'

'Ja, vier jaar. Maar mijn vriend uit Mexico vond mijn vrouw erg leuk. Hij was ook jurist, maar in Mexico kan een jurist een hoop verdienen. En mijn vrouw hield van mooie dingen – en ook van hem.' Hij schonk haar een ironische glimlach.

'Wat vervelend allemaal, Felipe. Dat moet wel heel akelig zijn geweest.'

'Het was moeilijk, maar nu ben ik tevreden. Mijn moeder mocht haar toch al niet, want mijn vrouw hield niet van kinderen.'

'Héb je kinderen?'

'Nee. Helaas niet.'

'Ik heb een zoon. Hij is negen en hij heet Finn.'

'En je man?'

'Mijn man is overleden.' Emma ademde diep in. Tot voor kort had ze het vreselijk gevonden om dit tegen mensen te moeten zeggen, want het was dan net alsof ze haar ziel blootlegde, maar nu ze naast Felipe zat in zijn auto en ze door Havana reden, voelde het goed om het aan hem te vertellen. 'Hij is zeven maanden geleden gestorven.'

Felipe minderde vaart en wierp Emma een meelevende blik toe. 'Wat erg voor je.'

Ze wist dat hij dat echt meende. 'Bedankt dat je zo met me meeleeft.'

'Hoe is hij gestorven?' Als hij niet het gevoel had gehad dat ze erover wilde praten, zou hij haar die vraag niet hebben gesteld.

'Hij kreeg een hartaanval.'

'Dat is niet best.'

'Nee. Maar het was geen gewone hartaanval; die kreeg hij nadat hij een overdosis pillen had geslikt. Hij was van plan geweest zelfmoord te plegen.'

Felipe wist niet hoe hij moest reageren. 'Weet je zeker dat hij die pillen niet per ongeluk had ingenomen?'

'De lijkschouwing gaf er geen uitsluitsel over, maar volgens mij wist hij precies wat hij deed. Op de pillenpotjes stond dezelfde datum als van de dag waarop hij ze innam.'

Felipe moest als chauffeur zijn ogen op de weg houden, maar dit gesprek vroeg om zijn volle aandacht. Hij zou haar meenemen naar een plek waar ze konden praten en zij zou hem alles vertellen wat ze te vertellen had.

Emma verblikte of verbloosde niet en staarde recht voor zich uit naar het tegemoetkomende verkeer. Ziezo, ze had het gezegd, tegen een volslagen vreemde nog wel. Ze voelde zich opgelucht. Tot nu toe was Donal de enige geweest die ze in vertrouwen had kunnen nemen. Maar nu had ze Felipe, en na morgen zou ze hem toch nooit meer zien, dus kon ze hem best over haar zorgen vertellen. Hoe kon iemand zo ongelukkig zijn met zijn leven en gezin dat hij zichzelf van het leven wilde beroven? Die vraag stelde ze zichzelf een paar keer per dag, maar een afdoende antwoord had ze nog steeds niet.

'We moeten echt opstaan,' drong Greg aan. 'De tijd om te ontbijten is al voorbij.'

Sophie had Greg weten te verleiden tot nog een potje vrijen en hij was bang dat hij te laat zou komen voor zijn afspraak met een kunsthandelaar.

'Ik had toch geen hap door mijn keel gekregen,' zei Sophie terwijl ze overeind kwam en de kussens achter haar opstopte. 'Wat gaan we vandaag doen?'

'Ik moet om twaalf uur bij een kunsthandelaar langs. Je kunt met me meegaan. Dan kunnen we daarna als je zin hebt een hapje eten, goed?'

'Oké.'

Greg stapte uit bed en liep de kleine, maar van alle gemakken voorziene badkamer in. De hitte van buiten kwam door het open raam naar binnen gedreven en de ventilator in het midden van het vertrek deed niet meer wat hij moest doen en wat hij de vorige avond nog wel had gedaan.

Sophie glipte bij hem de douchecabine in, maar Greg beweerde dat die echt niet groot genoeg was. Hij pakte een handdoek en begon zich af te drogen, terwijl zij zich door het water even liet afkoelen.

Er gingen allerlei gedachten door Sophie heen nadat ze met

Greg had gevreeën en had ontdekt dat hij vrijgezel was. Ze zou eens kijken hoeveel meer informatie ze in de loop van de dag nog uit hem los kon krijgen.

Ze wierp een blik op haar verkreukelde rok en blouse van de vorige avond, die nu in een knoedel op de vloer lagen. Een borstel had ze niet. Ze zou inventief moeten zijn; zij was Sophie Owens en ze zou er hoe dan ook voor zorgen dat ze er fantastisch uitzag. Ze haalde een haarelastiek uit haar tasje, boog haar hoofd en deed haar haar in een paardenstaart. Ze legde een knoop in de panden van haar blouse en trok die op tot vlak onder haar beha, zodat het er wat vlotter uitzag en meer geschikt voor overdag. Haar rok was gemaakt van chiffon en de kreukels zouden er vanzelf wel uit gaan tijdens het dragen.

'Oké, klaar?' Greg droeg een crèmekleurig poloshirt en een bruine broek met een vouw in de pijpen.

'Jawel,' zei Sophie met een glimlach. Met deze man was ze overal klaar voor.

Ze stapten naar buiten de Calle Obispo op en Greg pakte haar hand. Sophie grijnsde bij zichzelf. De fantastische man die naast haar liep vond ze zo begeerlijk dat het haar duizelde van opwinding. Ze liepen over de Calle Mercaderes en sloegen links af de Calle O'Reilly in.

'Hé, deze straat is zeker naar een Ier genoemd!'

'We hebben allemaal een beetje Iers bloed in onze aderen. Mijn grootvader kwam uit Belfast.'

'Echt waar?'

'Deze kant op,' zei hij, en hij loodste haar naar de entree van een appartementencomplex.

'¡Hola, señor!' Een oude vrouw knikte Greg toe toen hij door haar kleine en sobere woonruimte liep, waarin de enige meubels een tafel en een stoel waren.

Ze liepen aan de achterkant het pand weer uit en gingen een ander appartementencomplex binnen met een trap langs de zijkant.

'Pas op. De treden zijn wankel.'

Greg klopte aan op een deur die er zo aftands en verweerd uitzag dat hij nog amper als deur kon fungeren. De onderkant schraapte over de vloer toen hij openging.

Een mulattin schonk Greg vanachter de deur een glimlach. Ze kende hem goed.

'*Hola, señor Greg.*'

Ze maakten een praatje in het Spaans en Sophie voelde zich buitengesloten.

Greg bekeek het ene schilderij na het andere dat de vrouw hem liet zien en ze onderhandelden ruim een uur over de prijs. Sophie begon ongeduldig te worden en ze kreeg ook honger; ze hadden immers niet ontbeten. Ze was nog nooit eerder zo door een man behandeld. Uiteindelijk kwam ze tussenbeide.

'Hoor eens even, Greg, ik rammel. Kunnen we niet gewoon gaan?'

'Sorry, schat, maar ik ben aan het werk. Ga jij maar alvast; er is een toeristencafé op de hoek van Obispo en de straat waar we vandaan zijn gekomen. Als ik klaar ben zie ik je daar wel.' Hij wendde zich weer tot de mulattin alsof Sophie al was vertrokken.

Ze was diep verontwaardigd over hoe ze werd behandeld, maar ze besefte dat ze, behalve terugkeren naar haar zus, weinig keus had.

Ze daalde de wankele trap af en liep terug via de weg waarlangs ze was gekomen. De oude vrouw had inmiddels gezelschap gekregen van een oude man die op een enorme sigaar zat te kauwen. Ze stoorden zich geen van beiden aan haar en knikten vriendelijk toen ze langs hen liep.

Terug op de Calle Obispo zag ze een café waar een toeristenmenu met prijzen erbij voor het raam hing. Ze nam plaats bij het open raam, nog steeds kwaad op Greg omdat hij haar hier gewoon liet zitten terwijl hij zijn zaken afhandelde. Maar ze wilde hem, en misschien zat er voor hen samen wel meer in dan een vakantieliefde.

Felipe was van plan om Emma mee te nemen naar Vedado. Als hij haar kon afleiden door bezienswaardigheden te gaan bekijken, zou ze zich misschien kunnen ontspannen. Maar Emma staarde nog steeds voor zich uit naar de weg die voor hen lag, alsof ze naar een bepaalde plek zocht.

'Zou je het Plaza de la Revolución willen zien?'

'Jawel hoor. Voor mij is toch alles nieuw.'

Ze bevonden zich aan de rand van Vedado en hoefden er niet ver voor te rijden.

Felipe parkeerde aan de rand van de weg in een zijstraat van het Plein van de Revolutie.

Emma opende het portier en stapte soepel uit de auto. Ze wilde het tafereel voor haar goed in zich opnemen, maar ze kon alleen aan Paul denken en stelde zichzelf allerlei vragen; o, wist ze maar waarom hij zich van het leven had beroofd!

'Kijk, daar... Dat is Che,' zei Felipe, wijzend naar een groot officieel gebouw met een bronzen draadsculptuur van Che Guevara eroverheen, die op dermate grote schaal was uitgevoerd dat hij hele verdiepingen van het hoge bouwwerk omspande. Eronder stond te lezen: HASTA LA VICTORIA SIEMPRE. 'Dat is het *ministerio del Interior*.'

'Die spreuk heb ik ook op een poster gezien onderweg naar Varadero. Is dit de plek waar Fidel het volk altijd toesprak?'

'Ik heb hem hier heel wat keren gezien.'

Felipe keek naar Emma's mooie gezichtje terwijl ze, zonder dat in de gaten te hebben, haar blik over het plein liet gaan. Hij hield van blauwe ogen; die waren in zijn land heel bijzonder. Ze droeg een eenvoudig roze T-shirt en een witte rok, en haar donkere haar werd achterovergehouden door haar zonnebril. Op dat moment zou hij haar graag hebben gezoend.

'Ik heb je hoop ik niet gechoqueerd,' zei ze opeens, 'met wat ik over Paul zei.' Ze boog haar hoofd en liet haar zonnebril naar beneden glijden om haar ogen tegen de felle zon te beschermen.

'Mijn vrouw is van me weggelopen, met een andere man. Jouw man is bij je weggegaan vanwege zichzelf. Niemand weet wat er in een ander omgaat.'

Hij had zojuist precies beschreven hoe zij zich voelde, zonder dat ze dat in woorden had kunnen uitdrukken. Ze kon hem wel ter plekke om zijn nek vliegen. Maar dat deed ze niet.

'Dank je, Felipe.'

Hij glimlachte. Hij had bij deze prachtige Ierse vrouw de juiste snaar weten te raken. 'Kom, dan neem ik je mee naar een heel goed adresje waar we kunnen lunchen.'

Emma stapte de auto weer in en liet de wind door haar haar waaien terwijl ze over La Rampa reden. De straten in Vedado vormden een volmaakt raster en strekten zich helemaal uit tot de Malecón. In de verte zag Emma een groot gebouw dat ze herkende van foto's die ze van Havana had gezien.

'Gaan we daarheen?'

'Ja,' antwoordde Felipe met een glimlach.

Emma voelde zich vrij als nooit tevoren. Er was een last van haar af gevallen nadat ze Felipe in vertrouwen had genomen over Paul en nadat hij haar zijn treurige verhaal had verteld over zijn vrouw die hem verlaten had. In zekere zin leken ze op elkaar.

Toen ze over de met palmen omzoomde weg reden die naar het Hotel Nacional voerde, kon Emma de glimlach die zich over haar gezicht verbreidde niet onderdrukken. Ze voelde zich net een personage in een van haar boeken. Zou het kunnen dat Felipe op haar pad was gekomen om haar te inspireren tot een nieuwe manier van schrijven en leven? Ze voelde zich licht in het hoofd toen hij het portier van de Buick voor haar opendeed.

'Dank je wel,' zei ze blozend. 'Dat was met stip de fijnste autotocht die ik ooit heb gemaakt.'

'Ik denk dat het je hier wel zal bevallen.'

Het vijfsterrenhotel ademde een en al weelderige grandeur uit. Een hele rij bogen in klassieke art-decostijl vulde de foyer. Het pand was nauwelijks veranderd sinds de dagen van Frank Sinatra en Batista.

'Kom, moet je het uitzicht eens zien,' zei Felipe, en zachtjes pakte hij Emma bij de arm en leidde haar naar de tuin, waar de gasten ontspannen op rieten armstoelen zaten uit te kijken over de uitgestrekte Malecón en de Caribische Zee. 'Wat wil je drinken?'

'Iets kouds graag. Doe maar een cola.'

Felipe liep naar de barkeeper, die in de schaduw van een rieten dak op een verhoging stond. Emma nam plaats in een van de comfortabele stoelen en keek toe hoe de golven van de zee tegen de muren van de Malecón beukten. Opeens ging haar telefoon. Ze had zich al afgevraagd hoe lang dat nog zou duren.

'Sophie,' zei ze met een zucht. 'Ik heb slecht bericht gekregen van thuis.'

'Weet ik. Ik heb net je briefje gelezen.'

'Tja, volgens Donal kunnen we niets doen. Pap maakt het goed, maar ze hebben hem wel nog in het ziekenhuis gehouden.'

'Typisch, wel: als jij weggaat, overkomt mam altijd een of ander drama.'

Emma begreep niet wat haar zus zei. 'Hoe bedoel je?'

'Ik wil wedden dat ze van mam de meeste drukte maken, terwijl pap degene is die in elkaar is geslagen.'

Emma besefte dat ze gelijk had. Was ze maar thuis om de strubbelingen glad te strijken die vast en zeker tussen Louise en haar moeder zouden ontstaan.

'Waar zit je?'

'In de hotelkamer.'

'In je eentje?'

'Ik heb Greg beneden gelaten. Ik ben even teruggekomen om me om te kleden; we gaan lunchen bij El Patio. Greg vroeg nog of ik jou ook mee wilde vragen, maar het loopt lekker tussen ons, dus zou je alsjeblieft zo vriendelijk willen zijn uit dat restaurant weg te blijven?'

'Goed, hoor. Ik zal je feestje niet bederven!'

'Ik weet niet wanneer ik je weer zie.'

'Zorg in elk geval dat je morgenochtend om twaalf uur met al je bagage in ons hotel bent. Ik wil onze vlucht niet missen.'

Sophie klakte met haar tong. 'Kalm nou maar. Ik bel pap straks nog wel. Gebruikte hij verdorie die mobiele telefoon maar eens die ik hem met kerst heb gegeven.'

'Pas goed op jezelf, Sophie,' zei Emma, en ze hing op. Ze had echt graag gewild dat ze iets voor haar familie thuis kon doen. Ze nam zich voor later haar moeder te bellen om te vragen hoe het ging.

'De ober brengt straks onze drankjes en ik heb hem om wat sandwiches gevraagd.'

'Dank je, Felipe.'

'Alles goed?'

'Jawel, hoor. Ik had Sophie net aan de lijn; die is de hele dag onder de pannen.'

Felipe knikte. Ze hoefde het niet uit te leggen. Hij was blij met hoe het was gelopen, maar hield zijn gevoelens wijselijk voor zich.

'Heb je het me al vergeven dat ik zo lang met die mulattin in gesprek was?'

'Bijna.' Sophie knipperde met haar wimpers en gaf hem een speels duwtje tegen zijn arm.

'Ik ben al een tijdje met haar in onderhandeling over een bepaald schilderij en vandaag is de deal rondgekomen. Dat komt zeker doordat jij me geluk brengt, hmm?'

'Graag gedaan. Maar dit is mijn laatste dag op Cuba en ik heb nu een beetje aandacht nodig, vooral omdat ik niet weet of ik je ooit nog terugzie!'

Greg nam haar aandachtig op. 'Nou, dat hoop ik wel. Kom je wel eens in New York?'

Sophie schudde haar hoofd. 'Er was een tijd dat mijn baas gekke dingen deed, zoals mij daarheen sturen om research te doen, maar op dit moment mogen we al blij zijn dat we de boel draaiende houden. De enige reizen die we nog mogen maken zijn die naar China, en ik heb geen idee hoe lang dat nog zo blijft.'

'Er is veel aan het veranderen in het zakenleven. Er breken nieuwe tijden aan. Voor kunst is het net als voor de meeste producten lastig om waardevast te blijven.'

'Kom jij wel eens in Europa?'

'Eén of twee keer per jaar ben ik in Londen, maar de meeste zaken doe ik in New York. In Engeland heeft de recessie er behoorlijk in gehakt.'

'Praat me er niet van! Toch zou ik dolgraag een eigen lijn lanceren.'

'Waarom niet? Als het je lukt in zware tijden een bedrijf op te zetten, kun je wel nagaan wat er gebeurt als het met de economie weer beter gaat.'

'Ik heb een poosje gespeeld met de gedachte om gebreide kleren te recyclen – om ze letterlijk uit te halen en er iets nieuws van te maken, waarbij dan wol- en tweedsoorten gecombineerd zijn.'

'Klinkt goed. Daar zou je werk van moeten maken.'

'Denk je dat echt?'

'Ik vind dat iedereen zijn droom moet najagen. Dat heb ik in elk geval wel gedaan.'

'Wilde jij dan altijd al in kunst handelen?'

'Ik wilde graag kunstenaar worden, maar mijn vader vond dat ik een vak moest kiezen waar ik mijn brood mee kon verdienen. Ik wilde niet zoals hij arts worden, dus koos ik voor de bankwereld, maar daar beviel het me helemaal niet. Nadat hij was overleden investeerde ik het geld dat hij me had nagelaten in kunst en raakte zo vanzelf verzeild in de kunsthandel. Mijn moeder vertelde me dat er op Cuba veel goede kunstenaars waren, en toen ik hier een kijkje ging nemen bleek dat ook zo te zijn. Ik heb het geluk dat ik mijn ideale carrière heb gevonden.'

Sophie nam hem eens goed op terwijl hij zat te vertellen. Wat was hij aardig en sympathiek, en wat werd ze rustig van zijn stem! Ze dreigde echt als een blok voor dit exotische wezen te vallen.

Greg sloeg zijn arm om haar middel en leidde haar door de smalle straten van La Habana Vieja. Ze had het gevoel dat ze hem door de hitte en het stof heen kon inademen. Had ze maar meer tijd met hem. Ze moest voor elkaar zien te krijgen dat hij meer naar haar ging verlangen, maar dat was onbekend terrein voor haar, want in al haar relaties had zij altijd de troeven in handen gehad en had ze haar minnaars aan het lijntje gehouden. Maar bij Greg voelde ze zich kwetsbaar en was ze onzeker van zijn gevoelens voor haar.

Toen ze de Calle Ignacio achter zich lieten en de Plaza op stapten, kwam de gevel van de Catedral de San Cristóbal in zicht. Voor een oud koloniaal gebouw stonden her en der smeedijzeren tafels en stoelen; toeristen zaten er van ijsthee en water te nippen ter verkoeling van de hitte van de middagzon.

'Dit is El Patio. Het zal je volgens mij wel bevallen.'

De maître d' haastte zich naar buiten om Greg te begroeten. Hij sprak Spaans, met zo veel eerbied als Sophie tot dusver in nog geen enkele gelegenheid in Havana had meegemaakt.

'Zullen we *al fresco* eten?'

'Zeker weten.'

Greg zat lekker in zijn vel en was zelfverzekerd. Hij was een ongelofelijke minnaar. Sophie voelde zich nog onzekerder worden en had behoefte aan een of andere vorm van geruststelling dat vandaag niet de laatste keer zou zijn dat ze hem zag.

'Zullen we afspreken om elkaar over... laten we zeggen een week of zes... weer te zien?'

Greg glimlachte. 'Ik kan niet zomaar zeggen waar ik over zes weken precies ben. Dan moet ik eerst in mijn agenda kijken.'

'Nou, doe dat dan maar meteen. Ik heb je op je BlackBerry ook je mail zien controleren.'

'Soms moet ik mijn plannen op het laatste moment omgooien als er onverwacht een kunstwerk opduikt.'

'Kun je dan misschien over twee maanden een datum noemen?'

'Ik zei je al dat ik dan in New York ben.'

'Als ik terug ben van deze reis krijg ik van mijn baas niet zomaar meer vrij.'

'Oké, zullen we dan mailen en kijken wat we kunnen regelen?'

Sophie besefte dat ze meer commitment niet van hem kon verwachten; ze zou het cooler moeten spelen. Ze was te gretig. Misschien kwam het door de hitte van Havana dat ze zich zo behoeftig opstelde, maar diep in haar hart wist ze dat de passie en kracht van de knappe man naast haar de oorzaak waren, in combinatie met haar verlangen om hem voor zich te winnen.

Sophie was altijd vastbesloten datgene te krijgen waar ze haar zinnen op had gezet. Ze herinnerde zich dat ze als kind ook zo'n sterke wil had gehad toen Louise gaatjes in haar oren had laten maken. Emma had gaatjes laten prikken toen ze tien was geworden. Louise was nog maar acht toen haar moeder zwichtte voor haar gesmeek. Sophie was vier, en hoewel ze nog maar half zo oud was als Louise, vond ze dat ze er recht op had om óók te krijgen wat haar grote zussen hadden. Haar moeder dacht daar anders over. Hoe Larry Owens ook soebatte voor zijn jongste dochter, Maggie gaf geen duimbreed toe.

'Ik had het nooit goed moeten vinden dat Louise gaatjes liet prikken, en dat zóú ik ook niet goed hebben gevonden als ik had kunnen voorzien dat ik al dat gezeur aan mijn kop zou krijgen!' riep ze Sophie toe. 'Als je niet kunt wachten tot je acht bent, ga dan maar bij oma Owens wonen!'

Sophie was in onbeheersbaar snikken uitgebarsten. Ze was helemaal van de kook dat ze naar oma Owens gestuurd werd, zodat Maggie zich in betrekkelijke rust kon bezighouden met de voorbereidingen van Louises verjaardagspartijtje.

Maar de tranen waren niet gestopt en zeven dagen lang had ze zo chagrijnig door het huis lopen banjeren dat Maggie haar hoogstpersoonlijk naar de juwelier bracht om een paar gouden knopjes te laten zetten. Op dat moment wist Sophie dat ze haar ouders in haar zak had. En er was geen weg terug meer.

Ze was nog maar piepjong, maar had het voor elkaar dat ze haar zin kreeg.

En Greg zou ze ook krijgen. Ze had nog maar een paar uur de tijd, maar ze wist zeker dat het haar zou lukken!

'Kom,' zei Felipe, en hij stond op. 'Dan laat ik je het hotel zien.'

Foto's van Sammy Davis Junior, Fred Astaire en andere grote Amerikaanse entertainers bekleedden de muren van de gang.

'Ik voel me vandaag net alsof ik terug in de tijd reis. Je hebt een geweldige auto, Felipe. Het zal wel flink wat geld kosten om die op de weg te houden.'

'Het is nog niet zo eenvoudig om er een auto op na te houden. Als je hem hebt geërfd en hij voor de revolutie is aangeschaft, mag je hem houden. Dan gelden er ineens een heleboel aparte regels. Sinds Raúl het stokje van Fidel heeft overgenomen heeft hij geprobeerd een paar veranderingen door te voeren, maar de oudere ministers willen daar niets weten. Het is bijvoorbeeld niet meer zo moeilijk om telefoon te krijgen.'

'Ja, daar heb ik mensen op straat mee zien lopen. Maar dat is toch een positieve ontwikkeling?'

'Er valt een heleboel te doen, en sinds de orkaan is voedsel ook een probleem. Er is niet genoeg voor alle mensen in het land – nog meer rantsoenen dus.'

'Had je op de een of andere manier kunnen meehelpen als je jurist was gebleven?'

Hij schudde zijn hoofd. 'Het is erg moeilijk om in dit land vooruit te komen.'

'Heb je wel eens overwogen van Cuba weg te gaan?'

'Ach, ik zou inderdaad wel iets van de wereld willen zien. Misschien dat dat er nog een keer van komt.'

'Als je ooit naar Ierland wilt, ben je bij mij thuis van harte welkom.'

Felipe lachte.

'Wat lach je nou?'

'Het is niet zo makkelijk om van Cuba weg te gaan. Daar heb je een heleboel papieren voor nodig. En ook *mucho dinero.*'

Emma nam zichzelf haar ongevoeligheid kwalijk. 'Nou, ik zal je mijn e-mailadres geven en als je ooit de kans krijgt om naar Ierland te komen, zou ik je graag net zo gastvrij ontvangen als jij mij.'

Felipe leek in verlegenheid gebracht. 'Heb je zin om terug te gaan naar de oude stad? Of misschien het strand?'

'Ik blijf het liefst in de stad, want ik heb alleen deze ene dag nog maar.'

Ze liepen het hotel uit, terug naar de Buick, die stond te blinken in de zon.

Toen ze over de Malecón reden, met de wind in haar gezicht, had Emma weer het gevoel dat ze haar eigen roman was binnengestapt. Misschien moest ze de plot veranderen, want waarom zou ze voor de verandering niet eens iets romantisch schrijven? Er was tenslotte niets zo romantisch als over de Malecón toeren in een Amerikaanse vintage-sportwagen in het gezelschap van een aantrekkelijke Cubaan.

Momenteel was ze veel meer in de stemming om over de liefde te schrijven dan over de dood. De afgelopen zeven maanden had de dood haar overal achtervolgd.

14

Jack zat in de hoek van het Quay West-restaurant van zijn cappuccino te nippen. Nu hij hier in zijn eentje zat, voelde hij zich heel anders dan tijdens de lunch met Louise.

Kon hij de tijd maar terugdraaien naar die dag in de DART toen hij haar na veertien jaar weer voor het eerst had gezien. Als dat zou kunnen, had hij liever de volgende trein genomen. Wanneer hij haar niet was tegengekomen, zou hij nu druk bezig zijn met de plannen voor zijn bruiloft met Aoife en zouden ze gelukkig zijn, zoals ze in New York waren geweest. Maar terwijl hij zijn lepeltje pakte en de hete koffie omroerde, ging hetzelfde gevoel van twijfel door hem heen als die keer dat ze de verlovingsring met een enkele steen hadden gekocht. Talloze malen had hij een stemmetje vanbinnen horen vragen of hij wel heel zeker wist dat hij gelukkig was met deze ontwikkelingen. Doordat hij Louise tegen het lijf was gelopen waren de twijfels die hij had weggedrukt alleen maar bevestigd.

Jacks telefoon ging over en hij nam op.

'Hallo?'

'Jack, met Peter.'

Jack moest even nadenken. Hij herkende de stem, maar wist niet goed waar hij die moest plaatsen.

'Peter Kelly, van school.'

'Peter!' Jack wist het weer. 'Hoe is het met je? Dat is jaren geleden! Hoe ben je aan mijn nummer gekomen?'

'Ik kwam je moeder tegen in Killester en ze vertelde me hoe het met je was. Heb je zin om een biertje te drinken?'

'Jawel. Niet te geloven, zeg! Waar woon je?'

'Ik ben in Glasnevin. Ik ben nu drie jaar thuis en wist niet dat jij ook weer terug was. Zullen we afspreken in de stad, of zullen we maar gewoon dicht in de buurt blijven en naar Harry Byrne's gaan?'

Jack glimlachte toen hij die naam hoorde. Hij was in geen jaren bij Harry's geweest, en in hun jonge jaren hadden ze daar altijd geprobeerd drank te bestellen.

'Iets dicht in de buurt klinkt goed. Wat doe je vanavond?'

'Ik heb geen plannen. Vanavond zou prima uitkomen.'

'Oké, een uurtje of negen dan?'

'Goed. Tot dan, Jack.'

Met een glimlach dronk Jack zijn koffie op. Hij had vroeger een leuke tijd gehad met Peter. Op school trokken ze veel met elkaar op. Ook al waren ze daarna aan verschillende *colleges* gaan studeren, toch waren ze goede vrienden gebleven. Pas toen Jack naar Amerika was vertrokken hadden ze het contact verloren, en mannen waren er nu eenmaal niet goed in oude vriendschappen te onderhouden door kerst- en verjaardagskaarten te sturen, zoals vrouwen deden.

Hij zou het leuk vinden om de draad weer op te pakken.

Aoife ging naar huis met een tas vol kleren en toiletspullen. Ze zat te snikken, maar wist niet of ze haar vader en moeder iets zou vertellen, en zo ja wat. Ze dacht niet dat ze haar gevoelens nog langer zou kunnen verbergen. Misschien had haar moeder wel goede raad.

Ze parkeerde op de oprit en kwam door de achterdeur het huis binnen.

Haar moeder zat aan de keukentafel met een tijdschrift en een mok thee voor zich.

'Ha, lieverd, kom je nog een nachtje terug?'

Aoife knikte, maar durfde haar mond niet open te doen, uit angst dat ze dan in tranen zou uitbarsten.

Haar moeders intuïtie zei haar echter dat er iets aan de hand was.

'Aoife, is alles wel goed, schat?'

Aoife schudde haar hoofd.

Haar moeder stond op, liep naar haar toe en voerde haar met zachte hand naar een stoel aan de tafel.

'Ga zitten en vertel me maar eens wat er is.'

Aoife barstte in snikken uit en sloeg haar handen voor haar vlekkerige gezicht.

Haar moeder pakte wat keukenpapier en gaf het aan haar.

Aoife snikte in het zachte papier. 'Het gaat om Jack. Er is iets gebeurd, mam, maar ik weet niet precies wat. Hij doet ineens heel raar over de bruiloft.'

'Heeft hij die afgezegd?'

'Nee, maar hij wil het niet uitbundig vieren. Hij vindt dat we doordraven en wil de trouwerij uitstellen.'

'Durft hij ineens niet meer?'

'Hè?'

'Mannen moeten soms door een bepaalde fase heen, dat komt wel vaker voor. Je vader was ook niet zo geweldig met alle voorbereidingen voor ons huwelijk, en wíj hielden maar een bescheiden feestje in het North Star Hotel.'

'Ik weet niet waar het door komt.'

'Wat wil hij dan?' Eileens toon werd nu fermer; de woede die ze jegens de verloofde van haar dochter voelde kon ze niet langer verhullen.

'Hij wil dat we gewoon blijven samenwonen en de bruiloft uitstellen.'

'En wat heb jij gezegd?'

'Ik heb gezegd dat ik hierheen zou gaan en dat ik erover na wilde denken.'

'Goed zo – die jongen heeft wel lef! Sommige mannen hebben het gewoon té goed. Beseft hij wel dat hij zijn handjes mag dichtknijpen dat hij zo'n mooie meid als jij aan de haak heeft geslagen, en wat je vader en ik allemaal hebben gedaan om hem te helpen? Als ik jou was, zou ik hem maar eens even flink laten zweten. Je hebt hier in Malahide nog steeds een heleboel vrienden. Ga lekker uit, geniet ervan en geef hem reden om zich zorgen te maken.'

Aoife pakte nog een stuk keukenpapier van haar moeder aan en veegde haar neus af.

'Bedankt, mam.'

'Het komt wel goed, weet je. Alles komt uiteindelijk op zijn pootjes terecht.'

'Weet ik,' zei Aoife knikkend.

Eileen stond op om de waterkoker aan te zetten en de woede die op haar gezicht gegrift stond te verbergen. Als ze Jack Duggan in haar vingers kreeg, zou ze hem met alle liefde vermoorden.

Maggie Owens besloot dat ze graag naar huis gebracht wilde worden.

'Dank je wel dat je me uit de brand hebt geholpen, maar de kinderen maken wel erg veel kabaal.'

Louise wist heus wel dat haar kinderen geen heilige boontjes waren, maar zó erg misdroegen ze zich nu ook weer niet. Dit was haar moeders manier om haar een rotgevoel te geven.

'Red je het thuis dan wel in je eentje?'

'Ik zet vanavond gewoon het alarm aan.'

'Dat zouden pap en jij elke avond moeten inschakelen. Ik snap niet waarom jullie het hebben laten installeren als je het toch niet gebruikt.'

'Dat zal ik doen. Misschien kijk ik wel of Adele Harris van verderop in de straat me gezelschap wil houden; die legt graag een kaartje.'

Louise slaakte een zucht van verlichting. Het zou heel fijn zijn als haar moeder naar huis ging. Het was stressen geweest om heen en weer te vliegen van en naar het ziekenhuis en ondertussen haar kinderen en haar moeder in het gareel te houden. Donal had goed meegeholpen en ze voelde zich met de dag schuldiger over haar gedachten aan Jack. Haar leven lag bij haar familie en het was aan haar om te zorgen dat iedereen bij elkaar bleef. Maar het was wel fijn om te weten dat hij haar nog steeds aantrekkelijk vond.

Jack keek in het achterzaaltje van Harry Byrne's Bar. Het was druk voor een maandag, maar strikt genomen was het nog steeds Pasen, dus sommige mensen plakten er misschien nog een paar vrije dagen aan vast. Anderen hadden geen werk waar ze heen moesten. Hij bestelde een glas Heineken en liet zijn blik door het vertrek gaan.

Peter zat in de hoek op een hoge kruk. Jack herkende hem meteen, zelfs met zijn geitensikje en uitgedunde haar.

'Hé, goed je te zien!' Jack stak zijn hand uit en Peter schudde die krachtig.

'Te gek om jou te zien, Jack. Je bent geen spat veranderd.'

'Dat wilde ik ook net van jou zeggen. Wat een tijd geleden.'

'Op weg hiernaartoe probeerde ik uit te rekenen hoe lang het geleden is. Dat moet toch wel iets van zeven jaar zijn.'

'Klopt, volgens mij. We zijn hier een keer met kerst iets gaan drinken met Ray en de jongens.'

'Ja. Heb je nog wel eens iets van Ray gehoord?' vroeg Peter.

'Nee. Waar hangt hij tegenwoordig uit?'

'Hij is als dotcom-miljonair in Australië gaan rentenieren.'

'Nou, fijn voor hem. Zie je een van de anderen nog wel eens?'

'Conor, uit onze band, woont hier nog steeds in de buurt, in het zuiden van de stad, en doet iets met auto's. Maar hij hééft tenminste werk.'

'Ik heb in geen jaren aan hem gedacht.'

'Soms denk ik dat we beter niet hadden kunnen gaan studeren,' zei Peter, 'en dat we bij elkaar hadden moeten blijven om grof geld te verdienen.'

'Nou, er is anders maar één U2. Hoeveel andere bands hebben het niet geprobeerd zonder dat het ooit iets is geworden?'

'Dat klinkt niet als de Jack Duggan die ik nog van school ken. Jij hebt er alles aan gedaan om ons bij elkaar te houden; jíj was degene die dacht dat wij de volgende hit zouden worden.'

'Ach ja, soms gaat je leeftijd met je op de loop en blijft er van je gezond verstand weinig over.'

'Wauw, Jack, wat is er met jou gebeurd? Was jij niet de man die

189

altijd de moed erin hield en me voorhield dat ik niet te verslaan was?'

'Ach, ik heb een slechte dag. Problemen met vrouwen.'

'Je moeder zei dat je verloofd was.'

'Ja. Maar dat is een lang verhaal.'

'Ik heb tijd zat!'

Jack vroeg zich af of hij Peter, die inmiddels bijna een vreemde voor hem was, wel moest vertellen hoe hij zich voelde. Normaal gesproken zou hij zoiets niet doen.

'Laten we het over de goeie ouwe tijd hebben. Zie je Niall nog wel eens?'

'Ik weet niet waar die is gebleven. Hij was indertijd helemaal hoteldebotel van juffrouw Owens. Herinner je je haar nog?'

Jack nam een kleine slok van zijn biertje. 'Eh... ja. Laatst kwam ik haar nog tegen.'

'Dat meen je niet! Hoe zag ze eruit?'

'Nog bijna hetzelfde.' Hij schokschouderde.

'Als ik me goed herinner was jij ook stapelgek op haar. Ik dacht altijd dat ze een oogje op je had, want het was altijd: "Jack, wil je me hier even mee helpen?" of: "Jack, kun jij dat voorlezen", of, mijn favoriet: "Jack, wil jij de raamstok gaan halen?"'

Peter lachte joviaal, maar bij Jack kon er maar een klein lachje af.

'Soms was het alsof jij de enige was in de hele klas!'

Nu nam Jack een grote slok van zijn biertje. 'Nou, ja, ze was enthousiast over onze band en onze muziek, en ik dacht dat ze ons wilde aanmoedigen.'

'Vertel eens: waar kwam je haar tegen?'

'In de DART, en daarna was ze een keer met haar kinderen op zondag in Howth.'

'Als ik er nog eens over nadenk, was ze waarschijnlijk niet veel ouder dan wij. Geeft ze nog steeds les?'

'Nee.'

'Wat jammer. Waarom houden coole leraren er toch altijd mee op? Weet je nog, die ouwe Hackett? Ik wil wedden dat hij nog

steeds loopt te blaten en kinderen natuurkunde voor hun hele leven tegen maakt.'

'Ja. Maar we hebben ook vaak lol gehad. En hoe zit het met jou:
getrouwd, gescheiden of op zoek?'

'Ik ben een happy single – op het nippertje ben ik de dans ont-
sprongen. Vijf jaar heb ik met iemand samengewoond. We waren
bijna getrouwd, maar het werkte niet. Je weet hoe dat gaat.'

Jack kon wel aan zijn stem horen dat er een heel verhaal achter
zat, maar het was nog te vroeg in hun hernieuwde kennismaking
om het allemaal te horen te krijgen.

'Zit je nog steeds in de verf en interieurs?'

Peter lachte in zijn glas. 'Hield ik me daarmee bezig toen je me
voor het laatst zag? Nee, godzijdank heb ik dat achter me gelaten.
Toen ik in Londen was, heb ik een reclameopleiding gevolgd en
sinds ik terug ben werk ik voor een ontwerpbureau. Het zijn momenteel interessante tijden; door de recessie is elke opdracht een
des te grotere uitdaging.'

'Dat klinkt goed.'

'En wat doe je zelf?'

'Ik schrijf. Ik heb een plekje gekregen bij de *Irish Times* en dat
heb ik nog steeds, terwijl figuren die veel ervarener zijn en meer
verdienen de laan uit gestuurd worden.'

'Je bent vast een goede schrijver. Speel je nog steeds gitaar?'

Jack lachte en schudde zijn hoofd. Hij had nooit kunnen denken
dat hij daar ooit mee zou stoppen, maar het was nu drie jaar geleden dat hij voor het laatst een snaar had aangeraakt. 'Nee, daar ben
ik helemaal klaar mee.'

'Ik mis het wel. Ik heb afgelopen jaar zelfs een drumstel gekocht,
maar toen mijn vriendin en ik uit elkaar gingen kon ik het nergens
kwijt, dus nu staat het bij mijn moeder in de schuur.'

'Je bent niet goed wijs – en woon je ook weer bij je moeder?'

'Ja. Ik moest wel toen het uitging met Melanie. Zij nam het appartement over dat we hadden gekocht – godzijdank, want het is
nu minder waard dan eerst.'

'Misschien zouden we weer straatmuziek moeten gaan maken;

dat hebben we immers vroeger na school ook een paar keer gedaan.'

'Het waren mooie tijden, Jack.'

Jack grijnsde. Het waren inderdaad héél mooie tijden. Maar om een heel andere reden dan Peter dacht. 'Hoor eens, kan ik je een geheim vertellen? Ik wil alleen niet dat je er iemand ook maar iets over vertelt – nooit!'

Peter was geïntrigeerd. Hij moest wel ja zeggen om meer te horen.

'Het is heel raar dat jij me zomaar ineens opbelde,' vervolgde Jack, 'want ik moet echt met iemand praten. Geloof jij in toeval?'

Peter haalde zijn schouders op.

'Nou, ik zei toch net dat ik juffrouw Owens tegen was gekomen? Dat was wel op een ongelukkig moment. Ik weet het niet zeker, maar ik geloof dat ik koudwatervrees heb wat Aoife betreft, mijn verloofde. En toen sprak ik met juffrouw Owens af om te gaan lunchen, en de waarheid is... dat we een verleden hebben.'

'Verklaar je nader.'

'Het klinkt idioot, maar voordat we examen moesten doen ben ik bij haar thuis geweest om nog het een en ander door te nemen – alleen kwamen er bij wat we doornamen niet echt boeken aan te pas, als je begrijpt wat ik bedoel.'

Peters mond viel open. 'Je hebt toch niet...?'

'Jawel,' zei Jack met een uitgestreken gezicht.

'Vieze vuilak!' grijnsde Peter. 'Klojo, waarom heb je nooit iets gezegd?'

'Precies om hoe je nu reageert!'

'Wauw, te gek!'

'Dat was het inderdaad, en de waarheid is dat ze het daarna voor me verpestte met de studievriendinnen waar ik iets mee kreeg nadat zij en ik uit elkaar waren gegaan. Ik heb tijdenlang geen vrouw meer kunnen vertrouwen.'

'Wat een leerschool, zeg. En als je het verkeerd deed, moest je dan weer helemaal opnieuw beginnen?'

'Ik had gehoopt dat je serieus naar me zou luisteren,' zei Jack.

'Sorry, ik weet gewoon niet wat ik hoor. Ik zie groen van jaloezie. Geen wonder dan dat je helemaal de kluts kwijt bent nu je haar weer bent tegengekomen.'

'Ik weet niet waar ik het zoeken moet.'

'En wat is Aoife voor iemand?'

'Een geweldig lekker ding.'

'Teiltje! Ik heb in geen vier maanden een wip gemaakt; ik had misschien beter níét hier met jou kunnen afspreken.'

'Sorry, maat. Ik kan alleen maar zeggen hoe het is.'

'Nou, ik denk dat ik ook maar eens naar die plekken ga waar jij komt.'

Jack lachte. 'Maar ik weet niet wat ik nu moet doen!'

'Kun je het niet met allebei doen? Ik bedoel, de een is al getrouwd en de ander is op afroep beschikbaar.'

Jack wist niet goed tot Peter door te dringen. 'Vergeet het maar.'

'Ik doe vannacht geen oog dicht bij het idee van jou met juffrouw Owens. Niet geloven dat je dat nooit aan een van ons hebt verteld.'

'Ik was echt gek op haar.'

Peter deed er het zwijgen toe en nam een slok van zijn biertje. Dit was niet het soort gesprek dat hij normaal gesproken voerde met zijn vrienden. 'Sorry, Jack, ik ben niet zo goed in adviezen. Ik heb er nooit, zoals jij, slag van gehad met vrouwen om te gaan.'

Daar was Jack het niet mee eens. Als hij inderdaad wist hoe hij met vrouwen moest omgaan, zou hij nu niet zo in de penarie zitten.

15

Greg stond op en veegde het zand van zijn lichaam. De zon was aan het ondergaan en de golven beukten harder tegen de kust van Playa Santa Maria.

'Heb je trek?'

'Ik rammel,' antwoordde Sophie, terwijl ze haar blik over het slanke en gespierde lichaam dat voor haar stond liet gaan.

'Mooi zo. Ik heb over een uur een afspraak met een overheidsambtenaar in een van de restaurants bij de Plaza de Armas.'

Sophie kwam op haar ellebogen overeind en fronste. Ze was ervan uitgegaan dat ze de knappe Canadees helemaal voor zich alleen zou hebben. Dit paste helemaal niet in haar plannen.

'Voordat we uit eten gaan moet ik wel even terug naar het hotel,' zei ze.

'Daar hebben we niet veel tijd voor. Is het een idee dat jij teruggaat naar het hotel en later bij me komt? Dan kun je meteen kijken of Emma ook met ons mee wil.'

Sophie snoof. Dat was bepaald niet wat ze voor die avond had gepland. 'Hoe komen we terug bij het Parque Central?'

'We kunnen een taxi nemen. Je kunt mij onderweg afzetten in de buurt van mijn hotel; dan kan ik me scheren en even snel verkleden.'

Sophie trok haar kleren aan en zocht het bundeltje handdoeken en strandspullen bij elkaar.

Tijdens de terugrit in de taxi zei ze geen woord, en toen Greg op de kruising van de Plaza de Armas en Obispo uitstapte, wist ze alleen een flauw glimlachje op te brengen.

'Tot over een uur dan ongeveer. Het restaurant is groen geverfd. Daar is het...' Hij wees.

'Oké,' antwoordde ze, en ze liet zich door de taxi terugbrengen naar El Telegrafo.

Tot haar verrassing zag ze dat Emma de hele dag niet terug was geweest. Ze vroeg zich af hoe het haar zus was vergaan met de taxichauffeur; wat haar betrof waren alle geboren en getogen Cubanen op de versiertoer, zoals José in Varadero, en ze hoopte maar dat haar naïeve zus er niet in geluisd werd.

Ze wierp een blik op haar horloge. Het was al te laat om haar vader te bellen; dat had ze eerder moeten doen. Maar voor een telefoontje naar Louise was het niet te laat.

De kiestoon klonk harder en langzamer dan anders.

'Hallo?'

'O, hai, Sophie,' zei Louise zachtjes. 'Hoe laat is het bij jullie? Wij liggen allemaal al in bed!'

'Het is hier ongeveer half zes. Hoe gaat het met papa?'

Louise trok haar ochtendjas aan en liep naar de overloop, om haar slapende echtgenoot niet te storen.

'Hij maakt het goed. En mam is vanavond weer naar huis gegaan.'

'Dat is wel een opluchting, zeker?'

'Het zal fijn zijn als jullie allebei weer thuis zijn. Het is zwaar om telkens in mijn eentje naar het ziekenhuis te gaan.'

'Als ik terugkom, krijg ik het anders heel druk met mijn werk.'

'Je kunt best een handje helpen; je hebt net tien dagen in de zon gelegen. Ik heb er niets op tegen dat Emma er even tussenuit wilde, maar jij gaat vaak genoeg weg!'

'Ben je nog steeds kwaad op me?'

'Ik kan gewoon niet geloven dat je met haar op vakantie bent gegaan, na alles wat je achter haar rug om hebt uitgespookt.'

'Dat moet jij zeggen! Alsof jij zo'n heilige bent!'

'Ík zou mijn zus zoiets niet aandoen.'

Sophie lachte in de hoorn. 'Effe dimmen, Louise. Zeg nou maar tegen pap, als je hem morgen ziet, dat ik gebeld heb om te vragen hoe het met hem is. Ik moet nu gaan.'

Zonder op een antwoord te wachten hing ze op. Louise was ontzettend opgefokt tegenwoordig. Ze maakte bepaald geen reclame voor het huwelijk en ouderschap.

Ze dacht aan Paul, en haar hart kromp samen; van alle plannen voor haar volmaakte leventje was niets meer over. Maar misschien was er toch nog een bevredigende toekomst voor haar weggelegd: een fijn huwelijk met iemand die haar hogelijk fascineerde – zoals Greg. Ze hadden nog één nacht samen, maar ze zou er wel voor zorgen dat hij zo gek op haar werd dat hij haar nog vaker wilde zien.

'Het is een heerlijke dag geweest, Felipe,' zei Emma. 'Dank je wel dat je me zo veel mooie plekken hebt laten zien.'

'De zon gaat nu onder en dan is Havana op z'n mooist.'

'Maar ik heb al op zo'n groot deel van je dag beslag gelegd.'

'Ik heb me tot nu toe erg geamuseerd. Ik zou je graag meenemen naar een speciaal plekje om naar de zonsondergang te kijken. Voor Habaneros is het traditie om naar La Cabaña te gaan.'

'Naast het Moorse kasteel?'

'Ja. Wat weet je snel de weg in Havana.'

Emma waardeerde het ontzettend dat ze een privégids had die zo op en top een heer was. Ze was niet zeker van zijn gevoelens voor haar. Hij was van nature gereserveerd, maar haar vrouwelijke intuïtie zei haar dat hij niet al vanaf tien uur die ochtend met haar zou zijn opgetrokken als hij zich ook niet enigszins tot haar aangetrokken voelde.

'Bedankt dat je de hele dag met me wilde optrekken en me alle bezienswaardigheden hebt laten zien. Als ik in mijn eentje was gegaan, was het niet hetzelfde geweest.'

'Ach, ik ben vaak ook maar alleen. We kunnen iets gaan eten en daarna het kasteel bezoeken om *el cañonazo* te zien.'

'Wat is dat?'

'Elke avond om negen uur hullen leden van de Revolutionaire Garde zich in het tenue van Engelse soldaten en schieten ze *el cañon* af.'

'Geweldig. Dat klinkt als iets dat ik wel wil zien.'

Nadat ze in een kleine paladar, die volgens Felipe de beste van heel Havana was, heerlijke krabkroketjes met rijst hadden gegeten, reden ze langs de kronkelende baai om de stad vanaf de andere kant te bekijken en het spektakel van *el cañonazo* te zien. Een paar toeristen en plaatselijke bewoners waren op hetzelfde idee gekomen en stonden geduldig te wachten aan de rand van een groot plateau dat een panoramisch uitzicht bood op de rest van de stad. Ze gingen op de achttiende-eeuwse muren zitten kijken hoe er steeds meer mensen toestroomden.

'Zo meteen roept de soldaat: "*¡Silencio!*" om de stadsbewoners duidelijk te maken dat de muren gesloten zijn voor de nacht,' fluisterde Felipe in Emma's oor.

Dat gebeurde een paar tellen later inderdaad, en de soldaat werd gevolgd door zes anderen; een van hen hield een vlag omhoog en een andere sloeg op een trommel een langzame, gestage mars. Hun rode kostuums en zwarte driekantige hoofddeksels zagen er rommelig uit, heel anders dan de uniformen die Emma eerder in films en musea had gezien.

De gardist die de leiding had pakte een toorts en stak een hele rij toortsen achter het grote zwarte kanon aan. De ceremonie duurde kort en toen de vlam flitste en er een enorme knal over de baai klonk, begon iedereen te juichen.

'Zoiets heb ik nog nooit eerder gezien. Dat was heel mooi. Leuk dat je me er mee naartoe hebt genomen,' zei Emma, en toen ze zich omdraaide zag ze het vuur van de toortsen weerspiegeld in Felipes ogen.

'Ik ben blij dat je het mooi vond.' Hij glimlachte en draaide zijn hoofd weg om het laatste gedeelte van het spektakel te zien.

Het was heel romantisch om zo te zitten in het warme avondbriesje dat om hen heen speelde. Felipe leek een volkomen andere man dan de avond tevoren. Emma bestudeerde zijn profiel terwijl hij zat te kijken; ze zou niet kunnen zeggen of hij zich ervan bewust was dat ze hem zat op te nemen of niet. De rebelse advocaat die alles had opgegeven om in een taxi te gaan rijden – wat zou ze graag meer van hem willen weten. Ze wilde hem beter leren kennen, maar over een paar uur was haar verblijf in Havana ten einde. Plotseling besefte ze dat ze hem diep in haar hart ontzettend graag terug wilde zien. Waren ze maar een paar maanden verder geweest, want nu rouwde ze nog om Paul. Desondanks voelde ze zich in Felipes gezelschap gelukkig en geborgen, en veel vrolijker dan ze zich, om eerlijk te zijn, in de tijd kort voor Pauls dood had gevoeld.

Felipe draaide zich om om haar aan te kijken. 'Heb je nu zin om naar jazz te gaan luisteren? Ik weet een goede plek.'

Wat is hij toch verbazingwekkend, bedacht Emma. Een knusse jazzclub was precies waar ze zin in had om een volmaakte dag te besluiten.

'Klinkt goed.'

De terugrit om de baai heen en over de Malecón was heerlijk en er liepen nu veel meer Habaneros op straat dan anders.

Emma begon te herkennen waar ze waren. 'Zijn we nu in Vedado?'

'Ja. Zo meteen kun je mijn baan nog overnemen!'

Emma lachte. Ze zou proberen zich dit moment te blijven herinneren, zoals ze zich nu voelde, en een deel van deze positieve emoties gebruiken voor haar boek.

Felipe sloeg links af de Calle 23 in en minderde vaart. Hij zocht naar een parkeerplek in de buurt van een hoek waar politie stond en parkeerde de Buick.

Op straat was het een levendige boel; veel Cubanen en toeristen maakten zich op voor een avondje uit.

Felipe bracht Emma naar een gebouwtje dat eruitzag als een oude telefooncel, die rood was geverfd zoals in de jaren tachtig in Londen. De cel was een onderdeel van de entree tot de ondergrondse club.

'Moeten we daarin?'

'Ja,' zei Felipe met een glimlach toen hij Emma verschrikt zag kijken. 'Dit is La Zorra y el Cuervo, de beste jazzclub van Havana.'

Vlak naast de telefooncel stond een lange man met een geschoren hoofd en een donkere zonnebril. Hij was te knap, en ook te vriendelijk, om in een stad elders ter wereld een uitsmijter te kunnen zijn. Hij ging hun voor het krappe halletje in en een trap af, waaronder de grotachtige bar verborgen was. De klanken van een saxofoon en percussie-instrumenten kwamen het tweetal al tegemoet voordat ze in het intieme bargedeelte waren aangekomen. Afbeeldingen en foto's van de vele musici die hier hadden gespeeld sierden de muren en achter de bar was het gebruikelijke scala aan drank- en rumflessen te zien. In de hoek maakte een grote glazen vitrine reclame voor de fijnste Cubaanse sigaren, en de rook van degenen die een Cohiba deelden dwarrelde door de lucht.

'Waar heb je trek in?' vroeg Felipe.

Emma voelde zich een tikje ongemakkelijk door Felipes vriendelijkheid en generositeit; hij mocht dan de best betaalde baan van de hele stad hebben, maar zelfs zijn fooien konden nooit genoeg zijn om haar zo als zijn gast te onthalen.

'Laat mij alsjeblieft betalen.'

'Voor mij rekenen ze andere prijzen. Jij betaalt meer, omdat je toerist bent.'

'Nou, omdat je zo aandringt. Maar laat me je dan iets terugbetalen. Je hebt me de hele dag rondgereden en in de watten gelegd.'

'Het is fijn om jou bij me te hebben.'

Op dat moment zag Emma iets glimmen in zijn ogen dat bevestigde wat ze al had vermoed: hij voelde zich inderdaad tot haar aangetrokken.

'Zoek maar een plekje,' zei hij.

Emma koos een tafeltje naast een zuil van waaraf ze goed zicht had op het kleine podium. Een muurschildering sierde de wand achter de musici. Ze keek naar het mengelmoesje van mensen om zich heen; sommigen waren duidelijk plaatselijke bewoners. Ze had de avond tevoren Cubanen gezien die zich kleedden in een hagelwit shirt en een hagelwitte broek en baret, zodat ze door het contrast met hun donkere huid opvielen tussen de andere stadsbewoners, die zich liever kleuriger kleedden.

Felipe zette twee mojito's op het ronde tafeltje, trok een stoel naar achteren en ging zitten.

'Vind je het wat hier?'

'Het is geweldig. Heel anders dan alle andere plekken waar ik ben geweest.'

'Er spelen hier prima muzikanten – ook studenten van de muziekschool in Havana.'

'Het is de allerbeste manier om de dag te besluiten,' zei Emma, en ze hief haar glas voor een toost.

Felipe glimlachte. Hij had net zo van de dag genoten als zij. Het was lang geleden dat hij er zo veel tijd aan had besteed om een vrouw aangenaam bezig te houden. Maar Emma was dan ook niet de eerste de beste. Ze was heel exotisch met haar zwarte haar en doordringende blauwe ogen, volkomen anders dan zijn vroegere echtgenote en de meeste vrouwen met wie hij korte tijd was omgegaan sinds die de benen had genomen. Hij kreeg ontzettend veel zin om haar te kussen, maar angst voor afwijzing weerhield hem daarvan. Zijn vrouw had littekens achtergelaten op zijn ziel en hij zou voorzichtig moeten zijn, want de harde werkelijkheid was dat hij Emma na vanavond waarschijnlijk nooit meer terug zou zien.

Sophie zocht zich behoedzaam een weg over de Calle Obispo. Ze had een taxi moeten nemen. Om de een of andere reden had ze gedacht dat de wandeling van haar hotel naar dat van Greg veel korter zou zijn. Dat was de vorige avond tenminste wel zo geweest, maar toen was ze dan ook met hem samen.

Ze drong zich door de mensenmassa heen die zich had verzameld voor een café van waaruit de salsamuziek op straat te horen was.

In de verte kon ze het restaurant zien dat Greg haar had uitgeduid. Hij zat buiten aan een tafeltje met een man in een donkergrijs pak die een stuk kleiner was dan Greg en wiens buik over zijn broekriem bolde. Zijn hoofd was kaalgeschoren en hij kauwde op het uiteinde van een Cohiba.

Greg stond op toen Sophie aan kwam lopen en stelde haar met zijn onnavolgbare charme voor aan zijn metgezel, Don Carlos.

'Wat zie je er prachtig uit, Sophie!' zei Greg.

Ze liet zich door hem op beide wangen kussen en nam plaats op de stoel het dichtst bij hem. Ze wilde zo ver mogelijk bij Don Carlos uit de buurt blijven; ze kreeg de kriebels van hem.

'Ik hoor van señor Adams dat je *Irlandesa* bent?'

'Ja.'

'Bevalt ons land je?'

'Het is heel mooi.'

'Wat wil je drinken?'

'Een glas wijn – rood graag. Chileens, als die er is.'

Don Carlos klapte in zijn handen en de ober kwam naar buiten gedraafd. Hij sprak de jonge man op snelle en neerbuigende toon toe.

Sophie zou willen dat dat vreselijke mannetje hier niet zat.

Don Carlos bleef Spaans praten toen hij zich tot Greg richtte. Na vijf minuten kreeg Sophie het gevoel dat ze lucht was. Thuis in Ierland liet ze zich door niemand zo behandelen, dus waarom zou ze dat op haar vakantie dan wel doen?

De ober kwam terug met een glas wijn en zette het voor haar neer. Ze nam er een slokje van en besloot in te grijpen. Ze haalde haar telefoon uit haar tas en ging staan.

Greg keek op. 'Waar ga je heen?'

'Even een telefoontje plegen.'

Greg pakte de draad van zijn gesprek met Don Carlos meteen weer op, wat Sophie irriteerde.

Ze toetste Emma's nummer in, maar kreeg geen gehoor. Ze probeerde het een paar keer opnieuw, maar vloekte toen dezelfde stem haar in het Spaans vertelde dat het nummer dat ze had gebeld niet bereikbaar was. Waar kon Emma zijn?

Emma dronk drie mojito's voordat de band een toegift speelde. De club was een informele gelegenheid en niemand vond het erg dat de bezoekers door de muziek heen praatten.

'Het was heel fijn. Leuk dat je me mee hiernaartoe genomen hebt.'

'Graag gedaan. Zal ik je terugbrengen naar je hotel?'

Emma knikte.

De mojito's hadden haar enigszins bedwelmd en licht in het hoofd gemaakt, en ze struikelde op de trap toen ze omhoogliepen naar La Rampa.

'Weet je, ik voel me helemaal niet moe.'

'We kunnen ook gewoon een ritje maken, als je wilt.'

Emma knikte weer. Op de Malecón was het een levendige drukte en zaten jongeren Havana Club uit de fles te drinken. Sommigen maakten muziek. Eén man zat tegen een muur met een geïmproviseerde hengel in zijn handen. Emma wierp een blik op haar horloge. Ze kon zich geen andere stad ter wereld voorstellen waar om één uur 's nachts zo veel verschillende mensen op straat waren.

Het was aanzienlijk afgekoeld, maar de Buick cabrio was nog steeds het beste vervoermiddel.

'Wil je het strand zien?'

'Oké.'

'Laten we naar Miramar gaan; daar staan een heleboel schitterende huizen. Ik zal je laten zien waar de dolfijnen zwemmen.'

De straten waren recht, als in Vedado, en er stonden diverse statige ambassadepanden, voorzien van de vlaggen van verschillende naties. De boulevard was niet zo spectaculair als de kronkelende Malecón, maar het was er stiller en er waren minder voorbijgangers.

Felipe parkeerde op een rustig plekje op de Avenida 1, vanwaar ze een mooi uitzicht hadden op de zee en de golven tegen de kust konden horen beuken. De maan hing als een grote schijf aan de hemel en strooide druppels licht op de aanrollende golven, die zilveren linten vormden.

'Wat is het hier prachtig.'

'Ik hou er erg van. Matanzas is heel anders dan Havana.'

'Ik vind het jammer om weg te gaan, al zal ik blij zijn om mijn vader te zien. Ik hoop maar dat het goed met hem is.'

Felipe maakte het handschoenenvakje open en haalde er een velletje papier uit. Met een stompje potlood dat hij in het zijvak van het portier bewaarde schreef hij er zijn telefoonnummer en adres op.

Hij gaf het papier aan Emma. 'Kun je me alsjeblieft schrijven vanuit jouw land?'

Emma glimlachte. 'Natuurlijk. Heb je ook e-mail?'

Felipe schudde zijn hoofd.

Emma reikte in haar tas en haalde er haar visitekaartje uit. Een paar jaar geleden had ze er daar tweeduizend van laten drukken en tot dusver had ze er nog maar zo'n vijftig uitgedeeld.

'Schrijf me alsjeblieft. Ik wil graag contact houden. De afgelopen dagen heb ik meer met jou gedeeld dan ik ooit tegen mijn eigen familie zou kunnen zeggen. Mijn ouders en mijn zussen zouden niet begrijpen hoeveel verdriet ik heb van de zelfmoord van mijn man.'

'Je hoeft jezelf niks te verwijten. Een hele tijd geleden nam ik het mezelf kwalijk dat mijn vrouw ervandoor was gegaan. Je bent een prima vrouw, Emma, en het probleem lag alleen bij je man.'

Emma voelde dat de tranen haar in de ogen sprongen. Ze was overrompeld door de emoties die de schitterende omgeving opriep, bedwelmd door drie mojito's en geroerd door Felipes attentheid en zorgzaamheid.

'Dank je wel,' zei ze terwijl ze achteroverleunde op haar stoel.

Het maanlicht viel op de zijkant van Felipes gezicht en de rand van de voorruit.

Hij draaide zijn hoofd opzij en keek Emma aan, niet in staat zijn ogen los te maken van de hare. Ze had haar ziel en alle kwetsuren die ze daarin meedroeg voor hem blootgelegd. Hij zou zich nu dolgraag naar voren buigen en haar op de lippen kussen, die werden besprenkeld door het maanlicht.

Emma had het gevoel dat hij dwars door haar heen keek; ze voelde zich kwetsbaar en naakt. Zijn warrige zwarte haar en de donkere wenkbrauwen die zijn hazelnootbruine ogen omlijstten zagen er in het maanlicht heel anders uit. In plaats van de zachtaardige man die zo aardig voor haar was geweest zag ze een krachtig mens vol passie en emotie. Opeens wilde ze niets liever dan zijn lippen op de hare voelen.

Felipe boog zich naar haar toe, totdat zijn gezicht zich nog maar een paar centimeter van dat van Emma bevond. Ze keken elkaar strak aan, allebei bang om het initiatief te nemen.

En toen kwam het er toch van: hun lippen raakten elkaar, badend in het maanlicht. De kus was betoverend.

Op precies hetzelfde moment voelden ze elkaars liefde en gekwetstheid helemaal aan. Hun lippen bleven minutenlang, zo leek het, op elkaar gedrukt, maar in werkelijkheid konden het maar een paar tellen zijn geweest.

Plotseling maakte Emma zich van Felipe los, en het gezicht van de knappe man moest wijken voor een beeld van het gezicht van wijlen haar man. De energie die ze uit de kus had geput vervloog en ze voelde alleen nog maar een kille leegte op de plek van haar hart. Haar verdriet liet zich gelden en dikke tranen biggelden over haar wangen.

Felipe nam haar in zijn armen en liet haar hoofd tegen zijn stevige, sterke schouder rusten. Zijn gevoelens slingerden heen en weer tussen zijn eigen verdriet en het hare. Hij hield haar een hele tijd vast en streelde haar haar en de zijkant van haar gezicht, terwijl zij zo veel van haar pijn losliet als ze kon.

'Misschien kom je ooit een keer terug?' fluisterde hij in haar oor.

Emma ging rechtop zitten en maakte zich met tegenzin los uit Felipes omhelzing.

'Wie weet, Felipe. Ik zou heel graag nog eens naar Cuba komen, om jóú weer te zien. Maar misschien is het makkelijker voor jou om mij in Ierland op te zoeken.'

Felipe lachte.

'Wat lach je nou? Ik zou graag willen dat je ziet waar ik woon. Ierland is ook een eiland.'

'Het is heel moeilijk om mijn land uit te komen, en heel duur, zelfs voor een taxichauffeur.'

Felipe draaide het contactsleuteltje om.

Opeens voelde ze zich ontzettend naïef en verwenste ze haar ongevoeligheid; ze wist echt maar heel weinig over Cuba of van de beperkingen waarmee de Cubanen moesten leven.

In stilte reden ze terug naar het Parque Central, en Felipe liet de auto halt houden voor de ingang van Hotel Telegrafo.

'Zal ik jullie naar het vliegveld brengen?'

Die simpele vraag overviel Emma. Daar had ze nog helemaal niet over nagedacht. 'Ik weet niet – wat zijn de afspraken? De touroperator moet de transfer geregeld hebben, toch?'

Felipe schudde zijn hoofd. Haar aarzeling deed hem pijn. Hij moest zichzelf in bescherming nemen; hij voelde er weinig voor om verliefd te worden en begaf zich op glad ijs.

'Dan is het misschien het best om nu afscheid te nemen,' zei hij.

Emma werd verteerd door schuldgevoel over hun kus, maar wilde hem ontzettend graag terugzien. Ze stapte uit de auto en bleef op de stoep staan.

'Ontzettend bedankt voor alles wat je hebt gedaan.'

Ze voelde zich net een klein meisje dat verdwaald in de berm stond.

'Ik heb helemaal niets gedaan.' Hij schonk haar een vriendelijk knikje. 'Ik heb een mooie tijd gehad, en ik wens je een goede thuisreis, Emma.'

Vervolgens draaide hij zich van haar af, trapte de koppeling in en stuurde de Buick zonder nog achterom te kijken de weg op.

Emma had het gevoel dat hij een deel van haarzelf meenam in zijn auto. Ze had helemaal geen zin om in haar eentje terug te gaan naar haar hotelkamer en keek op haar horloge; het was bijna twee uur in de nacht. In Felipes gezelschap was de tijd omgevlogen. Ze draaide zich om, ging het hotel binnen en nam de trap in plaats van de lift. Bij elke stap voelde haar hart zwaar. Vanbinnen werd ze gekweld door allerlei verschillende emoties, die haar verwarden. Ze had niet verwacht dat ze toen ze de kamer in kwam Sophie daar zou aantreffen, maar die was er wel en lag met een laken over zich heen opgerold op bed diep te slapen. Emma was benieuwd waar

Greg was gebleven, maar zou tot de volgende ochtend moeten wachten om het verhaal te horen.

Sophie kwakte bij de incheckbalie haar bagage zo onhandig op de band dat Emma even de neiging kreeg om toe te schieten en alles recht te zetten, maar Sophie was een grote meid en misschien werd het tijd dat ze eens zelf de verantwoordelijkheid voor haar doen en laten nam.

Emma overhandigde de tickets aan de steward van Air France, die hun paspoorten en vluchtpapieren controleerde.

'*Merci, mesdames.* Uw vlucht vertrekt vanaf gate 2.'

Emma glimlachte en bedankte de steward, waarna ze achter Sophie aan liep, die al was weggebeend.

'Wacht eens even!' riep ze.

Sophie bleef staan.

'Sophie, als je niet met me wilt praten, hoe moet ik dan weten wat er aan de hand is?'

'Ik heb je toch gezegd dat ik het er niet over wil hebben? Ik wil alleen een sapje drinken.'

'Je had ook naar beneden moeten komen om samen te ontbijten.'

'Ik heb je al gezegd dat ik daar niet voor in de stemming was.'

Ze liepen door de beveiliging en richting de taxfreeshops.

'Het is een lange vlucht, en als je van plan bent te blijven mokken kunnen we van plaats ruilen en mag je naast iemand anders zitten.'

'Prima, hoor!' snauwde Sophie.

Ze stapten in het vliegtuig en zochten zwijgend hun plaatsen op. Sophie dook meteen in het in-flight magazine.

Ze vlogen al boven de Atlantische Oceaan toen Emma een gesprek begon.

'En, hoe was het met Greg?'

'Wat een egoïst is dat. Hij had een afspraak met een vals klein mannetje, een overheidsambtenaar. Ik heb me drie uur lang te pletter zitten vervelen. En waar zat jij al die tijd? Ik heb nog geprobeerd je te bellen.'

'Je had heel duidelijk gemaakt dat je mij niet meer wilde zien voordat we naar het vliegveld zouden gaan.'

'Je was zeker met die taxichauffeur?'

'Felipe was heel charmant, en je hoeft hem niet "die taxichauffeur" te noemen. Hij is trouwens jurist.'

Sophie spitste haar oren. 'Dat meen je niet!'

'Wat doet het ertoe wat zijn beroep is? Hij was goed gezelschap en ik heb het leuk met hem gehad.'

'Het zal tijd worden ook dat je je leven weer oppakt. Paul is er niet meer en je moet verder.'

'Hij was mijn man. Maar dat begrijp jij toch niet.'

Sophie wierp Emma een onheilspellende blik toe. Die brutaliteit van haar: ze dacht altijd haar met dat soort oneliners op haar plaats te kunnen zetten.

'Dat we als kind maar een paar jaar scheelden,' zei ze, 'wil nog niet zeggen dat jij nu het grote orakel bent. Ik weet heel wat beter wat verlies is dan jij je ook maar kunt voorstellen.'

De hoofdsteward deelde kussens en dekens uit aan passagiers die wilden slapen. De stemmen van de twee zussen werden in de loop van hun gesprek steeds feller en harder, en de mensen die om hen heen zaten begonnen zich eraan te storen.

'Wat voor verlies heb jij nou helemaal geleden? Je bent niet eens op oma's begrafenis geweest, omdat je dat weekend zo nodig naar Amsterdam moest om met je vrienden joints te gaan roken – dát is het soort prioriteiten dat jij stelt!'

Een oude dame die voor de zussen zat draaide zich om om te kijken wie al dat kabaal maakte, maar het tweetal kissebiste verder zonder zich iets van haar aan te trekken.

Sophie knipte het lampje boven haar hoofd aan. 'Oma had een bloedhekel aan begrafenissen, zei ze altijd, en als ik was gegaan had ik mijn vlucht gemist, en het hotel was al vooruitbetaald. Ik ben jou trouwens helemaal geen antwoord schuldig.'

'Jij geeft nooit iemand antwoord. Je rent gewoon naar pappie, die altijd toegeeft en je weer uit de nesten haalt, waar het ook om gaat!'

'Ik neem echt wel mijn verantwoordelijkheid.'

'Hoe kan het dan dat pap dit jaar je autoverzekering voor je heeft betaald? Dat heeft mam me verteld, dus ontken het maar niet. Louise en ik hebben een gezin om voor te zorgen, en jij probeert nog altijd bij het minste of geringste geld van hem af te troggelen, terwijl hij nu alleen nog zijn pensioen heeft.'

'Je bent gewoon jaloers. Je bent altijd al jaloers op mij geweest. En ik neem aan dat je daar alle reden toe hebt.'

Emma fronste haar wenkbrauwen en schudde walgend haar hoofd. 'Kom nou toch! Waarom zou ik in vredesnaam jaloers op jou zijn?'

'Omdat ik elke man kan krijgen die ik hebben wil.'

Emma's frons veranderde in een glimlach. 'Omdat je op vakantie een of andere Canadees aan de haak hebt geslagen? Waarschijnlijk wilde je hem alleen maar per se hebben omdat hij eerst tegenover mij avances had gemaakt; hij heeft mij op een lunch getrakteerd.'

'Maar hij is met míj naar bed geweest!'

'Is dat soms iets om trots op te zijn?'

Sophie liep rood aan van woede. 'Sodemieter toch op!' riep ze uit, zo hard dat een steward het hoorde en kwam kijken wie al die herrie maakte.

'Het wordt tijd dat je volwassen wordt en een echte man zoekt om een serieuze relatie mee te beginnen,' zei Emma koeltjes.

'Maar ik hád een serieuze relatie – een heel echte relatie, die vaste vormen zou aannemen. Met wie denk je dat jouw man de laatste drie jaar voor zijn dood het bed deelde?'

De steward had de boosdoeners opgespoord en kwam het gangpad door naar de stoelen van de twee zussen.

Emma's ogen werden groot. Ze kon haar oren niet geloven en voelde braakneigingen opkomen.

'Zeg me dat je liegt.'

'Nee! Ik ging met Paul naar bed, we waren minnaars, en voordat hij die hartaanval kreeg stond hij op het punt bij jou weg te gaan!'

Emma begon te trillen en kon geen woord uitbrengen.

'Is alles naar wens, mevrouw?' vroeg de steward, die heel goed besefte dat het tegendeel het geval was.

'Ik wil ergens anders zitten,' eiste Sophie.

'We zitten vanavond vol, madame.'

'Zorg dat ik bij haar uit de buurt kom!' zei Sophie, en ze ging staan en begon haar tas uit het bagagecompartiment boven hun hoofd te halen.

Emma nam haar hoofd in haar handen; ze sidderde tot op het bot.

'Komt u maar mee,' zei de steward, die Sophie voorging naar een zitplaats helemaal achter in het vliegtuig.

Emma zat te hyperventileren en stond op het punt in een stortvloed van tranen uit te barsten. Dit kon niet waar zijn. Hoe kon haar man haar zo bedrogen hebben? Hoe kon het dat ze nooit enig idee had gehad dat hij een ander had, en dat die ander haar zus was? Haar hoofd voelde als een draaitol. Ze kon niet wachten om weer voet op Ierse bodem te zetten. Om weer thuis te zijn, waar ze kon proberen wijs te worden uit deze nieuwe onthulling. Maar nu had ze vooral behoefte aan een glas cognac om haar zenuwen tot bedaren te brengen. Ze reikte naar het knopje en drukte dat in.

16

Op Dublin Airport stond Finn met zijn tante bij de hekken.

'Is haar vliegtuig al geland?'

Louise keek omhoog naar het scherm. 'Ze is zo'n vijf minuten geleden aangekomen en moet over een minuut of twintig hier zijn.'

Vol verwachting wipte Finn op en neer. Louise had hem nog nooit zo opgetogen gezien.

'Wil je niet gaan zitten terwijl we wachten tot ze komt?' vroeg ze.

Hij schudde alleen zijn hoofd.

Sophie kwam als eerste in zicht. Ze duwde een karretje voort, maar Emma was nergens te bekennen.

Louise vloog op haar af om haar een kus te geven. Sophie liet Louises lippen vluchtig langs haar wang strijken. 'Waar is Emma?' vroeg ze toen.

'Die is nog binnen. En ik ga niet in dezelfde auto zitten als zij. Ik kan haar geen minuut langer verdragen, ik neem een taxi.'

Louises maag trok zich samen. Emma en Sophie hadden zelden ruzie, maar als ze die wel hadden, was het meestal ook flink raak.

'Wat is er gebeurd?'

'Ik wil er niet over praten. Ik ga nu.'

Sophie beende weg om een taxi te zoeken en liet Louise sprakeloos en verward achter.

Toen Louise om zich heen keek, zag ze Emma aankomen, die haar zoon warm omhelsde. Ze haastte zich naar haar zus toe en sloeg toen die was uitgeknuffeld met Finn haar armen om haar heen.

'Emma... Heb je het fijn gehad?'

Emma gaf haar zus een kus op haar wang. Ze stond nog steeds

te shaken door haar ruzie met Sophie, maar deed haar best de pijn die ze voelde te verbergen.

'Louise... Bedankt dat je zo goed voor Finn hebt gezorgd. Ja, het was heel fijn, dank je wel. Hoe is het met pap?'

'Het gaat goed met hem. Zeg, wat is er aan de hand met Sophie?'

'Daar moet ik het met je over hebben, maar niet nu.' Ze gaf een knikje om duidelijk te maken dat dat gesprek niet voor de oren van haar zoontje was bedoeld.

'Zal ik je meteen naar huis brengen?'

'Graag. Ik ben doodmoe. In het vliegtuig heb ik geen oog dichtgedaan.'

'Maak je maar geen zorgen over pap. Zijn toestand is stabiel en hij heeft gezegd dat je pas morgen naar hem toe hoefde te komen.'

'Wedden dat hij Sophie wel wil zien?'

Louise zei niets. Haar vader had inderdaad naar Sophie gevraagd, maar waarschijnlijk zou hij moeten wachten totdat zij eraan toe was om hem op te zoeken.

'Ik ben blij dat je thuis bent. Jij bent de enige die met mam overweg kan. Ze maakt haar buren hoorndol; je weet hoe veeleisend ze is.'

'Ik ga me omkleden en een paar dingen doen, en dan rij ik wel naar haar toe. En daarna moet ik met jou praten.'

'Ik heb een tas boodschappen in de auto staan – alleen brood, melk, bacon en wat fruit.'

'Bedankt, Louise, lief van je.' Emma was geroerd.

'We krijgen de komende tijd onze handen vol. Pap moet binnenkort een driedubbele bypassoperatie ondergaan.'

Emma keek haar veelbetekenend aan; ze hoopte van harte dat alles goed met hem zou komen, maar ze wist dat ze optimistisch moest blijven. Als oudste kind was het haar rol om de rest van de familie te steunen.

'Allemachtig!' Emma zuchtte diep bij dit nieuws. 'We mogen volgens mij blij zijn dat hij geen hartaanval heeft gekregen. Tegenwoordig weten ze tenminste hoe ze dat soort operaties moeten uitvoeren.'

'Om pap zelf maak ik me anders niet zo'n zorgen.'

'Ik weet het,' antwoordde Emma. Haar moeder zou heel moeilijk gaan doen; het zou zijn alsof er twéé mensen iets mankeerden.

'Finn, lieverd,' zei Louise, 'heb je zin om met Donal en Matt naar de jachtclub te gaan, terwijl ik met je moeder bij oma op bezoek ga?'

'Goed.' Finn knikte. Nu zijn moeder thuis was, had hij er geen bezwaar tegen weer met zijn neef op pad te gaan.

'Mooi zo,' zei Louise. Ze had het verschrikkelijke gevoel dat, wat het ook was waar Emma haar over wilde spreken, het iets ernstigs was.

Nadat ze Finn en zijn oom en neef bij de jachtclub had afgezet reed Louise naar Raheny.

'Vertel op, ik ben een en al oor,' zei ze tegen Emma.

'In het vliegtuig heeft Sophie me iets verteld, en ik weet niet precies of ze alleen maar vervelend wilde doen, maar dit had ze nooit uit haar duim kunnen zuigen.'

Louise zoog een hap lucht naar binnen en zette zich in gedachten schrap. 'Ga verder.'

Emma was bijna in tranen. 'Ze zei dat ze met Paul naar bed ging. En niet alleen dat, maar ook dat ze een verhouding met hem had.'

Louise hield haar blik op de weg gericht. Ze trilde. Ze had nog wel zo gehoopt dat Emma er nooit achter zou komen.

'Zeg iets!' smeekte Emma.

Louise voelde zich verscheurd. Moest ze tegen Emma zeggen dat zij het al wist? Misschien beter van niet, want dan zou Emma woedend worden dat ze het haar niet had verteld.

'Dat kan ik niet geloven. Weet je zeker dat ze niet alleen maar loopt te intrigeren?'

'Waarom zou ze zoiets zeggen?'

'Om jou op de kast te krijgen?'

'Als ze daaropuit is pakt ze het meestal anders aan.'

Louise trok de handrem aan toen ze halt moesten houden voor

verkeerslichten. Ze keerde zich naar Emma toe.

'Ik weet niet wat ik moet zeggen.'

Emma barstte in tranen uit. 'En dat terwijl ik me net begon te verzoenen met Pauls dood. Op Cuba heb ik het heel fijn gehad. Ik heb een geweldige man leren kennen; hij reed in een taxi en leek een beetje op Che Guevara. Hij was erg aardig voor me. Hij heet Felipe.'

'Een vakantieliefde?' vroeg Louise verrast.

'Ik zou een kus in Havana niet echt een liefde willen noemen – maar ja, ik vond hem heel leuk.'

'Waar was Sophie toen jij met die Felipe samen was?'

'Bij een Canadese kunsthandelaar, en dat was ook een geweldige man. Ik had hem als eerste ontmoet, maar toen Sophie hem leerde kennen had ze meteen haar zinnen op hem gezet.'

'Zij wil altijd hebben wat jij hebt.'

'Precies, en daarom denk ik ook dat ze best een relatie met Paul kan hebben gehad.'

Louise reed verder; ze waren bijna in Raheny.

Toen ze het huis van hun moeder naderden, zette ze de auto stil en draaide zich naar Emma toe.

'Weet je, we komen er waarschijnlijk nooit achter hoe het precies zat. Ik bedoel, Paul kan zichzelf niet meer verdedigen.'

Emma zuchtte. 'Dat realiseer ik me ook, maar het zou wel verklaren waarom hij vlak voor zijn dood zo vreemd deed.'

'Deed hij dan vreemd? Daar heb je nooit iets over gezegd.'

Emma had het niet willen toegeven, tegenover zichzelf noch tegenover anderen. 'Ja, want het is gewoon niet te begrijpen waarom hij deze vakantie had geboekt en vervolgens...' Ze viel stil; ze kon niet verdergaan zonder ook andere details te moeten prijsgeven. 'Laten we erover ophouden. Mam verwacht ons.'

Maggie Owens zat in een fauteuil met een deken over haar schoot en had erg met zichzelf te doen.

'Mam, hoe is het met je?' vroeg Emma, en ze liep naar haar toe om haar moeder te omhelzen.

'Emma, godzijdank ben je weer thuis. Wat een toestanden allemaal. Ik heb een afschuwelijke tijd doorgemaakt en ben doodsbang om in mijn eentje in dit huis te zitten.'

'Ik zal een kopje thee zetten,' zei Louise, maar het was tegen dovemansoren gericht. Haar moeder had best bij haar in huis kunnen blijven als ze verdraagzamer was geweest tegenover de kinderen, maar ze had er zelf voor gekozen weg te gaan.

'Je zult wel erg geschrokken zijn van die inbraak,' zei Emma. 'Heb je zin om bij mij te komen logeren?'

'Ja, misschien moest ik dat maar doen. Dit huis is veel te groot en 's nachts hoor ik allerlei rare geluiden.'

Louise hing de theezakjes in de pot en zocht achter in de kast naar koffie voor zichzelf.

Ze stond voor een onmogelijk dilemma. Iets in haar wilde Emma graag vertellen dat ze van de verhouding geweten had, voor het geval Sophie haar voor zou zijn en zou vertellen dat zij ervan op de hoogte was geweest. Maar iets anders zei haar dat Emma er kapot van zou zijn als ze te weten kwam dat zij het had geweten en er niets over had gezegd.

Er was geen uitweg.

Sophie draaide in haar appartement aan Custom House Square de verwarming hoger. Niet dat het zo koud was, maar ze was gewend geraakt aan de Cubaanse warmte. Terwijl ze in de kasten naar iets eetbaars speurde, had ze erg met zichzelf te doen. Er zat niets anders op dan naar het Italiaanse café op de hoek te gaan om iets te eten te bemachtigen.

De jetlag was goed te voelen, maar eigenlijk moest ze weer aan het werk. Ze voelde zich helemaal niet lekker nu het tot haar doordrong wat ze had gedaan. Waarom had ze Emma over Paul verteld? Misschien omdat ze uit was op erkenning van haar eigen verlies? Maar in plaats daarvan had ze er alleen maar voor gezorgd dat Emma haar nu niet meer kon luchten. Vroeger had Emma haar altijd beschermd en voor haar gezorgd, en zij, Sophie, had haar zus verraden op een van de meest vreselijke manieren die je maar kon bedenken.

Ze kleedde zich om en trok een spijkerbroek aan, en griste een warm jasje mee voordat ze de deur uit stapte voor een bord pasta.

Het appartementencomplex op de oever van de Liffey was veel stiller geworden dan toen Sophie hier kwam wonen en veel appartementen stonden tegenwoordig leeg. De dingen veranderden te snel naar haar smaak. De economische recessie drong door tot in haar eigen leven.

Opeens ging haar mobiele telefoon, en het verbaasde haar niet echt toen ze Louises nummer op het schermpje zag.

'Hallo. Ik vroeg me al af wanneer je zou bellen.'

'Is dat alles wat je te zeggen hebt?'

'Ga nou alsjeblieft niet moeilijk doen. Ik heb echt schoon genoeg van de dubbele moraal die jij erop na houdt!' zei Sophie, zich ervan bewust dat ze in de verdediging schoot. 'Ik hield van Paul, ik heb óók gerouwd, en het wordt tijd dat dat tot Emma doordringt.'

'En wat denk je dat dat met haar gedaan heeft? Je hebt helemaal niets bereikt, behalve dat weer eens duidelijk is wat voor kreng je bent! Je had dit allemaal kunnen voorkomen en Emma haar mooie herinneringen aan haar man kunnen gunnen.'

'Hij was mijn geliefde!'

'Hou eens even op, zeg! Je was alleen maar zijn maîtresse!'

'Hij was van plan bij Emma weg te gaan. Hij zou met míj naar Cuba gaan, en niet met haar.'

'Het kan me niet schelen wat die zak van plan was, ik maak me zorgen om Emma. Ik weet niet hoe je jezelf uit deze nesten denkt te krijgen, maar je hoeft er niet vreemd van op te kijken als Emma nooit meer een woord met je wil wisselen.'

'Dat kan me geen bal schelen!' Maar het kon haar wel degelijk schelen.

'En mam en pap, hoe denk je dat zij zullen reageren?'

'Ik was niet van plan het hun te vertellen, en ik wil wedden dat Emma ook wel haar mond houdt.'

Louise vond het heel vervelend als Sophie gelijk had. Emma zou haar vader en moeder inderdaad nooit van streek maken.

'Pas op je tellen, Sophie. Je bent deze keer echt te ver gegaan.'

Sophie hing op. Ze was helemaal klaar met mensen die er niet voor haar wilden zijn.

Ze dacht aan Greg en aan hoe ze hem twee avonden geleden had achtergelaten. Hij was een kanjer en ze had echt het gevoel dat hij iemand was van wie ze zou kunnen houden.

Maar Greg had niet staan te springen om haar laatste nacht in Havana met haar door te brengen. Hij had haar laten gaan, zodat hij in gesprek kon blijven met een vervelend Cubaans mannetje, en toen hij klaar was was hij niet eens naar haar hotel gekomen, zoals zij had voorgesteld. Door de manier waarop hij naar haar visitekaartje had gekeken toen ze hem dat voor haar vertrek had gegeven was ze woest op zichzelf. Greg en José: twee mannen op Cuba die haar hadden behandeld op een manier waarop ze nog nooit was behandeld, en ook nooit meer behandeld wilde worden.

Opeens wilde ze weg uit Dublin, weg uit de stad, en iets heel nieuws gaan proberen. Misschien dat ze ergens voor wegliep, maar het zou best eens kunnen dat ze geen keus had als de realiteit van wat ze tegen Emma had gezegd eenmaal in zijn volle omvang was doorgedrongen.

Jack deed zijn uiterste best om voor de deadline van zes uur een stuk af te krijgen. Zijn gedachten waren bij Aoife. Nadat hij de avond tevoren met Peter iets was gaan drinken, was hem duidelijk geworden dat hij Louise echt definitief uit zijn hoofd moest zetten. Maar dat was makkelijker gezegd dan gedaan.

Gerry, zijn baas, kwam naar Jacks bureau en legde een memo voor hem neer. 'Ik wil graag dat je naar het Beaumont-ziekenhuis gaat en een verhaal maakt over de MRSA-bacterie. Kun je dat morgenochtend doen?'

'Jawel.' Kleine beestjes waren precies waar hij nu last van had.

'Interview William Fitzmaurice maar; hij is degene die over de hygiëne gaat.'

Dit beloofde een echte klapper te worden. Jack knikte en boog zich weer over zijn laptop.

Er knipperde een icoontje dat hem vertelde dat hij een mail had. Die kwam van Aoife:

> Ik heb nagedacht en ik wil je een week lang niet zien of spreken. Zoek alsjeblieft geen contact met me. Ik bel je aan het eind van de week wel.
> Aoife

Jack was verrast door de koelheid van haar boodschap. Hij had nooit geweten dat ze zo tegen iemand kon doen. Hij kon haar geen antwoord geven, want hij moest haar wens respecteren. Met Louise kon hij vermoedelijk ook niet praten, want zij leek de laatste keer dat hij haar gebeld had een heleboel op haar bordje te hebben. Hij wilde ook niet dat zijn ouders te weten kwamen dat Aoife en hij strubbelingen hadden. Dus boog hij zijn hoofd en concentreerde zich op zijn werk.

Vol zelfvertrouwen toog Sophie naar haar werk, met een lekker kleurtje op haar zongekuste huid. Maar zodra ze het gebouw binnen was gestapt, realiseerde ze zich opeens dat er iets heel erg mis was. Geraldine zat niet op haar vaste plek achter de receptie en de stekker van het koffieapparaat was uit het stopcontact getrokken. Harry was bezig alle papieren en persoonlijke spullen die op zijn bureau lagen op te ruimen. Sophie liep naar hem toe, maar hij onderbrak zijn zorgvuldige opruimwerkzaamheden niet.

'Wat is er aan de hand?' vroeg ze.

Harry hief zijn hoofd op. 'Sophie – heb je het leuk gehad?'

'Geweldig. Maar wat is hier gaande?'

'Heb je het nog niet gehoord? We zijn failliet. Rod is ervandoor met al het geld dat nog over was. We krijgen niet eens een ontslagvergoeding.'

'Wacht eens even... Is dit soms een grap?'

'Zie je mij dan lachen? We hebben donderdag allemaal een mailtje gekregen waarin stond dat het over en uit is: de zaak wordt onder curatele gesteld en Rod is naar het buitenland vertrokken.'

Sophie liep haar kamer binnen en zette haar computer aan. Dit kon niet waar zijn. Hoe kon alles zo snel in de soep lopen? Ze las haar mails door en zag het bericht van Rod. Ze werd er niet goed van toen ze dacht aan alle tijd die ze in dit bedrijf had gestoken en hoe ze had gebuffeld om goede contracten te krijgen – contracten waar nu niets meer mee zou worden gedaan. Ze checkte de rest van haar mails; het grootste deel was afkomstig van boze winkeliers en klanten. Toen stuitte ze op een mailtje dat haar aandacht trok. Het was van Greg Adams:

Sorry voor hoe het is gelopen. Ik ben overgeleverd aan de bureaucratie van Cuba. Hoop contact met je te hebben over een week of 6???
Greg x

De mail bracht een glimlach op haar gezicht, ook al verwenste ze zichzelf omdat ze voor deze *bad boy* bezweek. Maar waar moest ze binnen die zes weken naartoe? Ze had een flinke creditcardschuld; gelukkig was haar hypotheek niet al te beroerd, maar het zou haar moeite kosten om haar kleine Mazda-sportwagen te blijven betalen. Ze had nog nooit van haar leven zonder inkomsten gezeten; zelfs op school had ze een baantje als serveerster gehad om haar cd's te kunnen betalen. Ze moest iemand haar rampzalige nieuws vertellen, maar ze dacht niet dat Emma of Louise op dit moment zou willen luisteren. Ze stormde het kantoor uit.

'Doei, Sophie!' riep Harry. Ze negeerde hem.

Ze rende de trap af en stapte in haar auto. Ze zou naar het Beaumont-ziekenhuis gaan. Haar vader was er immers vroeger ook altijd voor haar geweest.

Louise liep naar de receptie en de keurige vrouw met de bril op haar neus.

'Neem me niet kwalijk, maar kunt u me zeggen... Ligt Larry Owens nog steeds op de hartbewaking?'

De vrouw keek niet op. Ze tikte wat getallen in op de computer en wachtte.

'Hij is in het St. Bridget's, ter voorbereiding op zijn operatie.'

'Dank u,' zei Louise. Emma was eerder op de dag langs geweest en had haar verzekerd dat het met hun vader nu veel beter ging.

'Louise?'

Bij het horen van haar naam draaide ze zich verrast om.

Het was Jack, en toen ze hem zag staan verscheen er een glimlach op haar gezicht.

'Ik vroeg me al af of ik je nog te zien zou krijgen,' zei hij. 'Ik heb opdracht om een artikel over het ziekenhuis te schrijven. Heb je tijd voor een kop koffie?'

'Jawel. Hoe is het nu met je? Ik moest nog aan je denken.'

'Een stuk beter. Zeg, herinner jij je Peter Kelly nog, van school?'

Louise moest even nadenken. 'Die naam komt me wel bekend voor. Was hij niet een vriend van je?'

'Ja. We zijn laatst iets wezen drinken – en hij begon over jou!'

Louise bloosde. 'Laten we naar de kantine gaan.'

'Hoe is het met je vader?'

'Ik wilde hem net gaan opzoeken. Die inbraak kon best nog wel eens een zegen zijn, want als hij niet hier was gekomen voor onderzoek, had hij elk moment dood kunnen neervallen. Hij krijgt nu een driedubbele bypass.'

'Wat een vreemd toeval.'

Ze liepen verder de gang door, tot ze bij de kantine kwamen.

Louise hoorde alweer iemand haar naam roepen en ditmaal wist ze al voordat ze zich omdraaide wie het was.

'Sophie. Kom je papa nu pas opzoeken?'

Sophie schudde haar krullen. 'Ik heb een afgrijselijke ochtend achter de rug. Toen ik op kantoor kwam, kreeg ik te horen dat ik geen werk meer heb.' Ze liet haar ogen naar Jack dwalen, en Louise kon haar gewoon zíén denken. 'Sophie Owens. Ik ben de zus van Louise,' zei ze met een brede glimlach.

'Jack.'

Sophie schonk hem een scheef knikje en zei: 'Leuk je te zien.'

Louise voelde zich ongemakkelijk. Dit was Sophie het roofdier ten voeten uit.

'Wat is er dan op je werk gebeurd?' vroeg Louise, hoewel ze het moeilijk vond haar nog in de ogen te kijken na wat Sophie Emma in het vliegtuig naar huis had aangedaan.

'Mijn baas heeft de tent dichtgegooid en iedereen vorige week een mail gestuurd om te zeggen dat hij het land uit ging. Het is heel bizar. Ik heb geen idee wat ik nu moet. Zo veel mensen zitten tegenwoordig zonder werk.'

'Heb je zin om met ons mee te gaan? We wilden net gaan koffie-drinken,' zei Jack.

'Graag, ik kan wel een stevig bakkie gebruiken.'

Louise was woedend. Hoe slaagde Sophie er toch telkens in alles in de war te sturen, zelfs als ze alleen maar volkomen onschuldig een kop koffie ging drinken met Jack? Ze had meteen door dat hij haar wel aantrekkelijk vond. Het leek niet uit te maken waar ze was, Sophie leek over een biologische magneet te beschikken waarmee ze de mannen naar zich toe trok. Ze hoefde er niets speciaals voor te doen om hen voor zich in te nemen.

Ze gingen in de rij staan en wachtten op hun beurt.

'Wil je iets eten?' vroeg Louise aan Jack.

'Nee, dank je.'

'Ik neem een chocolademuffin,' zei Sophie, wijzend naar de schaal boven op de balie.

Louise legde een muffin op een dienblad en bestelde drie zwarte koffie.

'Zoek jij alvast een tafeltje voor ons, Sophie?' vroeg Louise met een dreigende blik.

Sophie haalde haar schouders op en liep weg om een plekje te zoeken.

Louise glimlachte naar Jack. 'Sorry dat zij ineens opduikt. Ik had gehoopt dat we konden praten.'

'Je hebt me anders nooit verteld dat je zo'n sexy zusje had!' zei Jack, en zijn blik volgde Sophie de zaal door.

'Ze is een dodelijk wapen. Problemen met een grote P.'

'Daar kan ik me wel iets bij voorstellen. Maar ze ziet er wel heel goed uit.'

'Ze is een fijne zus, maar niet heus!' grapte Louise.

Jack was echter overduidelijk onder de indruk van Sophies bruisende persoonlijkheid en sexy voorkomen.

'Vertel me voordat we bij haar gaan zitten eerst maar eens over Aoife,' zei Louise.

'Die wil me een week niet zien. Daarna zou ze me nog wel bellen, zei ze.'

Louise maakte zich zorgen om Jack. Ergens vond ze dat hij naar Aoife toe zou moeten om zijn excuses aan te bieden en het weer goed te maken, maar iets anders in haar wilde dat hij bij Aoife uit de buurt bleef en verliefd zou worden op háár.

'Geef mij maar,' zei Jack, terwijl hij zich vooroverboog om het dienblad met koffie op te pakken.

Toen ze bij Sophie gingen zitten, zat die te stralen, helemaal in de flirtstand.

'Zo, Jack, en waar werk jij?' vroeg ze, en ze nam een hap van haar muffin.

'Ik ben journalist. Voor de *Irish Times*.'

'Die zitten zeker niet verlegen om modeontwerpers, of wel?'

'Ik weet niets van de modepagina's. Ik zou het Brenda eens kunnen vragen; zij is de moderedacteur.'

'Zou je dat willen doen? Dat zou ik heel aardig van je vinden.' Sophie schonk hem de verdrietige blik die Louise al zo vaak van haar had gezien.

Louise pakte haar mok op en nam een slok koffie. Het was echt iets voor Sophie om binnen een paar uur nadat ze haar baan was kwijtgeraakt alweer een nieuwe te vinden.

'En, Jack, wat kom je hier voor verhaal maken?' vroeg ze.

'Ik moet het hoofd Hygiëne spreken over de MRSA-bacterie die momenteel in zo veel Ierse ziekenhuizen voorkomt. Alsof er nog niet genoeg slecht nieuws is!'

'Ik had me niet gerealiseerd hoe slecht het er bij ons op de zaak voor stond,' vervolgde Sophie. 'Ik bedoel, we kregen de ene order na de andere en we hadden een flinke voorraad. Ik vraag me af wat daar nu allemaal mee gaat gebeuren.'

'Vertel het maar niet aan papa als je hem spreekt,' zei Louise. 'Over een paar uur gaat hij onder volledige narcose en het is beter als hij zich niet te veel opwindt. Hij maakt zich toch al zo'n zorgen om mam.'

Sophie rolde met haar ogen. 'Als hij mij ziet kikkert hij daar juist van op. Trouwens, kan ik twintig euro van je lenen? Ik ben platzak en ik wil iets te lezen voor hem meenemen.'

Jack haalde een exemplaar van de *Irish Times* uit zijn zak. 'Hier, geef hem dit maar.'

'Dank je,' zei ze met een brede grijns.

Louise zocht in haar tas en haalde er een briefje van tien euro uit. 'Dat is alles wat ik heb. Het kleingeld heb ik nodig voor de parkeermeter. Ga je nu naar hem toe?'

Sophie besefte dat ze moest opstappen en wendde zich tot Jack. 'Erg leuk om je te zien. En bedankt voor de krant.'

'Graag gedaan.'

Louise keek haar zus na toen die zijwaarts tussen de tafeltjes door wegliep, waarbij ze van de gelegenheid gebruikmaakte om zo met haar achterwerk te draaien dat Jack wel móést kijken.

'Wat een type!' zei Jack, terwijl hij een slokje koffie nam.

'Dat kun je wel zeggen, ja. Hoe ga je het nou aanpakken met Aoife?'

'Ik kan niets doen voordat zij contact met mij opneemt.'

'Pas op je tellen, Jack. Gooi je eigen glazen niet in.'

'Wat een ironie, hè?'

Louise kneep haar lippen op elkaar en pakte haar koffiebeker op. 'Ik wil gewoon niet hoeven aanzien dat je een fout maakt.'

'Zou het dan een fout zijn? Misschien passen we wel helemaal niet bij elkaar en ben ik dat gaan inzien doordat ik jou weer ben tegengekomen.'

Louise voelde zich ongemakkelijk bij Jacks vergelijking. Dat zou betekenen dat zij er verkeerd aan had gedaan haar eigen bruiloft door te zetten – maar haar drie kinderen waren voor haar voldoende bewijs dat zij wel het juiste pad had gekozen en het leven leidde dat voor haar bestemd was. Doordat ze Jack weer tegen het lijf was gelopen was ze daar vraagtekens bij gaan zetten, en hoewel ze hem probeerde voor te houden dat hij moest doen wat goed was, was ze daar zelf helemaal niet van overtuigd.

'Pas gewoon goed op. Doe geen dingen waar je spijt van krijgt.'

Jack tuurde omlaag in zijn beker. 'Aan het verleden kunnen we niets veranderen. Er moet een reden voor zijn dat onze wegen elkaar weer hebben gekruist.'

Louise keek Jack aan. 'Wist ik maar welke!'

Sophie slenterde door de gang en keek bij elke kamer waar ze langs kwam naar binnen. In de hoek van een zaaltje voor vier bedden zag ze Larry op zijn zij liggen, met zijn ogen gesloten. Op het kastje naast zijn bed stond een flesje energiedrank.

Ze ging naar binnen, pakte een stoel en zette die naast zijn bed.

Toen hij het gestommel hoorde, gingen zijn ogen open.

'Sophie, je bent terug!'

'Ha, pap! Wat heb jij nou allemaal uitgevroten terwijl ik weg was? Jonge knullen in elkaar slaan, hoorde ik?'

'O, Sophie, wat fijn om je te zien!'

Sophie boog zich omlaag en kuste haar vader op zijn voorhoofd. 'Wanneer ga je onder het mes? Ik hoor dat ze een gloednieuwe man van je gaan maken!'

'Ik weet niet wat ze allemaal lopen te rommelen. Er lopen hier een heleboel vreemde figuren rond. Ik zou beter af zijn als ik thuis in mijn eigen bed lag.'

Zijn gezicht zag lichtgrijs en de fijne lijntjes onder zijn ogen en wangen waren in de korte tijd dat Sophie weg was geweest in wallen veranderd. Ze had zich nooit gerealiseerd hoe dun het witte haar boven op zijn hoofd was geworden.

'Met jou komt het helemaal in orde. Is mam al langs geweest?'

'Nee. Ze is erg van streek. Ik maak me zorgen om haar. En nu krijgt ze boven op al die toestanden ook nog deze operatie te verstouwen.'

'Papa, jíj moet de operatie ondergaan. Maak je nou maar niet druk om haar. Zoals altijd biedt Emma haar wel de helpende hand.'

'Godzijdank dat jullie allebei veilig terug zijn!'

'Ontspan je nu maar, pap. Alles komt goed.'

'Ik mag het hopen. Ik ben nooit eerder onder narcose geweest.'

'Als je hier weggaat, ben je weer als nieuw. Maar pap, je gelooft nooit wat ik heb meegemaakt. Toen ik thuiskwam, kreeg ik te horen dat mijn baan is opgeheven; het hele bedrijf is gesloten.'

'O, Sophie, wat verschrikkelijk!'

'Zeg dat wel. Ik kan het gewoon niet geloven.'

'Als je om geld verlegen zit – ik heb nog wel wat staan bij de Credit Union. Het boekje ligt in de onderste la van mijn kastje thuis. Je moeder weet er niets van, en mocht ik in het ergste geval niet meer uit deze operatie bijkomen, dan is het allemaal voor jou.'

'Pap, zo moet je niet praten. Natuurlijk kom je weer bij. Ik zei toch net dat ze je weer helemaal gaan oppoetsen?'

'Ik hoop het echt, lieverd.'

En voor het eerst van haar leven kon Sophie echte angst in haar vaders ogen zien.

17

Felipe ging een pasgetrouwd stel ophalen dat met een vlucht uit Parijs kwam. Hij pakte hun bagage en zette die in de kofferbak van zijn Renault. Sinds hij Emma twee avonden geleden bij de ingang van haar hotel had achtergelaten, deed hij zijn werk op de automatische piloot. Hij kon haar maar niet uit zijn hoofd zetten. Het was helemaal niets voor hem om zo diep door iemand geraakt te zijn, en hij zou willen dat hij op de laatste avond van haar verblijf in Havana niet zo snel was weggereden. Hij had kunnen proberen zijn dienst te ruilen en haar naar het vliegveld te brengen, maar hij was bang geweest dat ze misschien anders tegen hem zou doen na die ene zoen, en dat risico wilde hij liever niet nemen. In plaats daarvan liep hij zich de hele tijd af te vragen of hij haar ooit nog terug zou zien.

Felipe begon aan de lange rit naar Varadero, terwijl het tweetal achterin zat te flikflooien zonder aandacht aan hem te besteden. Hij was blij dat hij zich over kon geven aan zijn gedachten en de nieuw aangekomenen niets over zijn land hoefde te vertellen.

Hij vroeg zich af of hij Emma moest schrijven. De gewone post deed er heel lang over, maar hij had geen toegang meer tot een computer en geen e-mailadres. Hij bracht zijn hand naar zijn borstzakje. De afgelopen twee ochtenden had hij haar kaartje daarin gestopt. Hij kon altijd proberen of iemand die in een hotel werkte haar een e-mail kon sturen – Dehannys misschien.

Bij het hotel haalde hij de bagage uit de kofferbak en overhandigde die aan de piccolo. Het jonge stel was zo druk bezig met elkaar dat ze niet eens de moeite namen hem gedag te zeggen. Hij sloot zijn auto af en liep de vorstelijke lobby van het hotel door.

Het zwembad en de tuinen vormden een fraai decor voor de open trap die achter het receptiegedeelte omhoogliep.

De bar waar Dehannys werkte was op het strand, en dat was een hele wandeling. Hij ging naar haar op zoek en dacht al die tijd aan Emma.

Dehannys stond glazen op te poetsen toen Felipe haar in het oog kreeg.

'*¡Hola!*'

'Dehannys... Hoe is het met jou en met je familie?'

'Goed. En met jouw vader?'

'Die maakt het prima.' Hij aarzelde. 'Dehannys, ik heb wat hulp nodig en ik dacht aan jou. Kun jij via het hotel e-mailen?'

Aan Dehannys' gezicht was wel te zien dat dat nog niet zo makkelijk zou zijn. 'Ik heb wel een adres, maar Diego laat geen personeel de computerruimte binnen. Hij heeft Estella daar de hele tijd werken en die vertelt het vast door.'

'Wanneer is haar vrije dag?'

'Vrijdag, geloof ik.'

'Wie heeft er dan dienst?'

'De ene keer Pedro, de andere keer Raphael.'

'Oké. Zouden we het misschien op vrijdag kunnen proberen, als ik dan langskom?'

'We kunnen het proberen. Wie wil je mailen?'

'Die Ierse, Emma.'

'Dat was een heel fijn iemand.'

Felipe knikte. Hij had het gevoel alsof hij op wildeganzenjacht was, maar hij kon toch tenminste een poging wagen. Tenslotte had hij niets te verliezen.

Emma klapte haar koffer open en begon haar kleren uit te pakken. Sinds ze weer thuis was had ze daar nog geen tijd voor gehad, en dit was ook voor het eerst dat ze de consequenties van haar ruzie met Sophie in het vliegtuig eens goed op een rijtje kon zetten. Ze had geen idee hoe ze haar ooit nog in de ogen zou moeten kijken.

Opeens ging de deurbel. Emma slaakte een zucht; nu zou er van kleren uitzoeken niets meer komen.

Louise stond op de stoep, met haar moeder en een grote weekendtas naast zich.

'Hallo,' zei Emma, en ze gaf haar moeder een kus op haar wang.

Louise overhandigde haar de tas, en tegelijk daarmee de verantwoordelijkheid voor hun moeder.

'Kom, mam, dan zullen we jou eens lekker voor de tv installeren,' zei Louise.

Maggie liep de kamer in. Emma en Louise keken elkaar aan en woorden waren overbodig. Maggie had sinds de inbraak een psychosomatische mankheid ontwikkeld.

'Ik zal even water opzetten en thee voor ons maken,' zei Emma met een glimlach.

Louise liep toen ze haar moeder had geïnstalleerd achter haar aan de keuken in.

'Hoe gaat het?'

'Goed. Heb jij Sophie nog gesproken?'

'Ik heb haar gebeld.'

'En wat zei ze?'

Dit zou nog niet meevallen. Louise wist niet zeker wat het goede antwoord was. 'Nou, ze heeft er spijt van. Maar ik geloof dat ze toch blij is dat ze het je heeft verteld.'

Emma ademde scherp in. 'Wil jij koffie?'

'Ja, graag.'

'Ik weet niet of ik haar ooit nog wel wil zien.'

'Jullie moeten hieruit zien te komen. Jullie kunnen elkaar niet de rest van je leven ontlopen.'

'Het is de moeite van het proberen waard.'

'En bovendien komen pap en mam er dan achter.'

'Wat die ervan vinden kan me niet meer schelen. In ons gezin hebben we al veel te veel om van alles en nog wat heen gedraaid. We hebben ons hele leven niet anders gedaan: mam tegen zus beschermen, Sophie dekking geven voor zo... Ik heb genoeg van al die leugens en dat bedrog.'

'Zo simpel is het anders niet,' zei Louise, bijtend op haar lip. Ze had tenslotte zelf ook een lijk in de kast.

'Nou, ik ben van plan om van nu af aan niemand meer in bescherming te nemen, behalve Finn, en ik laat me niet meer veroordelen om wat ik doe of zeg. Paul kan de pot op, Sophie kan de pot op! Verantwoordelijkheid kan me niets meer schelen.'

'Jawel, die kan je wél wat schelen. Anders zou je mam nooit in huis nemen.'

'Als ze vervelend gaat doen, kan ze linea recta terug naar huis.'

Louise wist niet wat ze hoorde. Dit was voor Emma een heel nieuw geluid. 'Die man die je op Cuba hebt leren kennen heeft wel veel invloed op je gehad, Emma!'

Emma pakte haar theekop van het keukenblad. 'Ik ben een brug over gegaan. Die reis had niet op een beter moment kunnen komen. Ik ben nu niet bang meer – waarom zou ik?'

'Waar was je dan bang voor?'

'Nu ik erover nadenk... voor alles. Ik was verdorie niet eens in staat om nog een boek te schrijven. Ik was zo druk bezig mijn leven te leiden zoals mijn omgeving het graag zag dat ik helemaal aan mijn eigen behoeften voorbij ben gegaan. En wat Paul betreft... Nou, ik heb op dit ogenblik geen woorden voor mijn gevoelens over hem.'

Louise schrok van deze nieuwe Emma. Ze was in een gevaarlijke bui en Louise zou van nu af aan heel goed moeten oppassen hoe ze met haar zus omging.

Al een dag later kreeg Louise een sms'je van Jack. Het was niet wat ze had verwacht, maar ze keek er ook niet van op: Kun je nr zus doorgeven? J

Louise kwam in de verleiding het berichtje te negeren, maar dat zou kinderachtig zijn. Ze deed wat haar gevraagd werd en wachtte op een reactie. Maar Jack antwoordde niet.

Donal was aan het werk gegaan en over een paar dagen zouden de kinderen weer naar school moeten. Ze had nu al een ontzettend leeg gevoel. Wat wist ze nou helemaal van haar leven te maken? Ze trok zich terug bij de piano en begon te spelen. Weer Debussy, want bij hem voelde ze zich veilig. Terwijl zij zat te spelen onderging haar vader een ingrijpende operatie, en ze hoopte maar dat het goed met hem zou gaan. Er vond in de familie zo'n enorme verschuiving plaats dat ze de einduitkomst met angst en beven tegemoet zag.

Opeens ging haar telefoon. Het was degene die ze van iedereen op de wereld het minst graag wilde spreken. Maar ze zou Sophie tegemoet moeten komen, totdat die door haar rebelse fase van dat moment heen was.

'Louise.'

'Ja, Sophie.'

'Je raadt nooit wat er is gebeurd. Die vriend van je, Jack, heeft me net gebeld. Wat een heerlijke man is dat. Waar ken je hem van?'

Louise aarzelde. 'O, ik geloof dat hij artikelen heeft geschreven over de school of zoiets.'

'Nou, hij zei dat die moderedacteur waar hij het over had iemand zoekt om klusjes te doen, een beetje styling en zo, en dat ze me morgen wil spreken.'

'Dat is geweldig nieuws, Sophie.' Louise deed haar best om enthousiast te klinken, maar ze wilde Sophie liever niet bij Jack Duggan in de buurt hebben, zeker niet als het om werk ging.

Nadat Sophie had opgehangen belde Louise onmiddellijk Jack.

'Hallo, Jack.'

'Louise – hoe is het met je?'

'Om eerlijk te zijn heb ik me wel eens beter gevoeld. Hoor eens, Jack, ik hoop dat je het niet erg vindt dat ik het zeg, maar mijn zus staat garant voor problemen, dus wees op je hoede.'

'Ze springt alleen even in omdat er iemand weg is.'

'Ik ken mijn zus. Blijf maar uit haar buurt.'

Jack vond het niet prettig dat Louise hem op die manier de wet voorschreef. Sophie leek heel aardig en hij had haar alleen een dienst bewezen omdat ze Louises zus was.

'Ik krijg haar waarschijnlijk niet eens te zien. Ik ben altijd onderweg.'

'Ze is gevaarlijk. En vertel haar alsjeblieft niets over ons en ons verleden.'

'Waarom zou ik?'

'Pas nou maar gewoon op.'

'Rustig maar; ik zie haar toch niet. Hoe is het trouwens met je? Hoe gaat het met je vader?'

'Die wordt op dit moment geopereerd. Ik ga hem later op de dag opzoeken.'

'Ik hoop dat het goed met hem gaat.'

'Bedankt. Nog iets gehoord van Aoife?'

'Ze had gezegd een week, en volgens mij meent ze dat ook. Ik ga vanavond weer iets drinken met Peter.'

'O. Doe hem de groeten. Of misschien is het beter om helemaal niets te zeggen.'

'Pas goed op jezelf, Louise.'

'Dag, Jack.'

Toen hij ophing, voelde ze zich verdrietig. Ze keerde terug naar haar ebbenhouten en ivoren toetsen, totdat het tijd was om Tom en Molly bij hun speelkameraadjes thuis te gaan ophalen. Ze maakte zich zorgen om haar vader, en om Emma. Alles was plotseling veranderd, en ze vroeg zich af wat het leven nú weer voor haar in petto had.

Emma installeerde zich voor haar laptop. Sinds ze uit Varadero was weggegaan had ze geen woord meer geschreven. Maar nu ze weer thuis was, was ze er helemaal klaar voor. Haar moeder lag te slapen in de logeerkamer en Finn zat beneden met zijn vriendje Gavin een dvd te kijken. Hij miste het gezelschap van zijn neefjes en nichtje sinds hij thuis was, dus had ze geregeld dat Gavin een nachtje kon komen slapen. Het kon haar niet schelen of haar moeder dat wel zo'n goed idee vond; dit was háár huis en ze zou net zo goed in de behoeften van haar zoon voorzien als in die van haar moeder.

Nu er voor iedereen was gezorgd, had ze de vredige rust van haar werkkamer opgezocht. Ze voelde zich heel anders nu ze wist waarom Paul zichzelf van het leven had beroofd. Natuurlijk was het niet meer dan speculatie dat hij zelfmoord had gepleegd omdat hij geen uitweg meer had gezien uit de situatie waarin hij was beland, maar ze kende hem zo goed dat ze wel dacht te begrijpen waarom hij het had gedaan. Sophies bekentenis had een grote last van haar schouders genomen, want het was een zware verantwoordelijkheid geweest te beseffen dat zij, Emma, hem ertoe zou hebben aangezet om zich het leven te benemen. Maar nu had ze heel andere gevoelens over Paul en haar zus. Ze hadden gedaan wat ze hadden gedaan, en voor haar was het nu ook tijd om verder te gaan.

Voordat ze begon te schrijven haalde ze zich op het zwarte scherm van haar laptop het beeld voor de geest van Felipes warrige donkere haar en diepliggende ogen. Als ze in Havana had geweten wat ze nu wist, had de tijd die ze samen hadden doorgebracht er misschien anders uitgezien.

Felipe was op hun laatste dag samen sterk en beschermend geweest, en de herinnering aan die ene kus in het maanlicht lag nog steeds op haar lippen. Ze reikte naar haar tas en het papiertje waarop hij zijn adres en telefoonnummer had neergekrabbeld. Ze zou dolgraag zijn stem horen; ze hoorde hem in gedachten nog steeds op die heel speciale manier van hem haar naam zeggen.

Ze keek de hoofdstukken door die ze al had geschreven. Martin was een prima man, maar het leven zat hem, zonder dat hij er iets aan kon doen, niet mee. Als ze iets aan de omstandigheden van zijn personage veranderde, kon hij misschien de vrouw krijgen die hem toekwam. Op de een of andere manier vermoedde ze dat Martin degene zou worden die de plot van de roman een wending zou gaan geven, maar ze wist nog niet precies hoe, al moest er duidelijk iets gebeuren. Ze had een teken nodig, iets groots en gedenkwaardigs dat haar zou helpen de juiste beslissingen voor haar personages te nemen.

Plotseling ging haar telefoon, en meteen begon ze ernaar te zoeken, voor het geval er bericht van haar vader was.

Aan de andere kant van de lijn klonk Louises stem.

'Emma?'

'Hai, Louise. Is er al iets bekend?'

'Er is goed nieuws. De operatie is geslaagd, maar hij is nog niet bij.'

'Godzijdank. Wanneer ga je naar hem toe?'

'Ik ben alweer thuis. Ze zeiden dat ik beter naar huis kon gaan en morgen terug kon komen.'

'Aha.'

'Hoe gaat het met mam?'

'Die ligt met hoofdpijn op bed.'

'Het zal ook weer eens niet.'

'Ik wil proberen vanavond wat te schrijven.'

'Goed om te horen. Ik bel je morgenochtend weer.'

'Bedankt, Louise.'

Emma keerde terug naar haar laptop. Ze wilde ontsnappen. Ze wilde in haar eigen denkbeeldige wereld zijn, waar Martin, haar fictieve held met Felipes gezicht, precies zou doen wat zij hem ingaf.

Donal leunde achterover op de luie stoel in de woonkamer en sloot zijn ogen. Nu de kinderen in bed lagen, was het eindelijk stil in huis. Hij hoopte maar dat Louise snel thuis zou komen, want hij had niet graag dat ze 's avonds in haar eentje in de auto zat. Ze had vanuit het ziekenhuis gebeld om te zeggen dat de toestand van haar vader na de operatie stabiel was en dat ze er zo aan zou komen.

Hij kreeg opeens zin in een stevige borrel. Het was niets voor hem om te drinken als hij de volgende dag moest werken, maar toch besloot hij aan zijn opwelling toe te geven. Hij liep naar de drankkast en haalde er een ongeopende fles Connemara Malt Whiskey uit, die hij met kerst van een cliënt had gekregen. Op hetzelfde moment dat de fles tegen het glas in zijn hand aan tikte, hoorde hij zijn vrouw de voordeur binnenkomen.

'Hai,' zei ze vanuit de deuropening. 'Nou, ik ben kapot. Wil jij een gin-tonic voor me inschenken?'

'Natuurlijk,' zei hij, en hij schroefde de dop van de ginfles. Hij pakte de fles tonic en schudde ermee om te controleren of er nog wel koolzuur in zat. 'Hoe is het met je vader?'

'Goed.'

Louise liep naar de keuken om een glas te halen en ijs uit de vriezer, waarna ze terugging naar haar man in de woonkamer.

'Het zijn wel dolle dagen geweest. Nog bedankt voor al je hulp en steun.'

'Ach, ik ben je man, toch?' Hij pakte het glas met ijs van haar aan en schonk er gin in.

'Ik zou niet weten wat ik zonder jou had gemoeten,' zei ze. 'Voor het eerst van mijn leven voelde ik me enig kind.'

'Dan weet je precies hoe ik me altijd heb gevoeld.' Hij knikte veelbetekenend.

'Sorry dat ik vroeger altijd zo zeurde, al die keren dat jij voordat je moeder overleed bij haar ging kijken of alles goed met haar was. Ik heb dat soort verantwoordelijkheid nooit hoeven dragen; ik had altijd Emma nog als er een crisis was. Goddank is ze weer thuis.'

Donal schonk zijn whiskyglas nog wat voller en leunde achterover in zijn stoel. 'Emma heeft een heleboel te verstouwen gekregen.'

'Weet ik. Ik snap niet hoe ze zichzelf de afgelopen maanden op de been heeft weten te houden.'

'Ze had heel wat op haar bordje.'

'Maar gelukkig heb jij haar kunnen helpen met alle papieren en het testament.'

Donal ademde diep in. Dit leek een goed moment, even goed als willekeurig welk ander moment, om het zijn vrouw te vertellen. Hij zou eens vaker met haar moeten praten, moeten uitspreken wat er echt in hem omging. Ze draaiden veel te vaak om dingen heen, en hij wilde een oprecht gesprek met haar. 'Dat was niet het enige wat bij de rol van executeur-testamentair kwam kijken. We mogen nog van geluk spreken dat hij überhaupt een testament hád, al waren er wat complicaties waarover ik je nooit iets heb verteld, omdat Emma me heeft gesmeekt dat niet te doen.'

Louise ging rechtop op haar stoel zitten. 'Wat mocht ik van haar dan bijvoorbeeld niet weten?'

'Als ik het je vertel, beloof dan alsjeblieft dat je het nooit tegen haar zult zeggen.'

'Natuurlijk beloof ik dat.' Ze voelde zich gepasseerd doordat haar zus haar man iets had toevertrouwd wat ze niet aan háár had willen vertellen.

'Paul is geen natuurlijke dood gestorven.'

'Dat weet ik. Hij is overleden aan een hartaanval.'

'Een hartaanval die hij zelf had veroorzaakt.'

'Wat zeg je nou?!' Louises mond viel open.

'Hij heeft geweten dat hij in zijn laatste nacht niet meer wakker zou worden uit zijn slaap. Hij had een overdosis geslikt van heel sterke slaaptabletten en antidepressiva, en daardoor kreeg hij die hartaanval.'

'Beweer je nou dat hij zelfmoord heeft gepleegd?!'

Donal knikte. 'Het is niet helemaal met zekerheid te zeggen; het kon ook zijn dat hij per ongeluk twee hele potjes pillen had geslikt, maar wat denk jij?'

Louise nam een grote slok van haar gin-tonic. 'Niet te geloven...' zei ze hoofdschuddend.

'Het moeilijkste voor Emma is dat ze zich almaar loopt af te vragen waarom hij het heeft gedaan,' vervolgde Donal. 'Ze voelt zich ontzettend schuldig omdat hij zichzelf om het leven zou hebben gebracht om niet meer bij haar te hoeven zijn.'

Louise dacht koortsachtig na. Ze telde één en één bij elkaar op en vond nu een antwoord op allerlei vragen die na Pauls dood onbeantwoord waren gebleven. Dit verklaarde heel veel over de ontbrekende schakel in de keten van gebeurtenissen die tot zijn dood hadden geleid.

'Waarom zou Emma ons, haar familie, niet in vertrouwen nemen?'

'Ze was bang dat de verzekering niet zou uitbetalen als ze wisten dat hij zelfmoord had gepleegd, en daar had ze ook gelijk in. Ik heb haar op het hart gedrukt dat ze daar niets over mocht zeggen.'

'Ik vind het gewoon niet te geloven dat je me dit niet eerder hebt verteld.'

'Dat zou te snel na het hele gebeuren zijn geweest. Het was beter zo; ik wilde je niet onder druk zetten en je ook nog eens opzadelen met een geheim, boven op wat er verder nog allemaal aan de hand was.'

Opeens voelde Louise zich heel schuldig: zijzelf kon uitstekend dingen geheimhouden voor haar man. Dat had ze al gedaan voordat ze getrouwd waren.

'Wat ben je ineens stil.'

'Ik probeer iets uit te vissen.'

'Waarom hij het heeft gedaan?'

Louise knikte.

'Dat heb ik ook geprobeerd te achterhalen. Hij had alles wat zijn hartje begeerde en Emma is een geweldige vrouw.'

Louise vond het niet leuk om haar man dat over haar zus te horen zeggen; daardoor kreeg ze het gevoel dat zijzelf tekortschoot. 'Niemand is volmaakt. Vergeet niet dat ik haar al heel wat langer ken dan jij.'

'Wat ik zeg heeft niets met jou te maken! Wat hebben jullie zussen toch? Jullie vechten onderling voortdurend om aandacht. Jij bent mijn vrouw, met jou ben ik getrouwd.'

Louise stond op, liep naar de drankkast en schonk haar glas bij.

'Sorry, maar zo is het altijd tussen ons geweest.'

'Als Maggie zich vroeger meer om jullie had bekommerd toen jullie nog klein waren, in plaats van zich altijd maar druk te maken over zichzelf, zouden jullie misschien niet altijd zo met elkaar concurreren.'

'Je snapt het niet; jij bent enig kind.'

'Dat weet ik, maar ik heb zelf drie kinderen en ik ben me er heel wel van bewust hoe we met hen omgaan; ze worden allemaal gelijk behandeld. Denk maar niet dat ik niet merk hoe je vader altijd met Sophie bezig is en dat je moeder veel beslag legt op Emma en op haar tijd.'

Louise voerde dit soort gesprekken zelden met Donal. Meestal draaiden ze om familiekwesties heen. Ze vroeg zich af waarom hij nu opeens zo open en eerlijk was. Het deed haar pijn om uit de mond van haar echtgenoot de waarheid te horen.

'Nu we volwassen zijn is het anders. Nou ja... Emma en ik zijn in elk geval volwassen geworden!'

'Binnen je eigen familie ben je nooit volwassen; als je bij elkaar bent, verval je altijd weer in dezelfde oude patronen.'

Ze wist dat dat waar was en besloot het manmoedig te incasseren.

'Ik wil alleen dat het goed gaat met pap.'

'Ik wil alleen dat het goed gaat met óns.'

Louise huiverde toen hij dat zei. 'Het ís goed met ons,' zei ze.

'Nee, het is al jaren níét goed met ons. Ik kan me niet heugen wanneer dat nog wel zo was.'

Louise schrok zich wild van dit nieuwe geluid dat Donal liet horen en zei: 'Ik weet niet waar je het over hebt.'

'Nou, kun jij in alle eerlijkheid zeggen dat je gelukkig met mij bent?'

'Tuurlijk! Hoe bedoel je?'

'Als we een paar waarheden over je zus bespreken, kunnen we, lijkt me, net zo goed meteen maar een paar van onze eigen waarheden op tafel leggen. Heb jij dan nooit het gevoel dat we muizen in een tredmolen zijn?'

Louise nam een grote slok van haar drankje. 'Volgens mij gaat het goed met ons.'

'O, het gaat best oké, maar waar is het enthousiasme in onze relatie? We waren vroeger veel enthousiaster voor elkaar.'

'Voordat de kinderen alle aandacht opeisten, ja.'

'We kunnen niet altijd maar de kinderen de schuld geven. Begrijp me niet verkeerd, we hebben een goed leven en ik ben tevreden met je, maar er ontbreekt een vonk – en dat heb ik tegenover mezelf nooit eerder durven toegeven.'

Louise had het gevoel alsof ze op het punt stond in tranen uit te barsten. Wat was dit nou allemaal? 'Mijn vader ligt in het ziekenhuis en ik heb een paar zware weken achter de rug – wat heet, een paar zware maanden! Dit is niet het goede moment voor zo'n ge-sprek.'

'Als dit niet het moment is, wanneer dan wel?'

Louise nam nog een flinke slok. Daar had ze geen antwoord op, en ze raakte er volkomen van in paniek dat haar anders altijd zo kalme echtgenoot nu zomaar ineens over serieuze zaken begon.

'Ik ga naar bed,' deelde ze mee.

'Oké, maar morgenochtend, en de ochtend daarna, moeten we nog steeds onze situatie onder ogen zien, tenzij je bereid bent daar iets aan te doen.'

Louise gaf geen antwoord. Ze liep naar de keuken en dronk een glas water.

Ze ging meteen naar boven, stapte in bed en knipte het licht uit.

Toen ze de volgende ochtend wakker werd, was Donals kant van het bed onbeslapen. Hij had de nacht in de logeerkamer doorge-bracht.

Emma stond al op het punt de e-mail die in het Spaans was ge-schreven als spam te deleten, toen ze zag van wie die afkomstig was: Para cliente de Sol Melia Varadero. Eerst dacht ze dat hij van Dehannys moest zijn, totdat ze de naam onderaan las en haar hart begon te bonzen.

> Emma, het spijt me dat ik je niet meer gezien heb op de dag
> dat je naar huis ging. Ik hoop dat je van je vakantie op Cuba
> genoten hebt.
> Misschien zie ik je ooit nog eens terug. Het is niet makkelijk
> voor me om deze boodschap te versturen. Dehannys is hier bij
> me en ze doet je de groeten.
> Je vriend Felipe

Emma herlas de korte boodschap keer op keer. Het speet haar ook dat ze zo plotseling had moeten vertrekken.

Ze zou Felipe nu meteen willen spreken. Ze keek op haar horlo-ge; op Cuba was het midden in de nacht. Had ze toen ze nog op

Cuba was maar geweten waarom Paul een einde aan zijn leven had gemaakt! Sinds ze had ontdekt wat hij allemaal had uitgespookt in de jaren voordat hij zelfmoord had gepleegd, was er als het ware een sluier opgetild.

Ze moest met iemand praten – iemand die haar niet zou veroordelen, iemand die naar haar zou luisteren. Ze pakte de telefoon.

Twee uur later zat ze op een hoge kruk in de Ely-wijnbar. Precies om twaalf uur, zoals hij ook had gezegd, kwam Donal binnen. Het was een goed moment om nog een tafeltje te bemachtigen voordat het drukke lunchuur begon.

Hij kwam naar haar toe gelopen.

Ze keerde hem haar rechterwang toe en hij streek er met zijn lippen langs.

'Hoe was je vakantie? Je hebt een lekker kleurtje gekregen.'

'Goed – nou ja, vrij goed, afgezien van een kleine strubbeling met Sophie op het laatst.'

Donal knikte kort ten teken dat hij op de hoogte was. 'Is dat de reden dat je me wilt spreken?'

'O, Donal, ik ben zo in de war. Ik moet echt met je praten. Jij bent de enige die ik ken die geestelijk gezond is.'

'Ik ben er altijd voor je, Emma.'

'Dat komt er ook nog eens bij; je bent eerder een broer voor me geweest dan een zwager.'

Donal glimlachte. 'Ik mag het hopen.'

'Nou, ben je er klaar voor?'

'Brand los.'

'Paul had een verhouding met Sophie. Zover ik begrijp was die voor zijn dood al een poosje gaande.'

'O ja?' Er was heel wat voor nodig om Donal te choqueren, maar dit was duidelijk een schok voor hem.

'Ik weet het niet zeker, maar ik denk dat zij hem onder druk had gezet om bij mij weg te gaan en dat hij te laf was om dat ook echt te doen.'

'Misschien hield hij te veel van je.'

'Als hij echt van me had gehouden, zou hij niet met mijn zus het bed in gedoken zijn.'

De ober kwam aanlopen met het menu.

'Dank u,' zei Donal. 'Geeft u ons even de tijd, alstublieft.'

Toen de ober wegliep, keerde Donal zich weer naar Emma.

'Emma, misschien hield hij wel van jullie allebei.'

'O ja?' vroeg Emma sceptisch. 'Dat lijkt mij niet.'

'Ik denk van wel.'

'Wat Paul ook allemaal mag hebben gevoeld, ik word vanbinnen verscheurd. Ik loop mezelf al maanden verwijten te maken, en nu ben ik woest op hem omdat hij me heeft bedrogen.'

'Paul is er niet meer. Hij had zijn eigen kruis te dragen. Hij zal er niet best aan toe zijn geweest als je ziet wat hij heeft gedaan.'

Emma knikte. 'Maar waarom vond Sophie het nou ineens nodig het aan mij te vertellen?'

'Om haar geweten te ontlasten?'

'Soms vraag ik me af of Sophie wel een geweten hééft!'

'Misschien begrijp je nu beter hoe Paul er voor zijn dood aan toe was.'

'Ik wou dat ik wist wat er in zijn hoofd was omgegaan. Deed hij het uit wanhoop of uit schuldgevoel? Misschien had hij de moed niet om bij mij en Finn weg te gaan, maar hield hij zo veel van Sophie dat hij niet zonder haar kon leven?'

Donal zou willen dat hij Louise niet over Pauls zelfmoord had verteld. Hij hoopte dat ze daar haar mond over zou houden. De gebeurtenissen namen nu plotseling zo'n wending dat het ongemakkelijk begon te worden; alle Owensen waren zo met elkaar vervlochten dat de familie nu gevaar liep uiteen te vallen.

'We zullen waarschijnlijk nooit weten waarom hij het precies heeft gedaan, maar het belangrijkste is dat jij op een positieve manier verdergaat met je leven.'

'De reis naar Cuba was in elk geval een positieve ervaring, ondanks de afloop. Om eerlijk te zijn heb ik daar een paar geweldige mensen leren kennen. Je hebt geen idee hoe arm de Cubanen zijn. Ik heb een man ontmoet, een taxichauffeur, die zijn baan als jurist had opgegeven omdat hij met toeristen rondrijden meer verdient!'

Donal merkte aan de manier waarop Emma over deze Cubaan sprak dat ze gevoelens voor hem had.

'En hoe heette hij?'

'Felipe. Hij heeft me trouwens vandaag gemaild.'

'Vond je hem echt leuk?'

'Ja. Ik zou hem graag nog eens terugzien.'

'Dat is niet bepaald makkelijk, als de verhalen kloppen. Cuba is toch communistisch?'

'Socialistisch, maar niet zoals in de landen achter het IJzeren Gordijn van voor 1990. Mensen kunnen het land wel uit, maar dat is een heel gedoe en kost veel geld. En dat heeft hij niet.'

'Emma, je overweegt toch niet een vlucht voor die man te betalen, zodat hij je kan komen opzoeken?'

Emma beet op haar lip. Louise had die gewoonte ook en Donal wist dat zijn vermoeden klopte.

'Want dat is namelijk niet zo'n goed idee.'

'Hoezo niet? We konden prima met elkaar overweg en hij heeft me door heel Havana rondgereden. Het zou fijn zijn om iets voor hem terug te doen.'

'Volgens mij heb je je door die vakantieliefde te veel laten meeslepen en had je te veel rum achter de kiezen.'

Emma hoorde Donal aan; ze had door ervaring geleerd dat hij meestal goede raad gaf. 'Gek, hè?' zei ze. 'Ik had al zo'n gevoel dat ik het jou als eerste moest vertellen, en ik ben blij dat ik dat ook heb gedaan. Maar ik moest je ook spreken over Sophie.'

'Emma, waarschijnlijk zul je moeten leren om die informatie voor je te houden, althans zolang Maggie en Larry nog leven.'

'Ik kan Sophie wel vermoorden, dát zou ik willen doen. En het is maar goed dat Paul dood is, want anders had ik hem ook een kopje kleiner gemaakt.'

Donal legde zijn hand op de hare. 'Ik zeg het niet graag, maar misschien kon Paul geen weerstand aan Sophie bieden. Ze heeft die typische Owens-charme.'

'Je wordt bedankt, Donal,' zei ze wrang. 'Dat van die charme weet ik zonet nog niet, maar ik weet wel dat ze, als ze haar zinnen op een man zet, die ook altijd krijgt.' Ze slaakte een zucht. 'Ik ben van slag en in de war. Ik moest gewoon even met je praten.'

'Nou, ik voel me gevleid en ben er blij om. Ik sta altijd voor je klaar, Emma.'

Emma glimlachte. 'Dank je wel, Donal. Na het eten moet ik gaan – mijn vader opzoeken. Weet je, tegen Louise had hij gezegd dat ik me niet hoefde te haasten, maar Sophie wilde hij zodra we terug waren uit Cuba wel meteen zien.'

'Zo zijn families nu eenmaal. Dat moet je niet te persoonlijk opvatten.'

'Dat is het nou net: we zijn familie, dus is het wél persoonlijk. En ik sta niet in voor wat ik Sophie aandoe de volgende keer dat ik haar zie.'

Louise had het Spaans benauwd. De vorige avond had Donal heel harde dingen over hun relatie gezegd, kille dingen zelfs. En juist omdat het allemaal waar was, was het zo moeilijk te verteren. Ze reed hard, met haar ogen strak op de weg gericht.

Haar mobiele telefoon ging en ze drukte op de knop op het stuur.

'Hallo?'

'Louise – weet jij waar Emma zit? Ze had gezegd dat ze even de deur uit ging, maar dat was twee uur geleden.'

'Ik zou het niet weten, mam. Ik heb haar vandaag nog niet gesproken.'

'Ik had haar gevraagd of ze op de terugweg een *Independent* voor me wilde meenemen.'

'Ik ben onderweg naar pap. Ik bel haar wel, als je wilt.'

'Kun jij die krant niet halen en hem even langsbrengen?'

Louise fronste. Sutton lag niet op haar route naar het Beaumont-ziekenhuis. Ze zou een half uur langer onderweg zijn en haar buurvrouw paste op haar kinderen zolang zij op bezoek was bij haar vader.

'Ik heb weinig tijd, mam.'

Maggie gaf geen antwoord. Sinds haar eigen kinderen volwassen waren, leek ze volkomen te zijn vergeten hoe het was om voor kleintjes te moeten zorgen.

'Ik bel Emma wel. Ik moet echt opschieten, mam. Dag!'

Zo ging het in het gezin Owens. Maar het was helemaal niets voor Emma om haar verantwoordelijkheden niet te nemen. Louise vroeg zich af waar ze was.

De laatste die Sophie aan het eind van haar eerste dag bij de *Irish Times* tegenkwam was Jack Duggan.

'Heb je al een rondleiding gehad?'

Sophie knikte. 'Brenda is ontzettend aardig. Ze zei dat ze de komende week voor vier dagen werk voor me had.'

'Heb je zin om een kop koffie te gaan drinken? Ik wilde net pauze nemen.'

'Goed idee. Graag.'

Ze liepen de hoek om en sloegen Pearse Street in.

'Meestal ga ik hierheen,' zei Jack toen ze voor een klein café stonden.

De tafeltjes stonden dicht bij elkaar en ze zochten er eentje in de hoek bij het raam.

'Wat wil jij?'

'Zwarte koffie.'

Jack riep een van de serveersters en bestelde twee koffie.

'Wat een geluk dat ik je in het Beaumont tegenkwam,' zei hij. 'Zulk toeval verbaast me keer op keer.'

Sophie glimlachte. Zij vond het helemaal niet vreemd, want zo liep het in haar leven wel vaker.

'Hoe gaat het met je vader?'

'Best goed, dacht ik. Zo meteen ga ik bij hem op bezoek.' Sophie tilde haar haar uit haar nek en boog zich voorover over tafel. 'Waar woon jij, Jack?'

'In Howth.'

'Leuk, Howth. Alleen jammer dat het zo ver van het centrum is.'

'Daarom bevalt het me juist zo goed.'

'Jij bent anders nog veel te jong om opgeborgen te zitten in een buitenwijk.'

'Hoe oud denk je dan dat ik ben?'

Sophie ging achteroverzitten en nam hem schattend op. 'Een jaar of drieëndertig?'

'Bijna goed – tweeëndertig. Ik ben ouder dan jij, maar ik ga jou niet naar je leeftijd vragen.'

Sophie gaf geen antwoord. Zij was twee jaar ouder dan hij, maar was niet van plan hem over dergelijke details in te lichten.

'We gaan morgen met een stel naar het Café en Seine. Heb je zin om mee te gaan en een paar vrienden van me te leren kennen?' vroeg Jack.

'Ja hoor, leuk.'

'En waar woon jij, Sophie?'

'Ik heb een appartement bij het IFSC.'

'Dat is handig.'

'Het was heel handig voor mijn werk, maar ik moet nog zien hoe het de komende tijd gaat. Brenda zei dat deze job maar tijdelijk is.'

'Beter dan tijdelijk vind je op het moment nergens in de stad.'

De serveerster kwam hun koffie brengen, samen met de rekening. Jack stak zijn hand in zijn zak en betaalde.

'Bedankt,' zei Sophie terwijl ze een slokje nam.

'Is het een idee om Louise ook mee te vragen naar het Café en Seine?'

'Ik ga in mijn vrije tijd nooit met mijn zus om, zeker niet op zaterdagavond. Ze is zo druk met haar gezin dat ik daar op z'n zachtst gezegd hoorndol van word.' Sophie zette haar kopje neer en hield haar hoofd schuin. Waarom zou Jack Louise zo graag weer willen zien? Hij had toch geen oogje op haar? Hij was immers stukken jonger en fitter dan zij. 'Hoe ken jij Louise eigenlijk?'

Zodra de woorden zijn mond uit waren, drong tot Jack door wat hij had gedaan. Nu probeerde hij zijn fout te herstellen. 'Ik kwam haar tegen in de Westwood Gym.'

'Echt waar?' Sophie zag haar zus nog niet zo een-twee-drie bezig in een sportschool, want Louise moest niets van dat soort gelegenheden hebben.

'Ja. Zo lang ken ik haar nog helemaal niet.'

'Aha,' zei Sophie met een knikje, en ze pakte haar kopje weer op. Louise had gezegd dat Jack en zij elkaar van het werk kenden. Hier zat ergens een verhaal verborgen. Misschien moest ze inderdaad maar naar het Café en Seine gaan om er meer over te weten te komen.

18

Emma was meestal niet geneigd Donals advies te negeren, maar ditmaal was haar onderbuikgevoel te sterk. Ze móést Felipe weer zien. Misschien dat dat kwam door het gedoe met Sophie. Haar inspiratie was uitgeput en alle mooie herinneringen die ze aan La Finca Vigía en Havana had waren vervlochten geraakt met herinneringen aan Felipe. Haar enige voorbehoud gold Finn; ze wist niet zeker hoe hij het zou vinden als er een vreemde kwam logeren, maar deze keer moest ze haar eigen behoeften op de eerste plaats stellen. Ze had de Cubaanse ambassade gebeld om te informeren wat ze allemaal moest doen om een Cubaanse burger voor een vakantie naar Ierland te halen.

Ze klikte op het icoontje voor Outlook Express en besloot zijn e-mail te beantwoorden. Ze miste Cuba; het was zo'n oase geweest. Sinds ze weer thuis was was ze de hele dag in de weer om te voldoen aan de eisen die haar moeder en Louise aan haar stelden, en ze wilde zich dolgraag weer vrij voelen.

Beste Felipe,
Heel fijn om een mail van je te krijgen. Ik weet dat het misschien vreemd klinkt, maar ik wil erg graag dat je me in Dublin komt opzoeken. Voordat ik verderga: voel je alsjeblieft niet onder druk gezet. Toen ik op Cuba was heb je heel goed voor me gezorgd en ik zou voor je gastvrijheid graag iets terugdoen.
Ik weet niet wat er aan jouw kant voor nodig is, maar ik heb de Cubaanse ambassade hier gebeld en zij zeiden dat het wel te regelen was; het zal een paar weken kosten om een visum te krijgen.

In Ierland breekt een mooi jaargetijde aan en ik zou het echt heel fijn vinden om je binnenkort weer te zien. Ik kan je hierover bellen als jij me eerst terugmailt om te zeggen of je wel wilt komen.

Doe Dehannys de groeten van me en zeg maar tegen haar dat ik een pakje heb gemaakt voor haar zoon: schoenen, een computerspelletje en een MP3-speler. Ik heb het gisteren verstuurd, maar heb geen idee hoe lang het duurt voor het aankomt.

Hartelijke groeten,
Emma

Ze hoopte maar dat hij de mail zou krijgen. Afhankelijk van zijn antwoord zou ze hem bellen. Ze vond het nergens voor nodig om tegen Donal of tegen wie dan ook te zeggen wat ze had gedaan. De relatie met Felipe was gewoon heel bijzonder.

Larry zwaaide met zijn rechterarm en grimaste van de pijn.

'Louise!' kreunde hij.

'Alles goed, pap?'

'Waarom is Sophie me na de operatie niet komen opzoeken?'

Louise wilde vragen waarom haar moeder niet op bezoek was geweest. 'Ik heb haar niet meer gesproken, pap. Maak je maar geen zorgen. Het is gewoon een beetje een gekkenhuis. Waarschijnlijk doet ze haar best de draad weer op te pakken sinds ze uit Cuba terug is.'

'Emma was hier eerder nog, maar ze is niet lang gebleven.'

'Kan ik iets voor je halen?'

'Ik zou wel een autoblad willen hebben. Als ik uit het ziekenhuis kom, wil ik een nieuwe kopen.'

'Goed idee. Dan heb je iets om naar uit te kijken.'

'Hoe gaat het met je moeder?'

'Die logeert bij Emma.'

'Dat weet ik, maar Emma doet zo afwezig. Ze is zichzelf niet en die vakantie lijkt haar ook niet veel goed te hebben gedaan.'

'Mam is graag bij haar.'

'Wil je voor me checken of alles wel goed met haar gaat?'

Opeens had Louise er genoeg van. 'Hoor eens even, pap, vind je het niet tijd worden dat Sophie eens wat verantwoordelijkheid neemt? Ik ben niet jullie enige dochter en ik heb drie kinderen. Emma heeft er maar eentje en Sophie is zo vrij als een vogeltje. Ik wil je niet van streek maken, maar ik heb er momenteel schoon genoeg van dat alles op mij neerkomt.'

Larry was verbijsterd. Hij wist wel dat Louise soms kon opstuiven, maar zo'n uitbarsting over haar zussen had hij sinds haar twaalfde niet meer van haar meegemaakt. 'Ik dacht gewoon, omdat jij niet werkt...'

'Ik werk wél! Ik ben huisvrouw. God, wat hangt dit leven me de keel uit!' Plotseling sprongen de tranen haar in de ogen.

Larry was niet iemand die goed kon omgaan met emotioneel vertoon van zijn dochters, want aan zijn echtgenote had hij zijn handen al vol.

'Weet Donal wel dat je zo ongelukkig bent?'

Louise vond het ongelofelijk dat ze dit gesprek met haar vader voerde; ze waren nooit eerder zo intiem geweest. Meestal was Sophie degene die hij in vertrouwen nam en om wie hij zich zorgen maakte.

'Donal is ook niet gelukkig. Dat heeft hij laatst zelf gezegd, en daar moet ik steeds aan denken.'

'Hoezo, niet gelukkig?'

'Ons leven is een sleur geworden, en dat zal wel komen doordat we niet over onze gevoelens praten.'

Larry leek precies te begrijpen wat ze bedoelde. 'Zo gaat het als je getrouwd bent. Je moeder is in de loop der jaren vaak tegen mij uitgevallen, en ik heb door ervaring geleerd dat het maar het beste is om me daar niets van aan te trekken.'

Louise had met haar vader te doen. Maggie was zelden tevreden. Ze herinnerde zich nog goed dat haar vader hemel en aarde moest bewegen als ze met het hele gezin op vakantie waren en

Maggie een ander appartement wilde, omdat er altijd wel iets mankeerde aan het appartement dat ze bij aankomst toegewezen kregen. Als ze met z'n allen uit eten gingen in een restaurant, zat Maggie niet lekker op de plek die ze aanvankelijk had uitgekozen en moesten ze allemaal verkassen totdat ze ergens zat waar ze zich wel op haar gemak voelde.

'Hoe heb je het al die jaren met haar uitgehouden?'

'Ach, ze is mijn vrouw; dan verdraag je dat nu eenmaal.' Larry klonk berustend.

'Ik geloof niet dat stellen daar tegenwoordig genoegen mee nemen, pap.'

'Daarom gaan er ook zo veel mensen uit elkaar. Met wie je ook bent, het gaat toch altijd hetzelfde: in relaties ontstaan bepaalde patronen en iedere partner vindt daar zijn rol in.'

Louise schonk haar vader een glimlach. Hij was van een andere generatie. Misschien had hij wel gelijk.

'Ik weet niet hoe ik het moet aanpakken met Donal. Vroeger dacht ik altijd wel te weten wat er in hem omging.'

'Weet hij wat er in jou omgaat?'

Louise schudde heftig haar hoofd.

'Nou dan. En zo is het in de meeste huwelijken.'

Louise begreep precies wat haar vader zei, maar op de een of andere manier leek het voor haar niet meer genoeg, en kennelijk gold dat ook voor Donal.

Dehannys was gewend kansen te grijpen op het moment dat ze zich voordeden. Ze moest vindingrijk zijn om zich binnen het systeem te handhaven. Emma had beloofd kleren op te sturen voor haar zoon, en die had alle hulp nodig die hij kon krijgen, waar dan ook vandaan.

'Hé, Pedro, waar werk je vandaag?'

'Hallo, Dehannys. Ik zit in de computerkamer.' Hij schudde zijn hoofd. Het was geen goede dag, want Diego had ook dienst.

'Wil je mijn e-mailadres opzoeken en kijken of er berichten voor me zijn?'

'Ja hoor, ik zal mijn best doen. Maar als ik betrapt word, zal ik moeten zeggen dat jij het me gevraagd hebt.'

'Uiteraard.'

'Wat staat ertegenover?'

'Mijn vader heeft rum voor je; die breng ik morgen wel mee.'

Pedro knikte. Dat was het risico waard.

Voor Dehannys was omkoperij niets nieuws. Al haar collega's deden het. Ze mocht van geluk spreken dat haar vader in een rumfabriek werkte. Haar oom had een boerderij en teelde groenten voor de boerenmarkt; dat was een hele opluchting voor haar familie en betekende dat haar moeder de paladar kon voortzetten. Dit jaar zou het moeilijker worden dan anders, nu het land geteisterd was door orkanen. Hun rijstrantsoen was al teruggebracht naar vier kilo per persoon per maand, en het kon alleen maar minder worden.

De hele dag wachtte ze geduldig, terwijl ze glazen opwreef en drankjes inschonk.

Toen Pedro tegen het eind van haar dienst met een vel papier kwam aanlopen, leefde ze op.

'Dank je wel. Wat fijn dat je dit gedaan hebt.'

'Niet vergeten morgen een fles rum mee te nemen!'

Dehannys knikte. Ze had haar hoofd al over het vel papier gebogen; ze spande zich in om de e-mail te begrijpen en wenste dat ze tijdens de Engelse lessen op de toerismeopleiding beter haar best had gedaan. De boodschap was voor Felipe bedoeld, maar ze trof er zinnen in aan die over haar gingen.

Ze herkende het woord 'schoenen', maar zou Felipe moeten vragen wat 'pakket' betekende. Felipe zou ook dolblij zijn om iets van Emma te horen. Ze vouwde het blad dubbel en borg het in haar tas. Ze zou ernstig in de problemen komen als iemand ontdekte dat ze privé e-mails verstuurde. Alleen in bepaalde functies mocht je vrijelijk van de mail gebruikmaken. Ze vroeg zich af hoe lang het zou duren voor de schoenen zouden aankomen.

Jack stond aan de bar van het Café en Seine en keek op zijn horloge. Het was bijna tien uur.

Hij voelde zijn telefoon trillen in zijn zak en haalde hem eruit om te kijken wie hem een bericht stuurde.

Waar zit je? Aoife

Het was een schok om haar naam te zien. Er waren vijf dagen verstreken sinds ze hem had gemaild en hij was blij verrast dat ze contact met hem opnam voordat de week om was.

In Café en Seine. Jij in de stad? J

Ze antwoordde meteen.

Malahide. Morgen 4 u in Gibneys?

Jacks hart maakte een sprongetje.

Oké.

Hij borg zijn telefoon weer in zijn zak en bestelde nog iets te drinken.

Om half elf arriveerde Sophie.

Jack zag haar het eerst en kwam onmiddellijk naar haar toe.

'Fijn dat je kon komen.'

Sophie liet haar blik over de mensen gaan die in een groepje bij de bar stonden. 'Het leek me wel een goed idee om iedereen te leren kennen. Bedankt nog voor de uitnodiging.' Ze werkte met haar wimpers en schonk hem de blik à la Sophie waarvan mannen altijd hoteldebotel raakten.

'Wat kan ik voor je halen?'

'Witte wijn, sauvignon blanc graag.'

Jack wenkte de barman en gaf zijn bestelling op. Opeens tikte een hand hem op zijn rechterschouder. Jack draaide zich om om te kijken wie dat was.

'Peter!' riep hij uit. 'Ik had niet gedacht dat je nog zou komen.'

'Bij het optreden waar ik heen zou stond het mudje vol en de band was niet geweldig. Je had gezegd dat je hier zou zijn en ik vond dat we er wel even tussenuit konden piepen. Maar ik had me niet gerealiseerd dat je iemand bij je had.' Peter knikte naar Sophie.

Die wierp een blik op zijn besproete Ierse huid en woeste rossige haar, en knikte terug.

'Eh... Peter, dit is Sophie.'

'Hallo,' zei Peter, en hij stak zijn rechterhand uit.

Sophie schudde die licht.

'Wat wil je drinken?' vroeg Jack.

'Een Budweiser.' Peter wendde zich naar Sophie en staarde haar aan. 'Ken ik jou niet ergens van?'

Sophie schudde haar hoofd. 'Jij komt mij anders niet bekend voor.'

'Meestal kan ik goed gezichten onthouden, en een mooi gezicht vergeet ik nooit. Waar werk je?'

'Ik doe een beetje styling voor de *Times*, maar dat is tijdelijk. Daarvoor zat ik in de modebranche.'

Peter was er nog steeds niet achter waar hij haar eerder had gezien.

'Alsjeblieft, maat,' zei Jack terwijl hij Peter het biertje aangaf.

'Ik werk bij een reclamebureau,' zei Peter. 'Misschien hebben we met elkaar te maken gehad bij een promotieklus voor jouw werkgever?'

Sophie nam een slok uit haar wijnglas. Misschien had hij wel met Paul samengewerkt. 'Welk bureau dan?'

'Evans Graphics House.'

Sophie hief nogmaals haar glas. Kon ze zich daar maar achter verstoppen.

'Met dat bureau hebben wij nooit samengewerkt,' zei ze kortweg.

Peter bleef haar aanstaren, waardoor Sophie zich heel ongemakkelijk begon te voelen. Ze besefte dat het alleen een kwestie van tijd was voordat hij wist waar hij haar van kende.

'Mag ik de afstandsbediening even?' vroeg Donal.

Louise gaf hem die aan.

'Wil je iets drinken?' vroeg ze. 'Ik neem een gin-tonic.'

'Nee, dank je.'

'Wat heb ik een afgrijselijke dag gehad,' zei Louise met een zucht.

'O ja?'

'Ja. Je hebt geen idee hoe beroerd ik me heb gevoeld sinds...'

'Sinds ik een paar waarheden heb uitgesproken over ons huiselijk leven?'

Louise knikte.

'Ik weet ook wel dat de timing beter had gekund, nu je vader in het ziekenhuis ligt,' zei hij, 'maar zulke dingen komen nooit gelegen.'

'En dat ligt net zozeer aan mij als aan jou. Ik zou niet kunnen zeggen wanneer wij gestopt zijn met praten.'

'Ik zou niet kunnen zeggen wanneer we daarmee begonnen zijn.'

'Ik hou mijn hart vast.'

'Waarvoor?'

'Voor ons.'

'Ik ga nergens heen, Louise. Ik moest het alleen kwijt, en die keer kwam het er gewoon uit.'

'Donal, wat moeten we nou?'

Donal zette de televisie harder en wierp een blik op het scherm. Hij schudde zijn hoofd en haalde zijn schouders op.

'Geen flauw idee.'

Jack werd wakker met Sophies warme, naakte lichaam naast zich. Hij vond het vreselijk wat hij had gedaan – hij verviel weer in zijn oude gewoonten –, maar hij kon er niets aan doen. Hij had haar domweg niet kunnen weerstaan.

Toen Peter de link had gelegd en Sophie had herkend van een feestje waar ze met Paul geweest was, die bij hem op de zaak had gewerkt, had ze opeens uit het café weg gewild. Jack had zich al afgevraagd waarom ze zo vreemd deed.

Maar nu deed het er niet meer toe. Toen hij was meegegaan naar haar appartement, had hij precies geweten waar het op uit zou draaien, en hij kon alleen maar zichzelf verwijten maken. Hij wierp een blik op zijn horloge. Het was vijf voor twaalf en om vier uur moest hij in Malahide zijn.

Sophie rolde zichzelf uit en gaapte luidkeels. Ze keek op naar Jack en glimlachte.

'Goedemorgen.'

'Hai, Sophie. Vind je het erg als ik even een douche neem?'

'Ga je gang.' Ze ging rechtop in bed zitten en trok het laken op om haar borsten te bedekken. Jack was geen Greg Adams en hij was zeer zeker geen Paul; ze zou niet in de verleiding komen nog een keer het bed met hem te delen.

Jack stapte onder de douche en spoot shampoo op zijn haar. Hij moest de geur van Sophie van zich af zien te wassen. Wat had hem bezield? Louise had hem nog zo gewaarschuwd dat ze gevaarlijk was. Maar ze was ook volkomen onweerstaanbaar.

Hij wist niet goed hoe hij Aoife onder ogen moest komen.

'Wil je koffie?' riep Sophie vanuit haar keukentje.

'Ja, graag!' riep hij terug.

Snel kleedde hij zich aan en controleerde voordat ze terugkwam naar de slaapkamer zijn telefoon op nieuwe boodschappen.

ouwe schuinsmarcheerder!!! Peter

Jack wiste het sms'je. Dit was nou precies het soort tekst waarvan hij niet wilde dat Aoife die zou zien.

Sophie zette de twee mokken op tafel en trok een stoel bij.

'Dank je,' zei Jack, en hij pakte zijn mok op en nam een paar snelle slokken. 'Ik moet opschieten.'

Sophie wond een lok haar om haar wijsvinger. 'Misschien zie ik je nog op het werk. We kunnen gewoon doen alsof dit nooit gebeurd is.'

Jack zuchtte en wenste meteen dat hij dat niet zo hard had gedaan. 'Ja, prima. Het was een fijne nacht.'

'Dat mag ik hopen!' antwoordde Sophie met een knipoog.

Hij voelde een blos naar zijn wangen stijgen. Die verdiende hij. 'Oké, tot maandag dan maar.'

'Tot dan,' zei ze. Ze stond niet op om hem uit te laten – hij kwam er vast zelf wel uit.

'Wil je mee naar het ziekenhuis om pap op te zoeken?'

Maggie kreunde even en draaide zich om in bed. 'Is het al ochtend dan?'

'Ja, mam,' antwoordde Emma. 'En ik wil zo vroeg mogelijk naar hem toe; de rest van de dag wil ik proberen wat te schrijven.'

'Maar het is zondag!'

'Dat maakt mij niet uit.'

'Ziekenhuizen staan me niet erg aan, geloof ik.'

'Die staan niemand aan, mam, maar pap ligt er nu al ruim een week. Wil je hem dan niet zien?'

Maggie slaakte een jammerkreetje. 'Al sinds die vreselijke schok van de inbraak voel ik me niet erg goed. Dat zou jij toch zeker wel begrijpen, had ik zo gedacht.'

'Echt, ik leef ook met je mee, maar pap is degene die een hartoperatie heeft ondergaan. Ga deze keer alsjeblieft mee, mam. Eind volgende week mag hij al naar huis.'

'En dan sta ik er weer alleen voor om voor hem te zorgen!'

Emma sloeg haar ogen ten hemel. Haar moeder stond nooit ergens alleen voor, want Louise en zij schoten haar altijd te hulp. Ze had er genoeg van om haar moeder in de watten te leggen. Jarenlang had ze haar nukken verdragen, maar nu was ze niet langer bereid naar haar te luisteren.

Aoife zat op een kruk in het knusse hoekje bij het vuur. Ze zag er prachtig uit en Jack ging gebukt onder schuldgevoel.

'Hallo!'

'Hai,' zei ze met een glimlach. 'Ik heb het niet erg lang uitgehouden om geen contact met je te zoeken, hè?'

Jack kwam naast haar zitten. 'Gelukkig maar.'

'Hoe gaat het op je werk?'

'Prima. Z'n gangetje.'

Er biggelde een dikke traan over haar linkerwang.

Zijn hart begon te hameren; hij zag haar niet graag zo.

'Ik heb je ontzettend gemist,' begon ze. 'Ik heb ons gemist. O, Jack, het was zo zwaar!'

Troostend sloeg Jack zijn arm om haar heen. 'Ik heb jou ook gemist.'

'Wat moeten we nou doen?'

Jack kuste haar op haar wang. Hij wilde haar het liefst stevig tegen zich aan drukken. 'Ik wílde helemaal niet dat we uit elkaar waren. Ik wil bij jou zijn, dát weet ik wel.'

'Maar je wilt niet al zo snel trouwen?'

Jack haalde zijn schouders op. 'Ik weet niet. Daar moeten we het nog maar eens over hebben.'

'De bruiloft kan me niet meer schelen. Ik heb je gewoon heel erg gemist.'

'We kunnen naar huis gaan, als je wilt.'

Aoife knikte. 'Ja, naar huis.'

Felipe ging langs bij de Port Royal-bar in de hoop Dehannys te treffen. Hij verlangde terug naar de tijd dat hij als jurist nog de beschikking over een computer en e-mail had gehad, maar die had hij nou eenmaal opgegeven voor de Cubaanse dollars die hij nu verdiende, en tot op dit moment had hij daar geen spijt van gehad. Maar anderzijds, als hij geen taxichauffeur was geweest, zou hij Emma nooit hebben leren kennen. Hij voelde zich dwaas en onvolwassen, zoals hij liep te piekeren over de vrouw aan de andere kant van de Atlantische Oceaan met wie het zo moeilijk communiceren was, laat staan dat hij op de een of andere manier een relatie met haar kon aangaan.

Hij zag dat Dehannys bezig was een stel aan een tafeltje te bedienen. Ze zwaaide toen ze hem in het oog kreeg.

Aan haar gezicht zag hij wel dat ze hem iets wilde laten zien, maar ze zouden voorzichtig moeten zijn.

'Kom maar mee naar achteren,' zei ze, terwijl ze hem wenkte, en ze ging hem voor naar de personeelsruimte.

Uit haar tas haalde ze het vel papier dat ze de vorige dag van Pedro had gekregen.

'Snap jij wat daar allemaal staat?' vroeg ze.

Felipe las de tekst gretig. Er verscheen een glimlach op zijn gezicht.

'Wat is Emma van plan?' vroeg Dehannys.

'Ze schrijft dat ze een pakje voor je heeft opgestuurd met schoenen en een MP3-speler voor je zoon, zodat hij daar muziek op kan zetten, en een computerspelletje.'

Dehannys trilde van opwinding. 'Felipe, wat een goed nieuws!'

'Ja, en ze schrijft ook dat ze graag wil dat ik op bezoek kom in Ierland.'

'O, geweldig! Ga je erheen?'

Felipe schokschouderde. 'Ik weet niet of dat gaat lukken. Maar ik hoop van wel.'

'Wat een avontuur zou dat zijn.'

'Van wie heb je dit, Dehannys?'

'Van Pedro.'

'Kan hij een mail voor ons terugsturen?'

'Ik weet niet wanneer hij weer dienst heeft.'

Felipe krabde op zijn hoofd. 'Ik moet een andere contactpersoon zien te vinden.'

'Had je toen je nog jurist was niet een vriend die nu misschien nog steeds een computer gebruikt?'

Felipe kon niet geloven dat hij daar zelf niet eerder aan had gedacht. Hij spreidde zijn armen en drukte Dehannys dicht tegen zich aan.

'Jawel, mijn vriend Miguel! Moet ik Emma van jou ook nog een boodschap doorgeven?'

'Bedank haar maar en geef haar maar veel liefs en kusjes van Fernando en mij.'

Felipe kon niet wachten om zijn gasten te gaan ophalen en hen naar Havana te brengen. Het was een bijzonder onbeschoft Frans stel, maar hij maakte zich er niet druk om. Toen hij hen had afgezet bij de foyer van het Hotel Nacional maakte hij zich al evenmin druk; hij wilde alleen maar zo snel mogelijk bij Miguels kantoor zien te komen. Miguel stond nog diep bij hem in het krijt. Hij had op de universiteit de kantjes ervanaf gelopen en zou zonder Felipes hulp zijn tentamens nooit hebben gehaald. Het minste wat hij nu kon doen was als tussenpersoon fungeren tussen Emma en hem.

Miguels kantoor bevond zich in een zijstraat van La Rampa. Felipe parkeerde zijn taxi en liep met twee treden tegelijk de trap op naar Miguels schaars verlichte vertrekken. Zijn secretaresse zat aan een bureau dat bezaaid lag met papieren.

'*¡Hola!* Is señor Estefan vandaag aanwezig?'

'*Sí.*' Ze knikte en wees naar een andere deur.

Miguel was een gezette man, met een kale plek midden in zijn donkere haar. Zodra hij zijn oude vriend zag, sprong hij overeind.

'Felipe Blanco Garcia, wat goed om je te zien, vriend!' Hij omhelsde hem hartelijk.

'En goed om jou te zien!' zei Felipe.

'Hoe staan de zaken, nu jij alle Cubaanse dollars verdient waar de rest van ons alleen van kan dromen?'

Felipe lachte. 'Het is heus niet zo leuk als het lijkt om de hele dag toeristen rond te rijden.'

'Wat is het warm vandaag. Je wilt zeker wel iets drinken?'

'Misschien een koffie, als dat kan.'

'En, beste vriend, vanwaar dat je nu ineens langskomt? Het moet toch al een jaar of drie geleden zijn sinds je hier voor het laatst bent geweest.'

Felipe aarzelde. Hij wist dat het tegen de wet was wat hij wilde vragen, maar het kon nu eenmaal niet anders. 'Ik wilde je om een gunst vragen.'

'Aha. Mijn vrienden zie ik alleen wanneer ze iets van me nodig hebben,' zei Miguel lachend.

'Heb jij nog steeds toegang tot internet?' vroeg Felipe. 'Ik wil namelijk een e-mail sturen.'

'Ik heb een krakkemikkige computer, die er twee keer per dag de brui aan geeft, maar inderdaad: ik heb e-mail. Wou je daar gebruik van maken?'

'Ja. Ik heb een Europese vrouw leren kennen en ze wil graag dat ik contact met haar opneem. Mag ik jouw adres gebruiken?'

'Ga je gang. Jij hebt maar mazzel dat je een vrouw met geld hebt getroffen!'

Felipe wilde geen verdere informatie prijsgeven. Hij vertrouwde

Miguel wel, maar toch was het beter om zo min mogelijk te vertellen, zelfs aan je vrienden. Op Cuba hadden de muren immers oren.

Miguel liep de kamer uit om iets tegen zijn secretaresse te zeggen, zodat Felipe in alle rust een bericht voor Emma kon opstellen.

Hij liet zijn blik langs de boeken boven zijn hoofd gaan. Al het geleuter dat hij op de universiteit had moeten lezen. Zijn oog viel op een klein woordenboek Engels-Spaans aan het eind van de plank. Hij pakte het erbij voor het geval hij iets zou willen opzoeken.

Beste Emma,

Fijn om een e-mail van je te krijgen. Dit adres is van mijn vriend; je kunt gerust naar hem terugschrijven als je wilt. Sinds je van Cuba bent vertrokken heb ik veel aan je gedacht. Hadden we maar meer tijd gehad. Ik zou je een heleboel van mijn land willen laten zien. Ik hoop dat ik je ooit nog eens terugzie. Het is niet makkelijk om mijn land uit te komen. Als jij me kunt vertellen hoe duur een visum en de vlucht zijn, kan ik nagaan of ik het misschien voor elkaar krijg.

Ik hoop dat je me gauw weer schrijft. Het betekent veel voor me om bericht van je te krijgen.

Dehannys doet je de hartelijke groeten en wenst je namens haar familie en zoon het allerbeste.

Je vriend,

Felipe

Felipe liep de kamer uit en zocht Miguel, die met zijn secretaresse stond te flirten.

'Weet jij hoe je een visum kunt krijgen? Ik herinner me nog dat dat toen we studeerden werd ontmoedigd.'

Miguel haalde zijn schouders op. 'Sindsdien is er niets veranderd, vriend.'

Emma nam zorgvuldig haar e-mail door en drukte snel op de icoontjes toen ze een boodschap van Miguel Estefan zag. Het onderwerp luidde 'Van Felipe', en meer hoefde ze niet te weten.

Toen ze de e-mail las, kreeg ze vlinders in haar buik. Uit de toon kon ze wel opmaken dat het moeilijk voor Felipe zou worden het land uit te komen en daar het geld voor bij elkaar te krijgen, maar toch hoopte ze dat dat hem er niet van zou weerhouden de reis naar Ierland te maken.

19

Jack was heel blij dat hij wakker werd met zijn armen om Aoifes warme lichaam heen geslagen. De afgelopen drie weken waren heerlijk geweest; ze waren weer net zo stapelverliefd als in het begin.

'Sorry dat ik je zo heb gekwetst,' zei hij.

Aoife keek Jack in de ogen en glimlachte. Ze hoefde niets terug te zeggen. Hun relatie was weer in de comfortabele veilige zone terechtgekomen waarin ze zich zo thuis had gevoeld.

'Jammer dat ik naar mijn werk moet,' zei hij.

'Ik moet ook de deur uit – maar we zouden vanavond vroeg naar bed kunnen gaan,' zei ze met een grijns.

Jack ging als eerste onder de douche en Aoife liep naar de keuken, zette water op en begon toast te maken.

Jacks telefoon bliepte.

'Je hebt een sms'je, Jack.'

Jack hoorde haar niet boven het geluid van het stromende water uit.

Aoife pakte de telefoon en drukte per ongeluk op de groene knop: de boodschap verscheen op het schermpje.

Hij was afkomstig van ene Louise: kank je zien vdaag? Louise

De tekst had niets onheilspellends. Een paar weken geleden zou Aoife ervan uit zijn gegaan dat hij afkomstig was van iemand van het werk, maar nu had ze het ongemakkelijke gevoel dat ze Jack toch niet zo goed bleek te kennen als ze had gedacht. Toen hij de douche uit kwam, zette ze een kop koffie en wat toast op tafel.

'Je hebt een berichtje van Louise. Ze wil je zien.'

Jack reageerde zoals ze had gehoopt dat hij niet zou reageren: hij keek geschrokken en zei vervolgens verwijtend: 'Lees jij mijn berichtjes?'

'Ik wilde je telefoon naar je toe brengen in de douche – en waarom zou ik trouwens jouw berichten niet mogen lezen? Ik ben je verloofde; je wordt niet geacht sms'jes te krijgen die ik niet zou mogen zien!'

'Daar gaat het niet om. Ik zou nooit op jóúw telefoon kijken.'

'Ik wilde je heus niet controleren, ik drukte alleen per ongeluk op een knop. Wat wind je je nou op? Of zou ik je soms wél moeten controleren?'

Jack voelde zich in een hoek gedrongen. 'Natuurlijk niet. Het stelt helemaal niks voor. Louise is mijn oude muzieklerares, die vrouw die we laatst tegenkwamen op de pier, weet je nog?'

'Waarom wil zij je zien?'

'Ik heb haar zus aan een baantje geholpen. Waarschijnlijk heeft het daar iets mee te maken.'

'Onschuldig, toch? Waarom mag ik het dan niet weten?'

'Gewoon... Niets... Laat maar.'

Aoife besloot het er inderdaad maar bij te laten, maar door het sms'je was de sfeer tussen hen wel veranderd.

'Ik ga douchen,' zei ze koeltjes. 'Ik mag niet te laat komen.'

Jack keek naar zijn telefoon. Hij wilde niets meer te maken hebben met Louise Owens of met haar zus. Nu hij Aoife terug had, zou hij er alles aan doen om het weer goed met haar te maken. Als zij dat wilde, zouden ze in juli trouwen. Hij was niet van plan het risico te lopen haar nog eens kwijt te raken. Op zijn telefoon zocht hij bij zijn contactpersonen Louises nummer. Vervolgens drukte hij op WISSEN.

De verplegers tilden Larry in de rolstoel.

'Alles goed, pap?' vroeg Louise.

'Ik heb helemaal geen rolstoel nodig, ik kan best zelf lopen!'

Larry Owens had drie weken in het ziekenhuis doorgebracht om te herstellen, omdat Maggie het niet dacht aan te kunnen om haar man na zijn operatie zelf te verzorgen. Emma en Louise waren het erover eens dat het zo waarschijnlijk het beste was, hoewel het had betekend dat zij dan veel heen en weer moesten rijden.

Emma greep de handvatten achter op de stoel beet. 'Het gaat wel,' zei ze tegen de verplegers. 'We brengen de stoel zo terug.'

Emma duwde, terwijl Louise haar vaders bagage naar de auto bracht. Ze opende het portier en samen installeerden ze hem op de passagiersstoel. Emma hielp hem zijn gordel om te doen, terwijl Louise de rolstoel naar binnen bracht.

Toen ze weer naar buiten kwam, wenkte Emma haar dat ze haar moest komen helpen om de tassen in de kofferbak te zetten, maar in werkelijkheid wilde ze haar even onder vier ogen spreken.

'Wat heeft Donal nog meer gezegd?' fluisterde Emma.

'Hij zegt nog maar heel weinig sinds we die gesprekken hebben gevoerd waar ik je over vertelde,' antwoordde Louise zachtjes. 'Ik kan gewoon niet geloven dat hij me dat soort dingen naar het hoofd slingert terwijl pap zo ziek is en mam zo lastig doet.'

'Nou, jullie moeten eruit zien te komen. Je moet het niet verder laten gaan. Ikzelf negeerde de stiltes tussen Paul en mij altijd, en op het laatst kreeg hij een affaire.'

Louise lachte.

'Wat lach je nou?'

'Ik vind Donal nou niet bepaald een type voor een affaire, jij wel?'

'Hij is een man, toch?'

'Dat klinkt hard uit jouw mond, Emma.'

'Weet ik. Sorry. Ik ben nog steeds zó kwaad op Paul en Sophie. Godzijdank waagt ze zich niet in mijn buurt. Ik kan haar wel vermoorden.'

'Jullie zullen elkaar op een gegeven moment toch onder ogen moeten komen. Wil je dat ik bemiddel?'

'Ik heb haar niets te zeggen,' reageerde Emma fel.

'Ik heb haar ook niet veel gezien, trouwens,' zei Louise. 'Ze heeft een tijdelijk baantje bij de *Irish Times*.'

'Dat bevalt haar vast niet. En wie moet dan al haar pretjes voor haar betalen?

'Ik weet het niet precies. Ze vertelt me niet veel. Ze weet dat ik jou ook spreek.'

'Laten we maar instappen. Zo meteen wordt pap nog ongeduldig.'

Het was maar een kort ritje van Clontarf naar Raheny, dus de conversatie tussen het drietal ging niet al te diep, totdat ze bij de hekken van Foxfield 42 arriveerden.

Emma zette de auto abrupt stil. Er trok een uitdrukking van afgrijzen over haar gezicht en ze kon ineens geen woord meer uitbrengen.

Toen Louise uit het raampje keek, besefte ze waarom: Sophies auto stond op de oprit geparkeerd. Louise sprong naar buiten en opende het portier aan haar vaders kant.

'Kom, pap, dan breng ik je naar binnen. We hoeven Emma niet langer op te houden, en ik heb vanmiddag vrij.'

Emma zat te trillen en slikte moeizaam.

'Ik ben niet invalide!' protesteerde Larry. 'Ik snap niet waarom ze me in het ziekenhuis per se in een rolstoel wilden zetten – ik kan gewoon lopen, hoor!'

Louise pakte haar vaders arm.

'Laat me nou maar los,' pruttelde hij. Maar zijn verzet duurde niet lang, want toen hij de auto van zijn jongste dochter op de oprit zag staan, veranderde zijn gezichtsuitdrukking. 'Hé, Sophie is er zeker? Wisten jullie dat ze me welkom thuis kwam heten?'

Arma pap, dacht Louise. Wanneer wordt hij eindelijk eens wakker? Waarschijnlijk nooit – zoals de meeste mannen die Sophies pad kruisten.

'Ik moet ervandoor,' zei Emma terwijl ze uitstapte om haar vaders bagage uit de kofferbak te halen. 'Heb je pap goed vast, Louise?'

'Je moeder wil je vast even zien!' riep Larry uit.

'Ze heeft me de afgelopen drie weken al vaak genoeg gezien, pap. Het wordt tijd dat je haar weer helemaal voor jezelf hebt.'

Larry keek bij die opmerking enigszins benauwd. Hij had nog nooit meegemaakt dat Emma zo gedecideerd was ten aanzien van haar moeder.

'Laat Emma nou maar gaan, pap. Ze heeft nog een heleboel te doen,' zei Louise met een knipoog en een knikje toen Emma weer instapte, haar knipperlichten aanzette en langzaam wegreed.

Louise vroeg zich af hoe vaak ze de onmin tussen haar zussen nog voor hun ouders zou moeten verdoezelen.

Emma had er geen idee van gehad hoeveel papierwerk erbij kwam kijken om voor iemand uit Cuba een visum te regelen. Het gaf haar iets omhanden. Ze keek uit naar de e-mails die ze om de andere dag van señor Miguel Estefan kreeg; elke keer dat ze met Felipe correspondeerde had ze het gevoel dat hun weerzien weer een stapje dichterbij kwam. Ze moest zijn paspoort zien te bemachtigen om dat te laten afstempelen, en aangezien Dehannys het pakje voor haar zoon nog niet had ontvangen, wist Emma dat het allemaal veel trager zou gaan dan ze aanvankelijk had gedacht.

Felipe had zijn paspoort aan een Canadese vrouw gegeven, die had beloofd dat ze het op de post zou doen zodra ze terug was in Toronto. Emma vond dat hij een groot risico nam, maar toen het aankwam besefte ze dat deze actie hun waarschijnlijk twee weken tijdwinst opleverde. De kosten waren ook veel hoger dan ze had gedacht: tot dusver had ze ruim honderdtachtig euro betaald aan allerlei onkosten en heffingen, en dat was in Ierland. Felipe moest van zijn kant vijftien Cubaanse dollar betalen, wat voor de meeste Cubanen een gemiddeld maandsalaris was. Ze was nog niet naar haar advocaat geweest – ze moest een uitnodiging kunnen overleggen om aan te tonen dat Felipe en zij echt vrienden waren en dat hun relatie niets duisters had en geen truc was om Felipe te helpen het land uit te vluchten. Ze moest ook financieel en juridisch garant voor hem staan, mocht hij zich in de tijd dat hij haar gast was problemen op de hals halen.

Hielp Donal haar maar; hij zou precies weten wat hij moest doen met deze papierwinkel en alle details, maar ze wilde niet dat hij te weten kwam waar ze mee bezig was. Ze liet Louise geheimhouding beloven: ze wilde niet dat iemand ervan op de hoogte was, want er kon altijd nog iets misgaan. Ze was bang dat Felipe niet zou komen als ze het visum eenmaal hadden en ze wilde geen figuur slaan. Maar in de loop der weken ging ze steeds meer naar Felipe verlangen. Ze hadden elkaar nu vier keer gesproken en wanneer ze maar wilde kon ze zich zijn accent weer voor de geest halen.

Dehannys was heel opgetogen toen het grote bruine pakket uit Ierland arriveerde. Ze haalde het touwtje eraf en peuterde het plakband los, maar daar had al iemand aangezeten en het zat niet meer goed vast.

Een witte sportschoen maat 34 was het eerste wat ze uit de doos haalde. De andere schoen volgde en ze zuchtte van verlichting. Vervolgens kwam er een gebloemde bermuda tevoorschijn, zoals Amerikaanse surfers die droegen. Die zou Fernando graag dragen. Het volgende voorwerp was een voetbalshirt van Barcelona; Fernando was gek op voetbal. Ze zocht naar het beloofde computerspelletje, maar dat vond ze niet. Wel trof ze onder in het pakket een doosje make-up en wat goedkope sieraden aan. Ze zocht naar de MP3-speler en zag dat die verstopt zat in een schoen. Er volgden nog meer textiel en T-shirts voor Fernando, en Dehannys dankte haar goede gesternte. Het computerspelletje zou leuk voor de jongen zijn geweest, maar nu zou een ander kind, een kind van een ambtenaar of iemand van de posterijen, ermee spelen.

Ze hoopte maar dat Felipe snel weer langs zou komen, want ze wilde Emma graag bedanken. Ze zou wat Cubaanse kunstnijverheidsproducten voor haar kopen en die aan hem meegeven als hij naar Ierland ging. Hij had maar mazzel dat hij de kans kreeg om een ander land te bezoeken en te zien hoe andere mensen leefden. Zij kon daar alleen maar van dromen en zich afvragen hoe dat was.

In het gezin Scott werd de sfeer met de dag gespannener, en Louise maakte zich zorgen dat ze op een breekpunt afstevenden. Jack had de afgelopen drie weken niet gereageerd op haar sms'jes. Ze snapte niet waarom hij haar zo negeerde. Ze zou proberen hem te bellen, en dan zou hij haar wel te woord móéten staan. Ze gebruikte haar vaste telefoon, want dan verscheen het nummer niet op zijn schermpje.

Hij nam op.

'Hallo Jack, met Louise.'

'Louise, hai,' zei hij, en ze kon meteen de spanning in zijn stem horen. 'Hoe is het met je?'

'Goed, hoor. Zeg, ik ben vandaag in de stad en ik vroeg me af of je zin had om een kop koffie te drinken.'

Er viel even een stilte, en toen zei hij: 'Oké. Om een uur of elf?' 'Ken je dat café op de hoek van Pearse Street?'

'Ja. Dat is prima. Tot dan.'

Hij klonk kortaf en Louise bedacht dat dat misschien kwam doordat hij aan het werk was.

Ze stapte in de DART, en terwijl ze langs de haltes reden, schoten er allerlei gedachten door haar hoofd.

Waarom wilde ze eigenlijk met hem afspreken? Was dat alleen om haar ego te strelen? Donal was steeds afstandelijker gaan doen sinds hij haar over zijn gevoelens had verteld – ontzettend inconsequent gedrag.

Om vijf voor elf was ze in het café; ze bestelde een latte en ging bij het raam zitten. Het café was verlaten, wat duidelijk maakte dat er tegenwoordig heel wat minder mensen in de stad werkten.

Jack stapte precies om elf uur binnen. Zijn haar zat in de war en hij was ongeschoren, maar het stond hem goed.

'Louise,' zei hij formeel.

'Ha, Jack.' Ze glimlachte even.

Hij knikte de serveerster toe om haar aandacht te trekken en bestelde een americano.

'Zo, Louise, wat kan ik voor je doen?'

Zijn stem klonk volwassen en serieus, heel anders dan hoe hij normaal altijd tegen haar sprak. Het bracht haar onmiddellijk van haar stuk en ze wist niet goed hoe ze moest reageren.

'Ik vroeg me af of je het een beetje redt en' – ze voelde zich dwaas, maar moest het weten – 'waarom je mijn sms'jes negeert.'

Jack verschoof ongemakkelijk op zijn stoel. Hij wilde de waarheid niet onder ogen zien, maar misschien was er wel geen andere manier om duidelijk te maken waarom hij niet meer met haar kon omgaan.

'Louise... Het was fijn om je weer te zien, en ik moet toegeven dat ik het soms niet kan laten om terug te denken aan de bijzondere tijd die we samen hebben meegemaakt, vooral doordat we allebei zo veel van muziek hielden.'

Louise knikte. 'Dat heb ik gemist, en daarom heb ik ook een tijdje geprobeerd weer piano te gaan spelen... voordat die ellende met mijn vader begon en hij geopereerd moest worden.'

'En dat is nog een reden waarom ik geen contact met je heb gezocht. Je hebt zelf tegen me gezegd dat je verplichtingen had en druk was.'

Dat was waar. Louise had hem duidelijk gemaakt dat ze onder hoogspanning stond.

'Dat heb ik inderdaad gezegd, ja. Maar ik heb een zware tijd doorgemaakt en had er gewoon behoefte aan met iemand te praten.'

Jack had te doen met de vrouw die voor hem zat. Hij was nu een heel ander iemand dan de jongen die hij was geweest in de tijd toen hun verhouding eindigde.

'En er is nog een reden...' begon hij.

Louise keek hem in de ogen. Ze hing aan zijn lippen.

'Ik had het je niet willen vertellen, maar het verklaart waarom ik afstand moest houden...'

'Wat bedoel je?'

Jack keek zo schuldbewust dat hij er nu niet meer onderuit kon om verder te gaan.

'Misschien is het niet zo'n goed idee om vrienden te blijven. Ik heb een verschrikkelijke fout gemaakt toen Aoife en ik elkaar een poosje niet zagen. Ik...' Hij aarzelde. 'Ik ben met Sophie naar bed geweest.'

Aan Louises gezicht te zien kon ze elk moment exploderen.

'Ik had je nog wel zo voor haar gewaarschuwd toen je haar dat baantje wilde geven.' Louise trilde.

Jack kon alleen nog proberen haar kalm te houden.

'Hoor eens, ik heb een fout gemaakt – één nacht met Sophie –, maar de dag daarop was ik terug bij Aoife. Het is echt belangrijk dat we dit onder ons houden.' Hij had nu al spijt van zijn bekentenis.

Louise slikte. Ze wist niet precies of ze nou moest huilen of overgeven. Sophie was één keer te vaak de grens over gegaan. Ze had haar op dat moment met haar blote handen kunnen vermoorden, mocht ze zich in haar buurt wagen.

Jack was blij met de afleiding van de serveerster die zijn americano kwam brengen.

'Dank u,' zei hij, en hij nam een slok.

Toen de serveerster weer wegliep, hing de stilte zwaar tussen hen in. Louise was zo ontzet dat ze geen woord kon uitbrengen, dus was Jack de eerste die weer iets zei.

'Het was maar één nacht, en het stelde niets voor.'

'Waarom?'

'Hoezo – waarom? Je zus is heel aantrekkelijk.'

Louise sloot haar ogen en schudde haar hoofd. 'Niet te geloven dat je me dit hebt aangedaan.'

'Dat ik het jóú heb aangedaan? Neem me even niet kwalijk! Jij bent getrouwd, al jaren. En in de tijd dat wij samen iets hadden, was je ook al zo goed als getrouwd.'

'Maar ze is mijn zus!'

'Het is misschien een schok voor je, maar het maakt niet uit wiens zus ze is. Aoife is mijn verloofde, en zij is degene om wie ik het meest geef.'

Louise zat te trillen. Ze begreep nu heel goed hoe Emma sinds ze terug was uit Cuba over hun jongste zus dacht.

'Ze heeft dit expres gedaan, weet je.'

'Ze weet helemaal niet dat wij ooit iets met elkaar hebben gehad. Ik heb tegen haar gezegd dat ik je kende van de sportschool.'

Louise schudde haar hoofd. 'Leuk bedacht, Jack – alsof ik ooit een voet in een sportschool zou zetten!'

'Het kan haar allemaal niet schelen hoe het met jou of met mij zit; zij geeft alleen om zichzelf.'

'Daar zeg je een waar woord. Maar Jack, waarom heb je het gedaan?'

'Soms gebeuren zulke dingen. Tamelijk rampzalig.'

'Ik mag hopen dat Aoife er nooit achter komt.'

'Brenda gaat naar Engeland en over twee weken krijgen we een heel nieuw team. Sophie weet het nog niet, maar haar tijd bij de krant loopt ten einde.'

Dat was voor Louise een schrale troost. Ze wilde haar zus iets kwetsends naar het hoofd slingeren, maar kon haar niet eens vertellen hoe erg ze van slag was.

'Sorry dat ik je van streek maak, Louise, maar je had gelijk: ik was indertijd nog maar een groentje, en doordat ik jou weer ben tegengekomen ben ik dat gaan inzien. Dat ik Aoife bijna kwijt was heeft me nog sterker van mijn gevoelens bewust gemaakt. Ik hou van haar, ik heb nog nooit zo veel van iemand gehouden en ik ga er alles aan doen om haar gelukkig te maken.'

Louise hield haar emoties voor zich. Dit was helemaal niet wat ze had willen horen. Ze had gehoopt dat ze van haar gesprek met Jack zou opknappen, maar in plaats daarvan werd al haar zelfrespect de grond in geboord. Hij deed hun verhouding nu af als iets wat voor hem een belachelijke overgangsrite was geweest, en van haar grote liefde voor hem was nu niet meer over dan een illusie. Ze kon wel janken, maar wist zich te beheersen.

'Dus je snapt vast wel waarom ik je nummer heb gewist en niet heb gereageerd op je sms'jes. Het lijkt mij het best als we geen contact meer met elkaar hebben, vind jij niet?'

Wat was hij kil. Het was hem gelukt haar te raken op een moment dat ze al bijna gevloerd was.

'Ik kan maar beter gaan, geloof ik.' Hij legde een briefje van vijf euro op tafel. 'Dat is voor de koffie.'

Hij stond op en stak haar zijn hand toe. 'Bedankt dat je het zo goed opneemt. Ik wist wel dat je het zou begrijpen.'

Het kwam eruit alsof hij een vertegenwoordiger in dubbele beglazing was.

Louise schudde slapjes zijn hand en keek hem na toen hij de

deur uit liep. Ze had hem nooit moeten bellen; dan had ze rustig verder kunnen gaan zonder te hoeven weten dat Jack met Sophie het bed in was gedoken, maar nu zou ze met die wetenschap moeten zien te leven.

Iedereen leek maar liefde te vinden en verder te gaan met zijn leven. Emma zou binnenkort bezoek krijgen van haar Cubaanse vriend, hoewel dat een hele papierwinkel met zich meebracht en het nog steeds niet definitief was. Verdrietig liep ze naar Tara Street Station, terwijl ze uit alle macht probeerde haar gevoelens in toom te houden.

Een paar minuten later wenste ze dat ze zich op een stiller plekje bevond dan in een drukke groene trein. Ze voelde zich ontzettend stom: ze had bijna veertien jaar met liefdevolle gevoelens voor Jack rondgelopen en die, samen met de vele herinneringen die ze aan hun tijd samen had, zorgvuldig afgeschermd. Ze had hem op een voetstuk gezet. Dit was vele malen erger dan die keer in het Quay West Café, toen hij haar voor de voeten had gegooid dat ze zijn hart had gebroken. Nu bleek ze daarin helemaal geen plaats in te nemen. Ze had in de loop der jaren een heleboel gevoelens aan hem verspild, terwijl ze zich beter had kunnen richten op haar huwelijk en haar relatie met Donal. Die had ze laten versloffen, zodat ze nu het risico liepen uit elkaar te gaan, waardoor ze helemaal niemand meer zou hebben die van haar hield.

Toen de trein stopte bij Killester Station, liep ze het perron op. Ineens realiseerde ze zich dat ze helemaal niet naar huis wilde. Ze moest Emma spreken.

Emma was gefrustreerd. De procedure om een visum te bemachtigen leek wel een nachtmerrie. Elke keer dat ze een stukje verder kwamen, doemde er een nog groter obstakel op. Ze begreep inmiddels hoe koning Arthur zich gevoeld moest hebben op zijn zoektocht naar de Heilige Graal.

Ze schrok op toen er plotseling werd aangebeld. Toen ze door de ruit van de deur heen haar zus zag staan, ging ze snel opendoen. De rode wallen onder Louises ogen waren het eerste wat haar opviel.

'Louise, alles goed met je?'

'Dat kreng ook!' snikte ze.

'Kom mee naar de keuken,' zei Emma, en ze liep achter haar zus aan toen die de gang door beende. Ze drukte de schakelaar van de waterkoker in. 'Wat heeft ze nu weer gedaan?' Ze moest het wel over Sophie hebben, want niemand anders was in staat hun zo'n rotgevoel te geven.

'Sophie is naar bed geweest met Jack!'

'Wat?!' Emma was oprecht ontzet. 'Wanneer?'

'Een paar weken geleden.'

'Wauw, ze weet wel van wanten,' zei ze bitter. 'Hoe heeft ze dat nou voor elkaar gekregen?'

'Details heeft hij niet gegeven. Ik had vandaag met hem afgesproken om koffie te drinken in de stad en toen heeft hij het me verteld. Nu beweert hij dat hij niets meer te maken wil hebben met mij of met Sophie. Hij wil er helemaal voor gaan om het goed te maken met zijn verloofde.'

Emma lepelde koffie in een mok en hing een theezakje in een andere. 'Dat laatste is toch mooi van hem?'

'Ja, vast wel. Ik had alleen niet voorzien wat voor gevoelens dat bij mij zou oproepen. Weet je, een paar weken geleden wilde hij nog een verhouding met mij.'

Emma goot kokend water uit de ketel in de mokken. 'Dat zou dan heel dom zijn geweest.'

Opeens voelde Louise zich een ontzettende idioot. Natuurlijk had haar zus gelijk, en nu ze zichzelf zo hoorde praten, zag ze wel in hoe belachelijk ze zich had gedragen. Wat moest Jack wel niet van haar denken, zoals ze naar zijn aandacht hengelde?

'Dat weet ik ook wel. Maar ik vond het een heerlijk gevoel dat iemand een oogje op me had.'

'Donal houdt van je, híj is je man. En híj heeft tenminste niet met anderen lopen rotzooien, zoals Paul.'

Louise pakte de mok koffie van Emma aan en nam een slok. 'Je hebt natuurlijk gelijk. Maar het idee dat Sophie en hij samen zijn geweest vind ik niet te verteren. Ik kan haar wel wurgen!'

Emma ging tegenover Louise zitten. Ze wist precies hoe die zich voelde. 'Je moet hieroverheen zien te komen, Louise. Dat gedoe met Jack Duggan moet maar eens afgelopen zijn. Je hebt jezelf al die jaren voor niets lopen kwellen.'

'Waarom moet ze nou uitgerekend onze zus zijn?'

'Ik zou het niet weten. Ze heeft er in elk geval wel een handje van om onze mannen in te palmen, ook al heeft ze dat dan zelf niet in de gaten.'

'Jack beweert dat ze binnenkort zonder werk zit, maar volgende week komt die Canadees bij haar op bezoek.'

Emma ging rechtop zitten. 'Greg?'

'Ja, die. Die man die ze op Cuba had leren kennen.'

Emma pakte haar mok op en bracht hem naar haar lippen. Het was om razend van te worden, zo makkelijk als dingen Sophie in de schoot vielen. Greg was een bloedmooie man, hij was rijk en kwam naar Dublin – en nog steeds was het niet zeker of het Felipe zou lukken van Cuba weg te komen om háár op te zoeken.

20

Bijna zes weken voorbij. Ben je klaar voor me? Gx

Sophie was er meer dan klaar voor om Greg te zien. Sinds ze bij de *Irish Times* was komen werken had haar liefdesleven maar weinig voorgesteld. Gregs mailtje had niet op een beter moment kunnen komen.

Ha Greg,
Waar logeer je? Kun je me in de loop van de week bellen, zodat we iets kunnen afspreken?
Sophiexxx

Hij antwoordde een paar uur later:

Ik logeer in het Merrion – ooit van gehoord? Het is van een goede vriend van me die kunst verzamelt; ik moest hem komen opzoeken als ik in de stad was. Ik kijk ernaar uit Dublin terug te zien; volgens mijn vrienden is het veranderd. Ik kom donderdag om 8 uur 's ochtends aan. Zal ik je bellen als ik in het hotel ben?
Gx

Sophie was opgetogen. Ze verlangde ernaar hem weer te zien en zich bemind te voelen. Sinds ze terug was uit Cuba had ze Paul meer gemist dan ooit; ze had er niet bij stilgestaan hoe leeg haar leven zou worden nu ze ook Emma niet meer zag. Er waren in Dublin een heleboel dingen veranderd, en ze wist niet of ze daar wel tegen bestand was. Greg kwam precies op het juiste moment om haar een beetje af te leiden, en misschien zat er met hem ook iets vasters in. Ze was er klaar voor om zich te settelen; Paul en zij hadden immers ook een duurzame relatie gewild.

Felipe begon zijn geduld met het systeem te verliezen. De overheid wilde bewijs zien van zijn relatie met Emma, maar het enige wat ze hadden was één foto die met een mobieltje was genomen in de haven in Cojimar. Hoe kon hij de autoriteiten vertellen dat ze elkaar maar één keer hadden gezoend? Maar zijn hoop om de mooie donkerharige vrouw met de blanke huid terug te zien hield hem gaande. Hij vroeg zich af hoe het met de rest van de wereld zat, waarin vrije mensen van het ene land naar het andere konden reizen zonder dat ze bang hoefden te zijn dat hun buren hen zouden verklikken.

De portier begroette Sophie op het stenen bordes van het discrete hotel dat schuilging achter de opmerkelijke georgiaanse gevels.
    'Goedemorgen, mevrouw.'
    'Goedemorgen.'
    Sophie liet haar blik over de verbijsterende schilderijen van Jack B. Yeats gaan terwijl ze via de receptie de salon in liep. Het Merrion Hotel deed haar eerder denken aan een statige particuliere stadswoning dan aan een oord voor gasten. Het haardvuur zag er uitnodigend uit, maar was te warm voor de vroege zomer.
    Ze zag hem op een van de banken zitten, waar hij de *Herald Tribune* las.
    Greg hief zijn hoofd even op, alsof hij voelde dat ze er was. Toen hij haar wilde krullen zag, die sinds ze elkaar in Havana hadden gezien waren gegroeid, kwam hij overeind uit zijn stoel en haastte zich naar haar toe.
    'Sophie uit Ierland! Hoe is het met je?'
    Hij sprak elk woord zo duidelijk uit dat Sophie geen spoor meer hoorde van het Canadese accent dat ze zich van hem herinnerde.
    'Fijn je te zien, Greg,' zei ze met een glimlach toen hij zich vooroverboog en zijn grote zachte lippen op de hare drukte. 'Hoe was je reis?'

'Prima. Je ziet er prachtig uit.'

Sophie glimlachte. Ze had er een uur over gedaan om te kiezen wat ze zou aantrekken en had uiteindelijk besloten voor een turqouiseblauwe zonnejurk en hoge hakken.

'Mijn vriend heeft me verwend: hij heeft me het penthouse toebedeeld. Als ik de verhalen mag geloven logeert Bruce Springsteen daar anders altijd, dus ik ben in goed gezelschap, nietwaar?'

'Hij logeert hier inderdaad wel vaker, net als andere beroemdheden.'

'Mijn vriend deed nog wel zo bescheiden; hij had gezegd dat hij een hotelletje in Ierland had. Maar ik ben onder de indruk.'

'Is het wat, dat penthouse?'

Sophie was niet echt geïnteresseerd in interieurs, maar nu ze Greg weer zag wilde ze hem ontzettend graag voor zichzelf hebben.

'Zullen we even gaan kijken?' vroeg Greg, en hij haalde zijn kamersleutel uit zijn zak en gooide hem in de lucht. 'De lift is deze kant op.'

Ze liepen door een glazen corridor die door de keurig bijgehouden tuin naar de aangebouwde vleugel voerde.

Toen de liftdeuren zich sloten stak Greg zijn sleutel in het slot boven de knop voor de bovenste verdieping en draaide hem om.

'Indrukwekkend,' zei Sophie met een glimlach.

'De penthouseverdieping bevalt me wel. Die ligt lekker apart.'

De deuren van de lift gingen open en toonden een stralend licht en uitzicht op de daken in de omgeving.

'Hier is het,' zei Greg, terwijl hij weer een andere sleutel in de deur naast hen stak.

Hij hield de deur voor haar open en Sophie stapte het halgedeelte binnen, dat was ingericht met fraai klassiek meubilair en prenten van racepaarden. 'Wil je een rondleiding?'

'Ik heb liever iets te drinken.'

Greg grijnsde. 'Deze kant op,' zei hij, en hij bracht haar naar de lounge met zijn luxueuze bank en uitgebreide entertainment-installatie. 'Ik haal wel iets voor je in de keuken; volgens de receptionist is daar de minst gebruikte keukenapparatuur van de hele stad te vinden.'

Sophie liep achter hem aan de keuken in, die een spectaculair uitzicht bood op de daken van Dublin.

'Thee, koffie, of misschien iets sterkers?'

'Water is prima. Met bubbels graag.'

'Dan nemen we dat. En ze zijn ook nog zo aardig geweest om wat gebak en scones klaar te zetten,' zei Greg, terwijl hij een grote schaal optilde vol kleurige en smakelijke lekkernijen.

'Alleen water is genoeg, dank je.'

'En, hoe is het nu met je, Sophie uit Ierland?'

Sophie vond het vreselijk dat hij haar zo noemde, maar ze grijnsde. 'Het is wel eens beter geweest. Je weet dat ik toen ik thuiskwam van Cuba mijn baan kwijtraakte. En het ziet ernaar uit dat de krant waar ik wat klussen voor heb gedaan me ook niet meer nodig heeft, dus ben ik nu weer werkloos.'

Greg schonk in uit de fles Ballygowan. 'Ik dacht dat je je eigen modebedrijf wilde opzetten. Hoe staat het met je plannen voor gerecycled breiwerk?'

Sophie knikte. Daar zou ze zich nog eens in moeten verdiepen, maar nu haar vader nog steeds ziek was en Emma en zij zo vijandig tegenover elkaar stonden, was ze niet meer haar gebruikelijke efficiënte zelf. 'Dat moet ik nog uitzoeken. Ik zou niet weten of er in Ierland nog wel iemand rondloopt die er het geld voor heeft om exclusief breiwerk te kopen.'

'Mensen met geld zijn er altijd, ook al hangen ze dat tijdens een recessie misschien niet aan de grote klok. Hoe dan ook, vergeet de Ierse markt; daarbuiten wacht nog een hele wereld!'

'En een nog grotere recessie.'

'Zo moet je niet denken. In de jaren dertig, tijdens de laatste grote wereldwijde recessie, schilderden kunstenaars gewoon door. In die tijd zijn een paar van de belangrijkste moderne kunstwerken gemaakt. Zelfs in de mode – wat dacht je van Chanel?'

Natuurlijk had hij gelijk. Maar de afgelopen tijd was het allemaal zo moeilijk voor haar geweest.

'Maandag ga ik ermee aan de slag,' beloofde ze. 'Hoe lang blijf je?'

'Ik ga dinsdagochtend terug. Maandag heb ik een afspraak met een kunsthandelaar, maar tot die tijd ben ik vrij om Dublin te verkennen, als jij me dat tenminste wilt laten zien.'

Dat wilde Sophie wel. In het Merrion Hotel voelde ze zich ontzettend opgelucht. Het deed haar denken aan de tijd dat ze nog met Paul samen was. Alles was sindsdien veranderd en ze hunkerde naar de decadente genoegens die ze ooit met hem had gesmaakt.

Jack wilde er graag op zijn allerbest uitzien. Over een half uur had hij afgesproken met Aoifes familie in restaurant Cellar. Hij stapte het toilet van zijn kantoorblok binnen met een tas met daarin een schoon shirt en deodorant. Bijeenkomsten van de familie Cullen stonden hem nooit erg aan. Hij wist dat Eileen en Harry Cullen hun dochter te goed voor hem vonden, en als ze bij elkaar waren, was dat altijd de gelegenheid om kleine steken uit te delen, vooral nu Aoife en hij korte tijd uit elkaar waren geweest. Aoife had hem alles vergeven en was weer helemaal haar oude geweldige zelf, maar haar ouders waren nu nog meer op hun hoede dan eerst.

Jack kamde met zijn vingers door zijn haar en merkte in het kunstlicht op dat er een paar grijze haren tussen zaten. Hij moest zich eens volwassen gaan gedragen, en dat hij zich had ingelaten met Louise en haar zus had hem doordrongen van het besef wat hij bijna was kwijtgeraakt.

Hij zei zijn collega's gedag en liep Pearse Street op. Het was maar een klein stukje lopen naar Merrion Square en het Merrion Hotel.

Sophie hield haar champagneglas op en Greg schonk haar bij. De zon stond nog steeds hoog aan de hemel, maar de avond begon al te vallen.

'Lekker hè, zo'n warm bubbelbad?' vroeg Sophie terwijl ze een slokje nam uit haar glas. Het dakterras, waar ze in borrelend warm water lag, was precies de plek waar ze wilde zijn, zeker als zo'n verrukkelijke donkere knapperd haar champagne te drinken gaf.

'Dublin is fantastisch!'

'En je bent het hotel nog niet eens uit geweest,' giechelde Sophie. De champagne steeg haar linea recta naar het hoofd.

'Heb je honger?'

'Ik rammel. Zullen we de roomservice bellen?'

'Of zullen we het restaurant beneden proberen?'

Sophie keek hem schaapachtig aan. 'Ik heb weinig zin om uit dit warme bad te komen.' Ze wilde niet toegeven dat ze behoorlijk tipsy was sinds ze de champagne hadden opengetrokken.

'Als je wilt kunnen we er na het eten weer in gaan. Maar je wilt toch geen rimpelig rozijntje worden?'

Nee, dat wilde Sophie niet. Ze zaten nu al ruim een uur in het bubbelbad, maar door al die glazen champagne leek het niet meer dan een paar minuten.

'Oké, dan ga ik me aankleden,' zei ze, en ze pakte een badjas van Greg en stapte struikelend het warme bad uit. Ze sloeg de badjas om haar natte lichaam. 'Twee tellen.' Toen ze de slaapkamer had weten te bereiken, waar ze haar kleren had achtergelaten, begonnen de muren te draaien. Ze pakte haar beha op en kreeg het haakje niet dicht. Ze was veel dronkener dan ze zich had gerealiseerd toen ze nog in het bad zat.

Greg liep naar de balustrade en keek omlaag naar de keurig verzorgde tuin. De koepels van de regeringsgebouwen rezen aan zijn rechterkant boven de daken uit. Dit was een prima begin van het weekend.

Emma zette Finns avondeten op de keukentafel.

'Bedankt, mam.'

Ze was eraan gewend geraakt om met z'n tweeën te eten en het was fijn dat haar moeder nu weer in haar eigen huis was. Dit leek haar een goed moment om Finn te vertellen dat ze misschien bezoek zouden krijgen uit Cuba.

Nu ze Felipes paspoort samen met het bewijs dat ze elkaar kenden en een internationale bankwissel had opgestuurd naar de Ierse ambassade in Mexico, zou het niet al te lang meer duren voordat ze een datum konden afspreken voor zijn bezoek. Emma wilde wel betalen voor zijn vlucht, maar wist niet hoe ze dat Felipe duidelijk moest maken zonder dat hij zich er opgelaten door zou gaan voelen. Tot dusver ging het om een bedrag van zo'n vierhonderd euro, en dat zou voor hem heel wat maandlonen zijn. Wat hij in Havana aan haar had uitgegeven was in verhouding veel meer dan de kosten van een vlucht. Naarmate de dagen verstreken besefte ze dat ze hem echt heel graag wilde zien. Ze miste kameraadschap en intimiteit in haar leven. En het was lang geleden dat ze met iemand had gevrijd. Zelfs met Paul hadden de keren dat dat gebeurde te ver uit elkaar gelegen, en ze zou zich graag weer jong en fris voelen, zoals toen ze net verliefd was.

Ja, het werd hoog tijd dat ze Finn op de hoogte bracht. Ze sloeg hem gade terwijl hij zich te buiten ging aan een enorme hoeveelheid aardappelpuree en gebraden kip, en glimlachte. Haar zoon was een flink stuk gegroeid sinds zijn vader was overleden. Hij had de rol overgenomen van de man in huis; hij zette zelfs de vuilnisbak buiten en haalde hem weer naar binnen zonder dat ze het hem hoefde te vragen.

'Weet je, Finn,' zei ze, 'toen ik op Cuba was ben ik bevriend geraakt met iemand die misschien een poosje bij ons komt logeren. Lijkt dat je leuk?'

Finn haalde zijn schouders op. 'Ja hoor. Ze is vast niet erger dan oma.'

'Eh... Het is geen vrouw, maar een man.'

Finn haalde nogmaals zijn schouders op. 'Als hij alleen maar vakantie komt vieren vind ik het goed. Hoe lang blijft hij?'

'Dat is allemaal nog niet zeker. Ik weet niet eens of hij wel echt komt. Hij moet eerst een visum krijgen.'

'Wat is dat?'

'Een papier waarmee hij het land uit mag en Ierland binnen kan komen. Weet je nog toen ik jou een poosje geleden vroeg om je oude Barcelona-voetbalshirt voor dat jongetje op Cuba? Nou, de mensen daar zijn heel arm en sommige dingen die wij heel gewoon vinden kunnen zij niet zomaar doen.'

'Raar, hoor.' Hij boog zijn hoofd weer over zijn bord. 'Mag ik straks nog even naar Gavin?'

'Je mag tot negen uur buiten blijven en daarna ga je meteen naar je bed. Morgen moet je weer naar school.'

Finn knikte en nam een slok melk.

'Bedankt, mam,' zei hij, terwijl hij zijn bord oppakte en het in de gootsteen zette.

Toen hij de achterdeur uit rende, realiseerde Emma zich dat het niet lang meer zou duren voordat hij niet meer thuis woonde. Voor ze het wist zou hij een puber zijn en zo door zijn eigen sociale leven worden opgeëist dat hij nog maar weinig ruimte voor haar zou hebben. Ze deed er goed aan om Felipe uit te nodigen. En als het niet meer was dan een vakantieliefde, *so what*? Misschien was dit wel de eerste stap om weer een eigen leven op te bouwen. Daar werd het hoog tijd voor, want als ze nu niets deed, zou ze straks alleen achterblijven.

Jack was vroeg. Hij ging op Merrion Square de trap af en stapte het Cellar binnen. Het interieur was ingetogen en smaakvol; de witlinnen gesteven tafelkleden vormden één geheel met de stenen gewelfde plafonds en de muren. Overal stonden elegante met crèmekleurige stof beklede stoelen uit historische stijlperioden en het midden van elke tafel werd gesierd door een enkele rode roos.

In de hoek zag hij de tafel die Harry en Eileen Cullen meestal reserveerden. De maître d' kwam naar Jack toe en bood aan om zijn tas aan te nemen en hem naar zijn zitplaats te brengen. Jack had veel zin in een biertje, maar dat zouden Aoifes ouders niet waarderen. Het was een klein offer om ervan af te zien; hij was zo blij dat hij Aoife terug had dat hij er alles aan wilde doen om haar tevreden te houden. Dit dinertje was de zoveelste poppenkast, een prelude op het versturen van de officiële uitnodigingen voor de bruiloft en de manier waarop Aoifes ouders het hele gebeuren geregeld wilden zien.

Hij wierp een blik op zijn horloge. Aoife had eerder op de dag een klus gehad in Dun Laoghaire, maar ze moest daar nu zo ongeveer wel mee klaar zijn. Opeens zag hij haar staan in een feloranje mouwloos recht jurkje, als een baken te midden van al het wit in het restaurant. Hij liep snel naar haar toe en kuste haar op haar lippen.

'Fijn dat je zo vroeg bent!' fluisterde ze.

'Zijn je ouders met je meegekomen?'

'Pap is de auto aan het parkeren,' zei ze met een glimlach, en ze pakte zijn hand vast terwijl ze naar de tafel in de hoek liepen.

'Kijk even naar het menu; ik wilde nog geen wijn bestellen voordat je ouders er waren.'

'Goed idee. Je weet hoe moeilijk pap over wijn kan doen!'

Ze glimlachten elkaar toe en bogen zich over tafel. Jack had alleen maar oog voor zijn verloofde.

'Jack – wat doe jij hier?'

Jack keek op, onzeker aan wie de stem precies toebehoorde.

Daar, schuddend met haar krullenbol, stond Sophie.

Jack keek naar de lange, donkere man naast haar. Die leek een heel stuk ouder dan zijn date.

'Eh... Sophie, hallo.' Jack struikelde over zijn woorden, zo verrast was hij om haar te zien. Hij herinnerde zich net op tijd zijn manieren, voordat Aoife iets van zijn ongemak kon bespeuren. 'Dit is Aoife.'

Aoife stak haar hand uit en glimlachte breed. 'Ik ben Jacks verloofde.'

Sophie negeerde haar hand, wierp haar hoofd achterover en lachte even. 'Dat heb je snel gedaan, Jack – om je al binnen een paar weken na ons avontuurtje te verloven!' Als ze niet op een lege maag een fles champagne naar binnen had geklokt, had ze het misschien niet zo grappig gevonden, of was ze zo wijs geweest om haar mond te houden.

'Kom, Sophie, wij gaan daar zitten,' zei Greg, die Sophie bij de elleboog pakte en haar meevoerde naar een andere tafel.

'Dag Jack, ik hoop dat je heel gelukkig wordt!' riep Sophie met alweer een lachje.

Aoife had grote ogen opgezet en zat te trillen op haar stoel. 'Wat bedoelt ze daar nou mee: "binnen een paar weken na ons avontuurtje"? Ga me alsjeblieft niet vertellen dat je iets met die vrouw hebt gehad.' De tranen sprongen haar in de ogen en ze moest moeite doen om haar emoties in bedwang te houden.

'Aoife, ik kan het uitleggen.'

'Vertel me niet dat je met dat mens naar bed bent geweest!' Haar stem klonk nu geagiteerd, en hoewel Greg drie tafels verderop zat, kon hij haar duidelijk verstaan.

Jack slikte moeizaam. Tegen Aoife kon hij niet liegen. Hij moest haar de waarheid opbiechten. Het had tenslotte helemaal niets betekend.

'Het was een grote fout. Het is gebeurd toen jij zei dat je een week even geen contact wilde.'

'Zó'n soort pauze was het niet. Het was een time-out tussen óns, geen vrijbrief om maar met iedereen die je aanstond het bed in te duiken. Trouwens, het heeft niet eens een volle week geduurd!'

Jack kreeg een droge keel. 'Het spijt me, Aoife. Ik was gekwetst en van slag. Nu we weer bij elkaar zijn is het steeds ontzettend fijn geweest.'

'Maar we zijn nooit uit elkaar geweest! Ík ben niet met Jan en alleman naar bed gegaan.'

Ze praatte nu keihard, en zelfs de maître d' begon onrustig te schuifelen. Dergelijk gedrag werd in een restaurant als dit niet op prijs gesteld.

'Het spijt me. Het was niet de bedoeling dat je het te weten kwam.'

'O, dus nu is het míjn fout dat ik erachter ben gekomen? Misschien is het dan maar goed ook dat we je vriendinnetje tegen het lijf zijn gelopen. Ik kan het maar beter nu weten dan wanneer we straks getrouwd zijn. Aan scheidingen zit in Ierland altijd een luchtje!'

'Alsjeblieft, Aoife, dit is nergens voor nodig. Ik kan het uitleggen, echt. Laten we naar huis gaan om erover te praten.'

Aoife schreeuwde nu bijna: 'Er vált niets uit te leggen!'

Opeens wierp de aanwezigheid van Harry Cullen en zijn echtgenote een schaduw over hun geruzie.

'Wat is hier aan de hand?' wilde Eileen Cullen weten.

'Breng me naar huis,' zei Aoife, en ze stond op en pakte haar tas van tafel. 'We hoeven niet over de uitnodigingen te praten, want er kómt helemaal geen bruiloft!'

Aoife stormde langs haar vader heen en rende het restaurant uit.

Harry hief zijn arm op om Jack tegen te houden, die achter haar aan wilde gaan, terwijl zijn vrouw haar dochter ging troosten.

'Waarom is mijn dochter zo van streek?'

'Er was een misverstand, dat is alles.'

Harry greep met zijn lange, sterke vingers de boord van Jacks shirt vast. 'Als jij iets hebt gedaan wat mijn dochter heeft gekwetst, raad ik je aan zo ver mogelijk bij mij uit de buurt te blijven. Ik heb in deze stad heel wat contacten. Vergeet niet hoe je die baan bij de *Times* hebt gekregen!' Hij liet zijn greep verslappen en duwde Jack op zijn stoel, waarna hij zich op zijn hakken omdraaide en wegbeende.

Jack stond op. Hij wierp een blik op Sophie en Greg. Ze lachte en dronk uit een zojuist ingeschonken glas champagne. Briesend liep hij naar hen toe. Bij hun tafeltje bleef hij staan en hij keek Sophie dreigend aan.

'Toen jij je baan kwijt was, heb ik je aan werk geholpen – en is dit je dank? Je zus heeft gelijk. Je bent écht een gevaarlijke vrouw, Sophie Owens!'

'Kalm nou, Jack,' zei Greg bedaard. 'Waarom kom je niet even zitten om iets met ons te drinken?'

'Nee, dank je feestelijk. Dag, Sophie. Het lijkt me heel fijn om jou nooit meer te zien.'

Terwijl hij wegliep, sloeg Greg Sophie nauwlettend gade. Ze nipte van haar champagne en leek door alle consternatie niet van haar apropos gebracht.

'Heb jij er soms lol in om andermans leven overhoop te gooien?' vroeg hij haar glimlachend.

'Ze overdrijven!' antwoordde ze met een zucht.

'Kan zijn. Maar misschien ben je wel echt een slechte vrouw!'

Sophie haalde haar schouders op. Ze was zo aangeschoten dat ze weinig controle had over de woorden die haar mond uit rolden. 'Ik moet aan mezelf denken. Vergeet niet dat ik nu eigenlijk gelukkig gesetteld had moeten zijn met Paul.'

'Maar dat was toch de man van je zus?'

'Hij was háár man ja, maar hij was míjn soulmate.'

Greg vroeg zich af of ze zichzelf nou voor de gek hield of niet. Emma was óók een heel indrukwekkende vrouw, en hoewel hij Paul nooit meer zou leren kennen, ging hij ervan uit dat die op beide zussen verliefd was geweest. Hij kon maar beter over iets anders beginnen.

'Zullen we eens bedenken wat we morgen allemaal gaan doen? Ik zou Emma wel weer terug willen zien.'

Sophie rolde met haar ogen. 'Emma is wel de laatste die ik op dit moment wil zien. Trouwens, ik heb haar sinds we terug zijn uit Cuba niet meer gesproken.'

'Hoe dat zo?'

'Ik... Ik... Ik... Eh...' Ze wilde niet overkomen als een superbitch. Nu ze vanavond al één relatie om zeep had geholpen, voelde ze er weinig voor om Greg aan zijn neus te hangen dat ze Emma had bekend dat ze het met haar man had gedaan. 'Dat is een lang verhaal. Heb je zin om na het eten naar O'Donoghue's te gaan? Dat is een echte Ierse pub, hier om de hoek aan Baggot Street.'

Greg nam een slokje uit zijn glas. Sophie verzweeg iets voor hem, maar hij kon daar niet mee zitten. Hij was voor zaken in Dublin en zij was voor hem niet meer dan een aardig tijdverdrijf.

Louise stopte de was in de machine en draaide aan de knop. Ze had er een hekel aan om 's avonds huishoudelijk werk te doen. Haar leven leek heel leeg nu haar kleine fantasie aan stukken was geslagen. Ze moest Jack Duggan uit haar herinnering zien te wissen; ze moest verder met haar toekomst, samen met een man die geen belangstelling meer voor haar leek te hebben.

Voordat ze boodschappen ging doen zou ze eerst even bij haar ouders langs moeten om te kijken of alles daar goed was. Het leven ging weer zijn gewone gangetje.

Ze pakte haar autosleutels en reed naar Foxfield. Nu Emma zo druk bezig was om die Cubaan van haar naar Ierland te halen had ze er geen problemen mee om de verantwoordelijkheid voor hun ouders aan Louise over te laten. Van Sophie viel uiteraard geen helpende hand te verwachten.

Louise parkeerde bij Foxfield en zocht in haar tas naar haar huissleutels. Sinds de inbraak wilden haar ouders geen van beiden graag naar de deur komen om open te doen en hadden ze alle drie hun dochters op het hart gedrukt dat ze zichzelf voortaan maar moesten binnenlaten.

Vanuit de woonkamer klonk het geluid van de tv, en daar ging ze eerst kijken.

Larry zat op een stoel met een krant op zijn knie en een bril op het puntje van zijn neus.

'Ha pap.'

'Louise – ik had je niet horen binnenkomen.'

'Is mam thuis?'

'Nee, die is boodschappen gaan doen. Fijn dat je er bent; ik wilde het namelijk met je over haar verjaardag hebben.'

Louise dacht even diep na. 'Hoe oud wordt ze eigenlijk?'

'Zeventig. En ik vind dat we iets leuks voor haar moeten organiseren, zeker na alles wat ze heeft moeten doorstaan.'

'Ik had er niet bij stilgestaan dat ze al zeventig wordt. Maar tot de twintigste juni hebben we nog een week of vier.'

'Zou ze het leuk vinden om uit eten te gaan, denk je?' vroeg Larry.

Louise trok haar wenkbrauwen op. 'Waarom doen we niet iets hier thuis?'

'Je weet hoe je moeder is: ze wil geen rommel. Zou je bij jou thuis iets willen organiseren?'

Louise dacht even na. 'Emma heeft een groter huis dan wij, en zij heeft alleen Finn.'

'Wil je Emma vragen wat zij ervan vindt?'

Opeens bedacht Louise dat Emma en Sophie zich dan vanwege het feest allebei in dezelfde ruimte zouden bevinden, en de paniek sloeg toe.

'Laat het maar aan mij over, pap. Ik bedenk wel iets en laat het je nog weten.'

'We kunnen het maar beter snel regelen. Desnoods huren we een zaaltje in Clontarf Castle voor een groot feest en nodigen we al je neven en nichten en alle buren uit.'

Als het feest groots werd aangepakt, zou ze Emma en Sophie beter uit elkaar kunnen houden, bedacht Louise. Ze had Sophie sinds ze Jack had gesproken niet meer gezien en ze vroeg zich af of ze daar zelf wel tegen zou kunnen.

'Ik bel wel naar Clontarf Castle om te vragen wat de mogelijkheden zijn. En we kunnen altijd nog uitwijken naar de jachtclub, als je dat zou willen.'

'Daar had ik nog niet aan gedacht. Informeer maar of dat kan.'

'Ik ga nu naar Tesco. Moet ik nog iets voor je meenemen?'

'Nee, dank je. Ik bel je morgen om te vragen wat de stand van zaken is.'

Louise liet zichzelf door de voordeur weer naar buiten, en maakte zich grote zorgen.

Greg liep zo zelfverzekerd en op zijn gemak over Grafton Street dat voorbijgangers hun hoofd naar hem omdraaiden.

Sophie was blij met de reactie die de knappe Canadees oogstte en was er trots op dat ze naast hem liep.

'Vond je het gisteravond leuk in O'Donoghue's?' vroeg ze.

'De muziek was geweldig, en de Guinness ook.'

'Heb je zin om tussen de middag een andere pub uit te proberen?'

Greg haalde zijn schouders op. 'Woont Emma dicht bij het centrum?'

'Ze woont helemaal in Sutton, kilometers verderop. Je kunt echt beter in de buurt van het centrum blijven; daar is veel meer reuring.'

'Wat jij wilt.'

Sophie leidde hem via de Hibernian Way naar Dawson Street.

'Ik weet een leuke tent. Volgens mij vind je die wel wat.'

Ze namen een tafeltje in de hoek van het Marco Pierre White Steakhouse, en Sophie keek naar de hoofden die zich omdraaiden naar haar knappe date.

Opeens ging haar telefoon. Toen ze Louises naam op het schermpje zag opflitsen zette ze het toestelletje uit. Ze wilde de rest van het weekend niet gestoord worden.

Louise reed naar Emma's huis. Ze keek er helemaal niet van op dat Sophie haar telefoontje had weggedrukt. Ze had van tevoren wel geweten dat ze haar Canadese bezoek het hele weekend zou verstoppen.

Met een grote glimlach op haar gezicht kwam Emma opendoen.

'Wat zie jij er blij uit!' Het deed Louise goed haar zus zo te zien stralen.

'Het ziet ernaar uit dat de Ierse ambassade Felipes aanvraag voor een visum heeft goedgekeurd.'

'Fijn voor je. Wanneer heb je dat gehoord?'

'Felipe belde gisteravond; hij had een brief gekregen. Maar het is nog niet helemaal in kannen en kruiken; hij moet nog steeds een paar stempels voor goedkeuring zien te krijgen.'

Louise liep achter haar zus aan naar de keuken. Nu die in zo'n goede bui was, zou het makkelijker worden haar het slechte nieuws te vertellen.

'Nou, gelukkig zit er schot in. Heb je enig idee wanneer hij dan zou kunnen komen?'

'Ik heb op internet naar vluchten gezocht. Er gaat een geschikte van Virgin Atlantic via Heathrow. Ik heb een aanbieding gevonden voor de zestiende juni, dus maar duimen dat alle papieren dan in orde zijn.'

'Mooi zo. Ik kom net bij pap vandaan en hij hielp me herinneren dat mam binnenkort jarig is.'

'Volgende maand pas, hoor.'

'Jawel, maar ze wordt zeventig.'

'O mijn god! Ik was helemaal vergeten dat het een kroonjaar was!'

'Precies. En pap wil graag dat we een feestje voor haar organiseren.'

'Dat meen je niet!'

Emma ging aan de keukentafel zitten en nam haar hoofd in haar handen. 'Een feest zouden we met z'n allen moeten organiseren, maar ik geloof niet dat ik het aankan om ons kleine zusje te zien.'

'Het is ook niet zo'n fijne onderbreking nu je vriend komt logeren.'

'Verdorie! Ik geloof niet dat ik die vlucht nog kan annuleren; het is een aanbieding.'

'Misschien vindt hij het wel leuk om een Iers feest mee te maken.'

'Waar wil pap het vieren?'

'Hij wilde het eerst bij ons thuis doen en stelde toen Clontarf Castle voor, maar de jachtclub lijkt mij een beter idee.'

'God, ik geloof niet dat ik dat trek.'

'Emma, ik zie het zelf ook echt niet zitten! Maar met een beetje geluk komen er een hoop mensen en hoeven we die avond geen woord met Sophie te wisselen.'

'Ik heb helemaal geen zin om te gaan lopen stressen als Felipe dan ook nog eens bij me is.'

'Maar hij zal je juist afleiden.'

Emma knikte. 'Misschien wel. Praat jij dan met Sophie?'

'Ik zal het proberen, zonder haar helemaal onder te kotsen. Ze is dit weekend op sjouw met die Canadees van haar; ik bel haar maandag wel. Donal en ik gaan morgenavond met de Harleys eten bij de jachtclub; dan kan ik meteen informeren naar catering en zo voor de twintigste.'

'Dank je wel, Louise. Je bent geweldig.'

Louise glimlachte. Voor deze familiebijeenkomst zou ze de rol van organisator van Emma overnemen, en dat voelde fijn. Ze wilde zich graag weer goed voelen over zichzelf, want sinds haar gesprek met Jack was ze ontzettend depri geweest.

21

Greg verveelde zich. Hij wilde meer van Dublin zien dan het interieur van het penthouse, maar Sophie had zich vast voorgenomen hem elke dag zo lang ze kon in bed te houden.

'Waarom gaan we niet een tochtje maken op zee?'

Sophie voelde zich geroepen om voor Greg haar beste beentje voor te zetten. Haar gebruikelijke trucjes werkten niet, dus zou ze moeten meegaan in alles wat hij voorstelde.

'Oké. Laten we een taxi pakken, dan neem ik je mee naar Howth.'

Ze namen een douche en kleedden zich snel aan. De ontbijtspullen stonden her en der verspreid over de grote tafel in het woongedeelte van het penthouse. Sophie pakte haar tas en jas, die ze de vorige avond lukraak had neergekwakt, en ging Greg voor naar de lift.

'Hoe lang duurt het om er te komen?' vroeg hij.

'Een half uurtje, als het niet al te druk is op de weg. We kunnen ook de trein nemen; dat is waarschijnlijk sneller.'

Greg glimlachte. 'Dan doen we dat.'

Ze stapten in een groene trein waarop vooraan HOWTH stond aangegeven en namen plaats op banken in de hoek van het rijtuig.

Sophie kroop onder Gregs arm tegen hem aan. Ze wilde ontzettend graag dat deze man verliefd op haar werd. Ook al hadden ze het tot nu toe heel leuk gehad, toch had ze niet het idee dat ze echt tot hem doordrong, en het was geen fijn gevoel om degene te zijn die indruk wilde maken.

De trein stopte bij Sutton Station, en de eilanden Lambay en Ireland's Eye kwamen in zicht.

'Wat mooi.'

'Ja, best wel,' antwoordde Sophie.

'Sutton is toch waar Emma woont?'

'Ja. We zijn nu bijna in Howth.'

Greg zou niet meer naar Emma vragen. Stiekem had hij ge-hoopt haar terug te zien. Het was zo zonde om de hele reis hier-naartoe te maken en haar níét te ontmoeten.

Emma keek op haar horloge. Ze was zo verdiept geweest in Felipes e-mails dat ze bijna vergat Finn te gaan ophalen. Hij speelde een hurlingwedstrijd in Howth en ze had graag willen blijven kijken, maar ze moest voordat Felipe kwam nog zo veel mogelijk werken. Uiteindelijk had ze maar zo'n veertig woorden geschreven en een hele poos zitten dagdromen.

Ze pakte haar tas en autosleutels, en sprong in haar groene Mi-ni. Het was een zonnige dag en warm genoeg om de kap omlaag te doen. Opgewekt reed ze langs het kerkhof naar de top van de heu-vel, waar je een weergaloos uitzicht had over Dublin.

Wat een mazzel had ze toch dat ze op zo'n mooie plek woonde. Ze reed het terrein van de GAA-club op, waar aan de zijlijn men-sen stonden te juichen. Ze voelde zich verschrikkelijk schuldig toen ze net begonnen te klappen voor het thuisteam, dat een spec-taculaire overwinning op hun rivalen had behaald.

Finn kreeg haar in haar opvallende kleine convertible in het oog en kwam met een triomfantelijk gezicht naar haar toe draven.

'Hoi mam! We hebben gewonnen en ik heb drie doelpunten ge-maakt!'

'Goed gedaan, lieverd! Dat is geweldig.'

'Gaan we nou een ijsje eten bij Anne's?'

'Natuurlijk,' zei ze met een glimlach. Finn vond niets zo lekker als een hoorntje van negenennegentig cent, en het was een schitte-rende dag om er aan zee eentje te gaan eten.

Ze reden door het dorp en Emma parkeerde voor de Pier House-pub. Ze liet Finn naar Anne's rennen om het ijs te halen, terwijl ze zelf bleef zitten kijken naar de plaatselijke bewoners en dagjesmensen die over de oostelijke pier naar de vuurtoren wandelden. Dit was echt een heerlijke plek om te wonen. Ze wandelde vaak over de pier en vond het fijn om naar de patronen te kijken van de masten van de jachten in de haven, en naar de kleurige vissersbootjes die langs de muur van de westpier lagen.

Ze had inmiddels vrede met haar leven. Nog steeds dacht ze vaak aan Paul, maar het was haar gelukt haar emoties in de hand te houden en anders naar die hele ongelukkige periode te kijken die was voorafgegaan aan zijn nog ongelukkiger dood. Ze had Finn en ze was gezond, en anders dan veel andere mensen die gebukt gingen onder de last van een hoge hypotheek en schulden was zij prima in staat in haar eigen levensonderhoud en dat van Finn te voorzien.

Finn kwam de winkel uit met twee grote ijshoorns, terwijl hij gretig aan eentje daarvan likte.

'Dank je wel, Finn,' zei Emma, en ze pakte de andere hoorn en het wisselgeld van hem aan toen hij naast haar op de passagiersstoel kwam zitten.

'Ik vind het fijn als je het dak naar beneden doet, mam.'

'Ik ook, schat. Jammer dat het niet elke dag zulk mooi weer is.'

Ze reed de weg weer op en koerste langzaam over de boulevard.

'Kijk, daar loopt tante Sophie!' riep Finn.

Emma keek in de richting waarin hij wees en maakte van schrik een schuiver met de auto toen ze Sophie in de gaten kreeg, met Greg aan haar zij.

Vanaf de andere kant kwam er een Land Rover Jeep hun kant op, die opzij moest zwenken om de Mini te ontwijken. Hij ramde een Fiesta die langs de weg geparkeerd stond.

Emma slaakte een kreet van schrik omdat ze bijna tegen de enorme wagen op was gebotst.

'Mam – hij reed ons bijna dood!'

Emma parkeerde bij het voetpad om de wrakstukken te ontwijken en zette zich schrap.

'We moeten de Gardaí bellen. Het was helemaal mijn schuld.'

Het verkeer op de promenade kwam vast te staan en Greg en

Sophie wandelden verder zonder ook maar enig idee te hebben van de botsing die ze hadden veroorzaakt.

Jack probeerde Aoife te bellen, maar haar telefoon sprong weer eens meteen over naar de voicemail. Zijn rampzalige ontmoeting met Sophie in het Cellar was twee dagen en twee lange nachten geleden, en hij kon niet geloven dat zijn hele relatie nu opeens aan stukken lag.

Plotseling ging zijn telefoon over en hij nam snel op, in de hoop dat het Aoife was.

'Jack, met Eileen, Aoifes moeder.'

'O, hallo Eileen.'

'Ik sta beneden voor de deur, kun je me binnenlaten? Aoife heeft me gevraagd of ik haar kleren en spullen wilde ophalen.'

'Ik druk op de knop, duw maar,' zei Jack, terwijl hij een brok in zijn keel kreeg. Op haar echtgenoot na was Eileen wel de laatste die hij nu wilde spreken.

Ze kwam met een diepe frons in haar voorhoofd en een lege koffer in haar hand naar de deur van het appartement gelopen.

Jack pakte de koffer van Eileen over en liep achter haar aan het flatje binnen.

'Is dit de slaapkamer?' vroeg ze vol afkeer, terwijl ze de deur links van haar opendeed.

Het bed was een chaos en lag vol met kleren. Aoifes spullen stonden her en der op de kleine kaptafel en hingen uit halfopen kasten naar buiten.

'Zal ik even helpen?'

'Volgens mij heeft Aoife liever niet dat je aan haar kleren of spullen zit, en ik als moeder wil dat al helemaal niet!'

Jack trok zich terug in de kitchenette en bleef mokkend bij de aanrecht staan, terwijl de vrouw die zijn schoonmoeder had zullen worden alle sporen van de vrouw van wie hij hield uit hun slaapkamer wiste.

Als een gladiator kwam ze weer tevoorschijn, triomfantelijk en beladen met buit.

'Aoife vroeg me nog om voor volgende week een dag te noemen dat je niet thuis bent, zodat ze foto's en andere spulletjes kan komen ophalen.'

'Op maandag ben ik er niet.'

'Mooi zo. Ik kan niet zeggen dat ik dit een prettige situatie vind, Jack, maar ik ben blij dat mijn dochter niet met je getrouwd was.'

Met nietsziende ogen staarde Jack Eileen aan. Hij wilde een heleboel zeggen, maar kon de woorden niet vinden. Hij had geen poot om op te staan.

'Zeg maar tegen Aoife dat ik van haar hou.'

Eileen lachte besmuikt en schudde haar hoofd. 'Je maakt vast een grapje! Jij weet niet eens wat "houden van" betekent.' Terwijl ze de koffer met zich meezeulde, stampte ze naar de lift.

Jack liet zich op de bank ploffen en rilde. Voor het eerst sinds hij een kleine jongen was geweest wilde hij huilen. Hij wilde dat zijn moeder hem zou troosten en zou zeggen dat alles goed zou komen. Maar hij wist heel goed dat wat hij had gedaan niet goed te maken wás.

Finn belde zijn tante. 'Tante Louise, mam en ik hebben een auto-ongeluk gehad. Nou ja, we zijn nergens tegenop gereden, maar een jeep moest voor ons opzijgaan en die botste toen tegen een geparkeerde auto aan.'

'Is alles goed met jullie?' Louises stem klonk hoog van bezorgdheid.

'Ja hoor, met ons is alles oké.'

'Waar zijn jullie nu?'

'We zijn in Howth. We zagen tante Sophie lopen en toen maakte mama een schuiver. Ze loopt helemaal te trillen en ze wil niet meer achter het stuur zitten.'

'Luister eens, waar zijn jullie precies?'

'Voor Casa Pasta.'

'Oom Donal is bij de jachtclub aan zijn boot aan het werken. Blijf waar je bent, dan vraag ik of hij jullie komt helpen.'

'Bedankt, tante Louise.'

Finn had zijn moeder niet meer zo meegemaakt sinds de ochtend dat ze zijn vader roerloos op zijn bed hadden aangetroffen. De bestuurder van de Land Rover stond druk te oreren met de eigenaar van de Fiesta, die zojuist was gearriveerd. Hij leek behoorlijk kwaad en wees naar de Mini.

Emma staarde als in trance naar het stuur nu tot haar doordrong wat er was gebeurd: ze had zichzelf en haar zoon bijna de dood in gejaagd. Haar hoofd schoot met een ruk omhoog en ze keek naar Finn, die duidelijk van slag was.

'Alles goed?'

'Ja hoor – we hebben niemand geraakt. En met jou?'

Opeens viel er een schaduw over de auto: de hoog oprijzende gestalte van een man die eruitzag alsof hij op het punt stond uit zijn vel te springen.

'Je had moeten kijken waar je reed! Ik had jullie wel dood kunnen rijden, en je mag verdomme van geluk spreken dat er niemand in de auto zat waar ik tegenop knalde!'

Emma keek op naar de man; hij was in de vijftig en aan zijn postuur was te zien dat hij flink van het goede leven had genoten.

'Wat is hier aan de hand?' vroeg een stem, en Donals lange gestalte kwam in zicht.

'Kent u deze vrouw?'

'Ze is mijn schoonzus.'

'Nou, ze kunnen haar maar beter van de weg halen. Ze reed bijna frontaal op me in; ik moest uitwijken en raakte die auto daar. En wie mag de schade betalen?'

'Die is voor mijn rekening,' zei Emma gedwee.

Finn was blij dat hij zijn moeder iets hoorde zeggen.

'Wacht even, Emma. We moeten eerst nagaan wat er precies is gebeurd.' Donal kwam voor haar op, en hoewel hij het standpunt van de bestuurder wel kon begrijpen, maakte hij zich meer zorgen om zijn schoonzus.

'Het is in orde. Ik lette niet op niet waar ik reed.'

'Ziet u nou!' zei de Land Rover-bestuurder fel.

'Geef me uw naam en adres maar; dan zorg ik dat dit fatsoenlijk wordt afgehandeld,' zei Donal, terwijl hij een pen en zijn portefeuille uit zijn zak haalde.

'Ik wil het nummer en adres van die dame hebben, en haar verzekeringsgegevens.'

De Gardaí arriveerden en begonnen het vastgelopen verkeer om te leiden. Eén agent kwam naar de bestuurder van de jeep en vroeg hem of hij die weg wilde halen. Er was bij de botsing niemand gewond geraakt en het belangrijkste was nu dat de weg weer werd vrijgemaakt, zodat iedereen kon doorrijden.

Donal overhandigde Finn een briefje van vijf euro. 'Ga jij maar bij Beshoff's een zak friet voor jezelf kopen.'

Finn pakte het geld aan en stapte de auto uit.

Donal kwam op de passagiersstoel naast Emma zitten en legde zijn arm om haar schouder.

'Alles goed?'

Emma knikte. 'Godzijdank kwam jij op het juiste moment. Ik geloof niet dat ik die man in mijn eentje had aangekund.'

'Alles is in orde met je, en dat is het belangrijkste. Wat gebeurde er nou precies?'

'Ik reed rustig over de weg terwijl ik het laatste restje van mijn ijsje aan het opeten was, en toen riep Finn ineens dat hij Sophie zag lopen. Ik keek even niet waar ik reed en moet naar het midden van de weg zijn gezwenkt, en toen vloog de bestuurder van de jeep tegen die geparkeerde auto.'

'Heeft Sophie je gezien?'

Emma schudde haar hoofd.

'Die meid zorgt nog voor problemen zonder er ook maar enige moeite voor te doen!' zei Donal.

'Dit was helemaal mijn schuld.'

Donal drukte een kus op Emma's voorhoofd. 'In ieder geval is het nu weer goed met je. Blijf hier maar zitten. Als Finn terugkomt met zijn friet breng ik jullie samen thuis.'

'Dank je, Donal. Dat is lief van je.'

Donal glimlachte. Door Emma voelde hij zich altijd bijzonder gewaardeerd. Jammer dat zijn eigen vrouw hem niet hetzelfde gevoel gaf.

'Heb je trek in een kop koffie?' vroeg Sophie. 'Ik weet een leuk tentje aan zee, Il Panorama. Daar schenken ze de beste cappuccino van heel Dublin.'

'Klinkt goed. Misschien dat we ook een hapje kunnen eten.'

'Wat vind je van Howth?'

'Prachtig. Maar de Ieren rijden wel behoorlijk wild. Hoorde je die botsing daarnet?'

Sophie haalde haar schouders op. 'Niets gezien.'

'Kun jij zeilen?'

'Mijn zus Louise en haar man hebben een boot in de jachthaven, maar ik ga nooit mee. Ik blijf liever in de stad, daar valt meer te beleven. Laten we hier oversteken; het verkeer staat stil.'

Ze stapten een klein maar uitnodigend café binnen. Op hoge krukken aan de bar en bij het raam zaten gasten. Sophies oog viel op twee vrije krukken tegen de muur en ze haastte zich ernaartoe om ze te bezetten.

'Wa' mag 't zijn?' zei de vriendelijke Italiaan achter de toog.

'Ik een Melbourne-panini en een cappuccino, alstublieft.'

Greg bestelde hetzelfde. Hij ging zitten op de barkruk naast Sophie en glimlachte.

'Zo, Sophie, en wat ga je doen als je contract bij die krant afloopt?'

'Dan ga ik waarschijnlijk mijn best doen om weer een baan als modeontwerpster te vinden.'

'Lijkt het je niet wat om je eigen label te beginnen?'

'Die recessie hakt er dieper in dan ik dacht. Volgens mij is dit niet zo'n goed moment voor zoiets.'

Plotseling bliepte Gregs telefoon. Hij haalde hem uit zijn zak en las het sms'je.

'Alles kits?' vroeg Sophie.

'Dat was mijn kunsthandelaar; hij wil al voor morgen afspreken, want maandag heeft hij iets in Londen te doen. Ik denk dat ik maar op zijn voorstel moet ingaan.'

Met grote ogen van teleurstelling keek Sophie naar hem op. 'Dat zou dan dus betekenen dat je een dag eerder naar huis gaat?'

Greg schudde zijn hoofd. 'Nee – twéé dagen!'

Sophie moest haar adem inhouden om niet te laten merken hoe vervelend ze dat vond.

'We hebben het fijn gehad – toch, Sophie uit Ierland?'

Sophie knikte toen de vriendelijke Italiaan twee cappuccino's kwam brengen. Ze moest zich zien te beheersen. Ze dreigde de realiteit uit het oog te verliezen, want deze geweldige man was kennelijk niet half zo in haar geïnteresseerd als zij in hem.

Louise had haar bruine haar steil laten föhnen; als de kapper dat deed glansde het altijd veel meer. Ze wilde er op haar allerbest uitzien. De jachtclub was een mooie plek en het zou een uitje moeten zijn om naar uit te kijken, maar ze voelde zich vaak ongemakkelijk als het gesprek overschakelde op wedstrijdtactieken en zeiljargon.

'Ben je zover?' vroeg Donal.

Louise draaide zich om, in de hoop dat daden meer zeiden dan woorden.

'Wat zie je er prachtig uit.'

'Dank je,' zei ze. Het was de meest positieve reactie die ze in twee weken van haar man gehoord had.

Toen ze in zijn comfortabele en degelijke Volvo over de kustweg reden, praatten ze over koetjes en kalfjes – kwesties in verband met de kinderen en het dagelijkse huishouden.

'Pap wil in juni, als mam zeventig wordt, een feestje geven.'

Donal knikte. 'Prima plan. Waar?'

'Ik heb hem voorgesteld het in de jachtclub te houden.'

'Die zijn vast blij met de klandizie, en het is een prima locatie voor zoiets.'

'Dat leek mij ook. Emma neemt dan haar Cubaanse vriend mee, dus dat zal de avond wel een bijzonder tintje geven.'

Donal stopte voor een verkeerslicht en trapte harder op de rem dan normaal. 'Ze haalt die man toch niet hierheen? Hij probeert natuurlijk van Cuba weg te komen; daar haalt ze zich allerlei problemen mee op de hals. Ik had echt gedacht dat ze meer verstand had.'

'Rustig maar, Donal – wat hebben wij daar nou over te zeggen? Emma is een volwassen vrouw en haar privéleven is haar zaak.'

'Ze is een kwetsbare vrouw die nog geen jaar geleden haar man heeft verloren. Als wij niet op haar passen, wie doet dat dan? Kijk maar hoe ze zich vandaag in de nesten heeft gewerkt met de bestuurder van die jeep!'

De manier waarop haar man reageerde verontrustte Louise enigszins. 'Het is hoe dan ook niet aan ons. Vandaag heb jij gewoon gedaan wat je kon.'

'Ze heeft alleen ons nog. Sophie is voor haar de bron van een heleboel ellende. Eerst die verhouding met Paul, die ze haar ook nog eens onder de neus wreef nadat ze mee op reis mocht naar Cuba.'

Louise keek haar man stomverbaasd aan. 'Wist jij dan dat Sophie en Paul samen iets hadden?'

'Emma heeft me er zelf over verteld.'

'Wanneer?'

'Dat doet er niet toe. Jij was kennelijk op de hoogte, maar je had je zus of mij blijkbaar niet hoog genoeg zitten om ons in vertrouwen te nemen.'

Louise haalde diep adem; ze kon maar beter haar mond houden. Emma moest haar man sinds ze terug was uit Cuba hebben gesproken en het hem allemaal in vertrouwen hebben verteld. Ze was woest.

De rest van de rit legden ze in stilte af, totdat Donal de auto op een plekje voor de club parkeerde. Hij sloot de wagen af en in plechtig stilzwijgen liepen ze naar de deur.

Louise snapte er niets van wat er met hun ooit zo rotsvaste huwelijk aan de hand was. Toen ze het trapje op liepen naar de bar, moest ze haar tranen bedwingen. Bovenaan sloeg ze rechts af en liet haar man zonder haar doorlopen. Ze moest in de toiletten voor de spiegel even haar make-up bijwerken en de verwarring die daaronder gistte zien te camoufleren. Ze haalde een paar keer diep adem en draaide zich toen om om de deur uit te lopen.

Toen ze de toiletten uit stapte, kwam net Judy Harley naar binnen.

'Louise, hallo! Hoe gaat het met je vader? Kevin vertelde me wat er is gebeurd.'

'Het gaat goed met hem, dank je.'

Judy zag er extravagant uit en haar vlammend rode blouse leek van een designmerk. 'Mooi zo. Ik maakte me al grote zorgen toen je ons vorige avondje had afgezegd. Die arme ouders van je toch. Het klonk allemaal heel afschuwelijk!'

Ze liepen naar de bar, waar Donal en Kevin stonden, allebei met een glas Guinness in de hand. Louise vroeg zich af hoe het zover had kunnen komen dat de echtgenoot die haar ooit zo had aanbeden zich ineens meer zorgen maakte om haar zus dan om haar.

Sophie stond op om de telefoon op te nemen. Nooit eerder had ze zo'n hekel aan de maandag gehad. Greg had de avond tevoren op het vliegveld met een kus op haar wang en een knipoog afscheid van haar genomen, maar hij had niets gezegd over contact houden of dat hij haar terug wilde zien. Degene aan de andere kant van de lijn kon maar beter goed nieuws hebben, want anders hing ze meteen op.

'Sophie – met mij!'

'Wat wil je, Louise?'

'Ook heel leuk om jou te spreken!'

'Ik heb een rotweekend gehad, en Brenda van de *Irish Times* stuurde me een sms'je om te zeggen dat ze me niet meer nodig heeft.'

'Je had toch die smakelijke Canadees op bezoek?'

'Die is eerder teruggegaan. En hij is niet smakelijk en ook niet mijn Canadees!'

'Oké dan. Zeg, we moeten het over mams verjaardag hebben; dit jaar wordt ze zeventig. We willen een feestje voor haar geven in de jachtclub.'

'Wanneer had je dat gepland?'

'Op 20 juni, de dag van haar verjaardag.'

'Komt Emma ook?'

'Natuurlijk! En denk maar niet dat ze ernaar uitkijkt om een hele avond met jou op te trekken, net zomin als jij met haar.'

Sophie huiverde. 'Ik kom niet.'

'Jawel, je komt wel! Sterker nog: jij gaat mij helpen met de organisatie. Je kunt je nu niet meer verschuilen achter je werk.'

'Vanwaar die poppenkast?'

'Pap wil graag dat ze een feestje krijgt. Het is het minste wat we kunnen doen.'

'Dat praat ik hem nog wel uit het hoofd.'

'Geen sprake van. Ik heb een lijst opgesteld en jij kunt de uitnodigingen kalligraferen. Daar ben je toch zo goed in?'

Sophie pufte en snufte.

'Kom vanmiddag maar langs om me ermee te helpen,' vervolgde Louise.

Sophie besefte dat het geen zin had ertegen in te gaan. 'Hoe laat?'

'Na half drie. Ik moet eerst de kinderen uit school halen.'

'Goed dan!' Sophie kwakte de hoorn op de haak.

Ze pakte haar kussen en drukte het gefrustreerd tegen haar gezicht. Ze haatte haar zussen, en voor haar moeder had ze niet veel tijd. Ze haatte haar baas die ervandoor was gegaan en ervoor gezorgd had dat zij haar baan kwijtraakte, en ze haatte Greg. Op dat moment haatte ze de hele wereld. Ze besloot onderweg bij haar huisarts langs te gaan; ze móést iets hebben om de komende dagen mee door te komen, zeker met dat feestje van haar moeder in het verschiet.

Toen ze de praktijk binnenkwam, was dokter Lowe visites aan het rijden. Ze trof een vervanger, die nieuw was in de buurt. Sophie wist precies wat ze wilde: iets waardoor ze zich kon ontspannen, iets om haar te helpen erdoorheen te komen. Ze nam plaats tegenover de goed uitziende Indiase man, die onmiddellijk onder de indruk was van Sophies verschijning.

Ze trok de stoute schoenen aan en vertelde hoe ze na haar terugkeer uit Cuba in de kou was gezet door haar baas, dat haar nieuwe baan maar een tijdelijke oplossing was geweest en dat ze behoefte had aan iets wat haar weer zelfvertrouwen zou geven. De arts wilde haar geen Xanax voorschrijven, maar Sophie had daar haar zinnen op gezet; ze had de pillen al eerder geslikt en had zich daar goed bij gevoeld. Voordat hij het wist zat de dokter de details op een vers receptenblaadje te noteren. Dr. Lowe was makkelijk te bewerken, maar met deze man ging dat nog makkelijker. In elk geval was ze haar vermogen om mannen te bespelen nog niet helemaal kwijt.

De toetsen van de laptop klikten toen Emma vol trots een zin afsloot met een punt. Als ze in dit tempo doorwerkte, zou ze haar roman af kunnen hebben voordat Felipe arriveerde. Plots ging haar telefoon, en ze voelde gewoon dat hij het was.

'Hallo?'

'Hallo, Emma. Hoe is het met je?'

De lijn kraakte.

'Felipe – heb je goed nieuws over je visum?'

'Ik moet... het kantoor...'

Hij viel weg. Dat gebeurde wel vaker als hij belde. Cubanen kregen niet veel waar voor de Cubaanse dollars die ze aan hun telefoons uitgaven.

Ze belde hem terug en hij nam snel op. Nu was de lijn iets beter, maar hij kraakte nog steeds.

'Willen ze meer geld van je hebben?'

'Nee, ik heb het ticket nu, dus snappen ze wel hoe het zit.'

'Je hebt het dus uitgeprint. Mooi zo.'

Felipe had het ticket zelf willen betalen en had het alleen goedgevonden dat Emma zijn vlucht boekte als hij haar zodra hij in Ierland was mocht terugbetalen.

'Mijn vriend Miguel heeft zijn printer aan de praat gekregen, dus nu moet ik alles in orde zien te maken.'

'Precies. Voordat hij het zo meteen weer begeeft.'

Ze moesten allebei lachen.

'Hoe maakt Dehannys het?'

'Goed. Ze zou wel mee willen naar Ierland.'

Emma kreeg vlinders in haar buik: het gesprek dat ze nu met

hem voerde, betekende dat haar droom zou uitkomen.

'Het lijkt me enig om haar te zien, maar ik ben blij om jou helemaal voor mezelf te hebben.'

'Misschien kunnen we nog een keer zo zoenen als in Havana?'

Haar hart begon sneller te kloppen. 'Sinds ik weer terug ben heb ik daar heel vaak aan moeten denken.'

'Ik ook.'

Opeens viel de verbinding weg. Ze waren gewend geraakt aan onderbrekingen als ze met elkaar probeerden te communiceren, maar op de een of andere manier deden die er niet toe; een paar woorden van Felipe waren op dit moment beter dan een lang gesprek met wie dan ook. De afstand leken ze geen van beiden bezwaarlijk te vinden. Emma dreigde verliefd te worden.

Louise deed de deur open.

'Het is half vier. Wat heb je de hele dag uitgespookt?'

'Daar heb jij niks mee te maken,' zei Sophie, die langs haar zus heen liep de keuken in, waar ze aan tafel ging zitten. 'Oké, laat maar zien wat je gedaan wilt hebben. Ik heb niet de hele dag de tijd.'

Louise kwam ter zake. Ze overhandigde Sophie een vel papier en een kalligrafeerpen. Vervolgens gooide ze een stapel uitnodigingen voor haar neer.

'Waarom heb je deze gekocht? Er moet een heleboel tekst op komen te staan. Je had ze beter kunnen laten drukken met alle gegevens erop; dan had ik alleen maar de enveloppen hoeven te schrijven.'

'We hebben niet veel tijd. Het is al over krap vier weken, en sommige uitnodigingen moeten nog naar Engeland en de Verenigde Staten worden gestuurd.'

'Je denkt toch niet dat oom Chris helemaal uit Chicago overkomt?'

'We moeten het hem in elk geval vragen. En pap zei dat we ook Alice moesten uitnodigen. Doe nou maar niet zo moeilijk. Ik heb water opgezet – wil je koffie?'

'Hoe denk je dat mam reageert als haar zus na al die jaren ineens voor haar neus staat in de jachtclub?'

Louise haalde haar schouders op. Het vooruitzicht dat haar moeder en haar zus elkaar weer zouden zien verontrustte haar al net zozeer als de onvermijdelijke ontmoeting tussen Sophie en Emma.

'Laten we nou maar gewoon doen wat ons gevraagd wordt.'

'Dit wordt een gigantische ramp, dat weet jij ook!'

Louise wilde het niet beamen, maar ze had diep vanbinnen een ongemakkelijk gevoel. Het kon er wel eens op uitdraaien dat de twee generaties gebrouilleerde zussen in de jachtclub van Howth een scène zouden schoppen, en zij kon niets anders dan het gebeuren ensceneren.

Sophie bromde wat, pakte de eerste kaart van de stapel en begon met tegenzin te schrijven.

22

Jack liep Harry Byrne's binnen, waar hij met Peter had afgesproken – dichter bij een serieus advies kon hij niet komen. Hij bestelde een biertje en nam het mee naar de hoek waar Peter zich al had geïnstalleerd.

'Alles kits, Jack?'

'Jij nog iets drinken, Peter?'

'Kan niet. Ik ben met de auto. Ik kan vanavond niet lang blijven, want ik heb een date.'

'Wie is de gelukkige?'

'Een vrouw van mijn werk. Sexy ding. Ik kon mijn oren niet geloven toen ik haar mee uit vroeg en ze ja zei.'

'Jij hébt tenminste een baan. Je wordt nog een zeldzaamheid in het Dublinse straatbeeld.'

Peter knikte. 'We hebben het erg druk gehad, ook met nieuwe klanten. Veel bedrijven zijn op zoek naar creatieve reclame. Je gelooft gewoon niet hoeveel fastfoodketens ons weten te vinden.'

'Dan mag je je handjes dichtknijpen. Ik ben bang dat Aoifes vader met mijn baas gaat praten en dat ik de eerstvolgende ben die de laan uit wordt gestuurd.'

'Dat doet hij vast niet, toch?'

Jack schudde zijn hoofd. 'Ik heb nu al tweeënhalve week niets meer van Aoife gehoord. Wat een puinzooi.'

'Geef het niet op. Ze trekt wel bij.'

'Wist ik dat maar net zo zeker als jij.'

'En wat ben je nu van plan?'

'Geen flauw idee. Ik zie mezelf niet met iemand anders samen. Ik dacht echt dat zij de ware was.'

Peter nam een slok uit zijn halflege glas. 'Je moet achter haar aan. Weet je waar ze zit?'

Jack schokschouderde. 'Ze zal wel bij haar moeder zijn.'

'Nou dan, wegwezen hier en ga naar haar toe!'

Jack nam een slok van zijn bier; het liet een dun laagje schuim op zijn bovenlip achter.

'Haar vader heeft gezegd dat hij me dan zou vermoorden.'

'Natuurlijk heeft hij dat gezegd. Wat had je dan verwacht?'

Jack knikte. 'Ik zou er met de DART heen kunnen gaan...'

'Ga ervoor, man! Een beter moment dan dit is er niet.'

Jack besefte dat zijn vriend gelijk had.

'Ik zet je zo meteen wel af bij het DART-station op Clontarf Road,' zei Peter.

'Bedankt, maat.'

Jack was er niet helemaal van overtuigd of dat wel zo'n goed idee was, maar hij moest íéts doen.

De DART rolde station Malahide binnen en Jack vroeg zich af of hij zijn plan zou doorzetten of niet. Hij hoefde maar een klein stukje Malahide Village door. Aoifes ouders woonden in een van de fraaiste huizen aan Grove Road. Keer op keer vroeg hij zich af wat het ergste was dat er kon gebeuren. Harry Cullen kon hem in elkaar slaan, en in zekere zin vond hij dat hij dat ook verdiende; Aoife zou het hem daardoor niet vergeven, maar hij zou dan wel het gevoel hebben dat hij zijn schuld had ingelost.

Het was een heldere avond en de zon stond nog aan de hemel. Het strand zag er perfect uit voor een ontspannen wandelingetje. Hij probeerde positief te blijven denken en zich voor te stellen dat Aoife ja zou zeggen op zijn voorstel om bij zonsondergang een strandwandeling te maken. Dat zou zonder meer de meest positieve uitkomst zijn. Hij moest het er maar op wagen; door te gaan zitten chagrijnen in zijn appartement in Howth kreeg hij haar in elk geval niet terug.

De met bomen omzoomde weg was keurig onderhouden, met enorme poorten en zuilen bij de ingang van de monumentale tuinen achter de fris geverfde muren. Het was een chic adres in Dublin, en Aoife was dan ook een bijzonder meisje, dat van jongs af aan als een prinsesje behandeld was; hij nam het Harry en Eileen dan ook niet kwalijk dat ze hem helemaal niet zagen zitten.

Halverwege de straat bleef hij staan toen het elektronische hek van de woning van Aoifes ouders ineens langzaam openzwaaide. Hij wilde al bijna wegschieten achter een boom, maar wilde niet dat iemand hem voor een inbreker zou aanzien. Het geknerp van voetstappen op de met gravel bedekte oprit werd gevolgd door gelach en een stem die onmiskenbaar van Aoife was. Jack voelde zijn hart een sprongetje maken en versnelde zijn pas. De timing kon niet beter; nu zou hij haar kunnen zien zonder dat hij haar ouders onder ogen hoefde te komen.

Aoife droeg een felroze jurk en had een wit vestje over haar arm. Haar blonde haar had een zijdeachtige glans en ze had een paar fraaie sandaaltjes met riempjes aan. Maar Jack stond niet verstomd door haar oogverblindende verschijning, maar door de lange, donkerharige man die zijn arm om haar taille had geslagen. Hij zag eruit alsof hij regelrecht uit een Armani-catalogus was gestapt, en Jack wenste dat hij ten minste de moeite had genomen om zich te scheren.

Aoife schrok toen tot haar doordrong wie er op het voetpad voor haar stond.

'Jack, wat doe jij hier?'

'Ik... Ik... Ik wilde je zien.'

Het Armani-model had niet lang nodig om te bedenken wie die sjofele figuur was, die zeker vijftien centimeter kleiner was dan hij.

'Karl,' zei hij, terwijl hij zijn hand uitstak.

Jack wierp er een blik op en keek vervolgens naar Aoife. Hij deed een paar stappen naar achteren.

Aoife bleef standvastig op het plaveisel staan. Ze begon te trillen en reageerde niet toen Karl zijn arm beschermend om haar schouder sloeg.

Jack draaide zich om en rende weg, als een kind dat erop is betrapt dat hij een appel van de boom van de buren heeft gestolen.

Op weg naar het station keek hij geen enkele keer om, en toen de eerste de beste groene trein aan het perron tot stilstand kwam, sprong hij erin, ging in een hoek van het rijtuig zitten en verborg zijn gezicht in zijn handen. Nog nooit van zijn leven had hij zich zo afschuwelijk gevoeld.

Sophie deed de klerenkast open om te kiezen wat ze die dag zou aantrekken. De keus was moeilijk als ze nergens heen hoefde. Een groot deel van haar kleren was saai en wilde ze nooit meer dragen.

Greg was twee weken geleden naar Londen vertrokken en had nog geen enkel sms'je gestuurd om te zeggen of hij hun weekendje samen al dan niet leuk had gevonden. Ze voelde zich hondsberoerd.

Ze had niet eens het geld om voor dat stomme verjaardagsfeestje van haar moeder een speciale jurk te kopen. Ze begon kleren uit de kast te halen die ze nooit meer zou dragen en gooide ze op de grond. Toen de kast steeds leger werd en de stapel op de grond steeds groter, begon ze de kleren zelf uit elkaar te trekken, totdat er van sommige alleen nog flarden over waren.

Ze plofte neer op het bed en begon luidkeels te snikken. Ze had nog nooit zo met zichzelf te doen gehad. Hoe had haar leven zo de soep in kunnen draaien? Nog maar een jaar geleden had ze alleen maar succes gehad.

Ze had geld op de bank gehad en een fantastisch leven, ze had een geweldige minnaar gehad, en een carrière waarvan de meeste mensen alleen maar konden dromen. Nu zat ze opgescheept met een appartement dat ze zich niet langer kon veroorloven, een sportwagen waarvoor ze de benzine niet kon betalen, en had ze geen man meer die van haar hield. Ze vroeg zich af waar het allemaal mis was gegaan.

Ze ging rechtop zitten, pakte een kekke grijze broek die ze altijd naar haar werk had gedragen en begon hem in stukken te scheuren. De broek was zo goed gemaakt dat het Sophie nog niet meeviel om dat met haar blote handen voor elkaar te krijgen.

Ze gebruikte haar tanden om het garen door te bijten en haar voeten om de stof vast te houden. Toen het kledingstuk scheuren begon te vertonen, voelde ze een enorme opluchting. De broek was een symbool van haar oude leventje dat ze achter zich moest laten. Vlak voor haar deur vonden rampzalige ontwikkelingen plaats, op een dusdanige schaal dat haar eigen kleine verhaaltje niet anders was dan dat van de vele duizenden die momenteel toetraden tot het leger van de werklozen.

Ze zou nooit armlastig of dakloos worden, want als het echt niet anders kon, kon ze altijd weer in Foxfield gaan wonen. Maar het vooruitzicht om dan onder één dak te moeten leven met haar moeder sprak haar totaal niet aan.

Sophie was bang. Ze miste Emma en de zekerheid die ze als kind had gevoeld omdat Emma altijd voor haar zou opkomen, of het nu op het schoolplein was of op straat in Foxfield. Ze had wat dat betreft haar schepen achter zich verbrand. En over een week zou ze haar zus op het verjaardagsfeestje van haar moeder onder ogen moeten komen, en de rest van haar familie ook.

Ze pakte een roze vestje van kasjmier op dat ze vaak had gedragen in haar tijd met Paul, en drukte het zachte breisel tegen haar wang. Hij had het altijd leuk gevonden als ze dat vestje droeg; dan streelde hij zachtjes over haar arm en streek met zijn wang over haar schouder. Wat hadden ze het samen toch fijn gehad. Ze had Emma niet willen kwetsen toen ze haar over haar relatie met Paul vertelde; ze had alleen maar erkenning gewild, omdat zij óók van hem had gehouden. Ze hield het vestje met gestrekte armen voor zich uit en wierp er een objectieve blik op. Vervolgens rukte ze nijdig de mouwen los en begon de wol uit te halen. Ze was ontzettend in de war en gekwetst. Als ze al deze kleren aan stukken trok, had ze de rest van de dag tenminste iets te doen.

23

Emma controleerde de kalender die naast de koelkast hing. Ja, het was inderdaad 16 juni. Ze zette de waterketel aan en stopte brood in de broodrooster. Het was kwart over acht en als Finn niet gauw opstond zou hij nog te laat komen voor zijn golfkamp.

Onder aan de trap riep ze naar boven, en hij bromde een antwoord dat ze niet goed kon verstaan. Over krap twee uur zou ze op het vliegveld van Dublin zijn en eindelijk Felipe terugzien. Ze vroeg zich af of ze hem wel meteen zou herkennen. Het viel nog niet mee om zich zijn gezicht duidelijk voor de geest te halen aan de hand van die ene foto die ze van hem had.

De afgelopen weken had ze hem door zijn e-mails en hun korte telefoongesprekken beter leren kennen. Haar telefoonrekening rees de pan uit, maar het was het waard geweest. Ze was een heleboel over zijn familie en zijn leven te weten gekomen. Een visum bemachtigen was een avontuur op zich geweest, en net als bijna overal, hoe idealistisch landen ook kunnen lijken, bleek ook de Cubaanse overheid vooral gevoelig voor harde valuta.

Finn kwam slaperig de keuken binnensloffen.

'Wil je toast, lieverd?'

'Nee, dank je. Ik neem liever muesli.'

Hij reikte moeiteloos naar het bovenste keukenkastje, waar Emma toen hij nog klein was altijd het snoepgoed verstopte.

'Weet je nog dat ik je vertelde over ons bezoek uit Cuba? Die man komt vandaag aan.'

'Ja – dat heb je me deze week al een keer of tien verteld.'

Emma pakte de melk uit de koelkast en zette hem midden op tafel.

'Hij is gewoon een gast. Een vriend.'

'Hoor eens, mam, ik vind het best. Ik heb toch van alles te doen. Gavin heeft gevraagd of ik vanavond met hem wil komen tennissen, dus ik loop jullie heus niet voor de voeten.'

'Je hoeft echt niet weg. Ik wil juist graag dat je hem ziet.'

'Nou, hij is jóúw vriend. En tante Louise heeft gezegd dat ik bij haar kan blijven logeren als ik wil.'

'Het lijkt me leuk als je vanavond met ons samen blijft eten.'

'Ik ga bij Gavin eten, en als jij het goedvindt mag ik ook blijven slapen.'

Haar zoon en zijn vrienden regelden nu al zelf hun logeerpartijtjes. Waar was haar kleine jongen gebleven? Hij leek hard op weg een echte puber te worden.

'Maar ik wil graag dat je kennismaakt met Felipe.'

'Die zie ik morgen wel.'

Finn stond op en zette zijn mueslikom in de vaatwasser. Hij liep naar zijn moeder en gaf haar een kus op haar wang.

'Rustig nou maar.'

Emma was sprakeloos. Ze pakte haar autosleutels en tas, en liep achter Finn en zijn golftas aan naar de auto.

De wielen van het vliegtuig raakten met een plof de landingsbaan op het vliegveld van Dublin. '*Fáilte romhaibh, a chairde, go Baile Átha Cliath*,' zei de steward.

Het was de eerste keer dat Felipe iemand Iers hoorde praten. De velden onder hem waren groen geweest toen het toestel de daling had ingezet, en alle huizen en gebouwen hadden heel keurig gerangschikt en schoon geleken in vergelijking met het landschap dat hij in Havana achter zich had gelaten.

De passagiers haastten zich het vliegtuig uit en het geklik van hun gordels klonk alsof er dominostenen omvielen.

Felipe liet de vrouw die op de vlucht van een uur vanaf Heathrow zwijgend naast hem had gezeten passeren, en vervolgens voegden de mensen op de stoelen om hem heen zich in de rij.

Hij reikte naar het bagagevak boven zijn hoofd en haalde er de aftandse zwarte tas uit waar zijn waardevolle spullen in zaten.

Het eerste wat hem opviel toen hij uit het vliegtuig de trap af-
daalde was de kou. Het verbaasde hem dat de meeste mensen om
hem heen die niet leken te voelen – het was vast niet warmer dan
een graad of achttien. Emma had hem verzekerd dat het weer goed
was en dat er een droge periode aan zat te komen. Hij haalde zijn
trui uit zijn tas en trok die over zijn hoofd. Met zijn paspoort in
zijn hand zocht hij zich een weg naar de terminal. Het had maar
een haar gescheeld of hij had helemaal niet uit Havana weg gekund. Het Ierse visum bestond uit een simpele stempel op de laatste pagina van zijn paspoort. Er was geen foto-identificatie aan te
pas gekomen en Felipe had de gemelijke man achter de emigratie-
desk in Havana bijna nog flink wat smeergeld moeten betalen om
überhaupt het land uit te mogen. Gelukkig had een andere man
zich ermee bemoeid en hem een paar minuten voordat het vliegtuig zou opstijgen doorgelaten naar de vertrekhal.

Felipe was gewend aan zulke ongemakken, en toen hij om zich
heen keek naar de goedgeklede mensen die in hetzelfde vliegtuig
uit Londen waren gekomen, begreep hij wel dat de manier waarop
hij leefde deze mensen net zo vreemd was als wanneer hij van een
andere planeet was gekomen. Felipe maakte het niet uit; als hij
eenmaal bij de bagageband zou staan, zou het nog maar een paar
minuten duren voordat hij Emma terug zou zien.

Emma stond bij de rode touwafzetting die de wachtenden scheidde van de aangekomenen. Met haar tong voelde ze dat haar gehe-
melte droog was, en haar hart ging steeds sneller kloppen. Het
vliegtuig was twintig minuten geleden geland; als Felipes bagage
vertraagd was, zou het nog wel eens twintig minuten kunnen duren. Haar handpalmen waren vochtig en ze was ademloos van opwinding.

Opeens zag ze hem. Hij had een plunjezak over zijn linker-
schouder geslagen en droeg een boodschappentas in zijn rechterhand. Zijn haar was inmiddels een flink stuk korter geknipt en hij
leek meer op een dichter dan op een rebel. Zijn donkere ogen

speurden onder zijn donkere wenkbrauwen zenuwachtig de aankomsthal af.

Ze wilde naar hem toe rennen en hem vastpakken, maar al die vreemde mensen om hen heen stonden in de weg.

Felipe zag Emma in de menigte staan en glimlachte. Ze droeg een roze gestreepte jurk die haar hals en schouders bloot liet. Haar zwarte haar was losjes in een paardenstaart naar achteren gebonden en ze had haar zonnebril op haar hoofd gezet.

Ze zwaaide en versnelde haar pas, totdat ze uiteindelijk tegenover elkaar stonden. Toen sloeg ze haar armen om zijn hals en drukte hem stevig tegen zich aan.

Hij liet de tas in zijn rechterhand op de grond zakken en beantwoordde haar omhelzing.

'Het is je gelukt!' zei Emma. Haar ogen werden groot van vreugde en ze keek hem liefdevol aan, terwijl hij haar blik beantwoordde.

'Ja – dank je wel, Emma!'

Ze bleven maar kijken en kijken; ze waren zo blij om elkaar te zien dat dat voor hen allebei genoeg was.

'Kom,' zei Emma terwijl ze haar arm door de zijne stak. 'Het is een prachtige dag. Je moet me alles over je reis vertellen. Is het allemaal goed gegaan?'

Als twee opgewonden pubers die aan een groot avontuur begonnen liepen ze de zonneschijn in, en de hele weg over de M1 en M50, terwijl Emma achter het stuur van haar kleine groene Mini zat, praatten ze honderduit.

'Wat zijn de wegen hier goed.'

'Het leven zou voor jou op Cuba heel wat makkelijker zijn als jullie snelwegen net zo goed waren als de onze.'

'En wat een schoon land is dit!'

Emma haalde haar schouders op. 'Nu wel, denk ik, maar zo is het niet altijd geweest.'

'Het is niet te geloven!'

'Je bent zeker wel moe?'

'Nee hoor, ik heb in het vliegtuig veel geslapen.'

Trots reed Emma de oprit op van haar bescheiden, van dakka-pellen voorziene bungalowtje, en ze zag Felipes ogen bijna uit zijn hoofd rollen.

'Wat heb je een groot huis, Emma – en dat alleen voor jou en je zoontje?'

Emma had voor haar reis naar Cuba een heleboel dingen als vanzelfsprekend beschouwd, maar nu waardeerde ze veel bewuster alle luxe waar ze zo aan gewend was.

'Ja, Felipe, het is alleen voor ons tweetjes.'

Ze parkeerde de auto en keek naar hem toen hij alles vol verba-zing in zich opnam.

Hij liep achter haar aan de keuken in en ze zette de waterkoker aan.

'Heb je zin in koffie?'

'Graag.'

Emma had zich goed voorbereid. Ze herinnerde zich nog hoe-veel koffie hij had gedronken in de korte tijd dat ze samen waren geweest.

'Waar is je zoon?'

'O, die is naar golfles.'

'Ik hoop niet dat hij mij een indringer vindt.'

'Natuurlijk niet, Felipe. Hij kijkt er juist naar uit om je te zien,' zei ze zo overtuigend als ze kon opbrengen. 'Vanavond kun je met hem kennismaken. Maar vanmiddag... Zou je het leuk vinden als ik je rondleid door de omgeving? Er is een heel leuke pub, de Sum-mit Inn, en dit is een prima dag om daar op het terras mensen te gaan zitten kijken.'

Felipe schokschouderde. 'Dat lijkt me een goed plan. Ik vind het leuk om eropuit te gaan, maar mag ik eerst even onder de douche?'

'Natuurlijk – wat onattent van me. Ik zal je de badkamer even laten zien.'

Ze ging hem voor naar boven. 'Dat is mijn kamer,' zei ze toen ze langs de eerste deur aan de linkerkant liepen. Ze bleven even op de overloop staan. Ze hadden het er nog niet over gehad waar Felipe zou slapen, maar op de een of andere manier wisten ze allebei dat ze uiteindelijk samen in haar kamer terecht zouden komen.

Emma haalde een handdoek uit de linnenkast en gaf die aan Felipe.

'Alsjeblieft. De badkamer is daar. Ik ben beneden.'

'Dank je,' antwoordde hij, en weer keken ze elkaar heel even aan.

De opwinding van het weerzien werd Felipe te machtig. Hij wilde haar vastpakken en haar tegen zich aan drukken, waar hij op Cuba van had gedroomd, maar op dit moment had hij het gevoel dat het, als het zover was, ook helemaal goed moest zijn. Emma was weduwe en diende met respect behandeld te worden.

Emma schonk hem een glimlach en liep naar beneden. Felipe kwam even later bij haar terug; hij zag er geweldig uit in zijn zwarte t-shirt en spijkerbroek.

Zodra ze hun koffie op hadden, stapten ze weer in de auto, en Emma gaf hem een aardrijkskundelesje over de omgeving terwijl ze over Carrickbrack Road reed. Ze wees hem de Dublin Mountains en vertelde hem over de oriëntatiepunten in Dublin Bay.

Felipe luisterde en keek. Hij had er geen idee van gehad dat ze allebei zo'n volstrekt ander leven leidden.

Emma parkeerde de auto voor de Summit Inn en stapte uit.

'Wat wil je drinken – heb je zin om eens een Guinness te proberen?'

Felipe knikte. 'Ja, goed.'

De houten stoelen en tafeltjes voor de pub waren voor de helft bezet en voor eentje ervan lag een hond languit op de grond.

Binnen was de pub vrij kaal, maar in de hoek van de bar was een turfvuur aangestoken, en in de hoek ertegenover stonden een pooltafel en een jukebox.

'Een Bulmers en een Guinness, alstublieft,' zei Emma, en ze keek toe terwijl de Russische barjuffrouw de tap bediende. 'Wil je iets eten, Felipe? Ze hebben hier goede steaksandwiches.'

Zodra ze 'steak' zei liep Felipe het water in de mond. Op Cuba aten de mensen maar heel zelden rundvlees en het werd als een misdaad beschouwd om zo'n dier te doden; daar kon je langer de bak voor in draaien dan voor de moord op een mens.

Hij knikte.

'Mag ik ook nog twee steaksandwiches, alstublieft?' vervolgde Emma, en ze pakte haar glas op en wenkte dat Felipe met haar mee moest komen.

Ze installeerden zich aan het dichtstbijzijnde tafeltje buiten, vanwaar ze een spectaculair uitzicht hadden over de boomkruinen van het noordelijke deel van de County Dublin.

'Proost!' zei Emma, en ze klonk met haar glas tegen het zijne. 'Ik hoop dat je een fijne tijd in Dublin krijgt.'

Felipe pakte zijn bierglas, nam een slok en keek genietend over de schuimkraag heen.

'Ik geloof dat ik het in Ierland heel fijn ga vinden.'

Ze hoopte dat hij er over een paar dagen nog steeds zo over zou denken, als ze hem zou meenemen naar de jachtclub van Howth en het verjaardagsfeestje van haar moeder.

Donal stormde na zijn werk de voordeur binnen en gooide zijn tas in de hal op de grond.

Uit de plof die dat gaf maakte Louise op dat er iets aan de hand was.

Hij liep de keuken in, waar ze wortels stond te snijden.

'Is er iets?'

Donal kwam naar haar toe en zette de waterkoker aan. 'Sinds ik dat sms'je van je heb gekregen ben ik de hele dag uit mijn humeur.'

'Ik weet dat het vervelend is, maar ik had niet gedacht dat je het zo erg zou vinden om tante Alice en Dick hier een nachtje te logeren te hebben. Vroeger vond je dat nooit een probleem.'

'Je moeder heeft haar zus in geen jaren gesproken. Vind je de ruzie tussen Sophie en Emma niet al problematisch genoeg voor je moeders feestje? Misschien ben ik het wel eens beu om voor jouw zussen de kastanjes uit het vuur te halen. Waarom kan Alice niet bij Emma logeren? Die heeft vier slaapkamers en gebruikt er maar twee.'

'Je wéét waarom dat niet kan. Emma heeft haar vriend uit Cuba te logeren.'

'Wij zijn altijd de pineut. En tussen ons tweeën loopt het de laatste tijd nou ook niet bepaald op rolletjes.'

De toon die Donal aansloeg maakte Louise angstig. 'Oké, dan vraag ik Sophie wel of Alice en Dick bij haar terechtkunnen,' zei ze.

'Je tante wil toch niet in de stad blijven.'

'Nou, ik zie nog wel. Sorry dat dat feest zo veel consternatie veroorzaakt. Ik kijk er zelf ook niet echt naar uit.'

Donal sloot zijn ogen. 'Ik ga me even verkleden. Ik hoef geen eten.'

'Waar ga je dan heen?'

'Kevin wilde het water op. Het is een mooie avond.'

Louise gooide het mes neer op de snijplank. Donal was zichzelf niet meer. Een knagend gevoel onder in haar buik vertelde haar dat het niet door haar tante kwam dat hij in zo'n slecht humeur was, maar door de staat van hun huwelijk. Ze had het nooit zover mogen laten komen. Als ze om hulp en goede raad verlegen zat, was Emma altijd degene geweest tot wie ze zich wendde, maar sinds die terug was uit Cuba leefde ze helemaal in een eigen wereldje. Ze moest haar huwelijk weer op de rit zien te krijgen; ze wist alleen niet waar ze moest beginnen.

Emma nam Felipe vanaf Strand Road mee langs de Martello-toren, die als zovele andere in de tijd van Napoleon langs de Ierse kust was gebouwd. Het pad waarover ze liepen was gebaand door wandelaars en kinderen die wisten dat de omringende velden een fantastisch speelterrein vormden.

Felipe begon te wennen aan de aangename temperatuur en vond het koele zeebriesje dat vanaf de overkant van Dublin Bay kwam aanwaaien lekker. Als twee zenuwachtige pubers zaten ze naast elkaar te kijken hoe de Stena Seacat langs de monding van de baai koerste en de rivier de Liffey op voer. Het was goed om samen te zijn, als twee mensen die niet echt geliefden waren – nóg niet!

Felipe had heel wat nachten liggen zweten bij de gedachte aan Emma, terwijl hij had geprobeerd zich voor te stellen hoe het zou zijn om met haar te vrijen. Nu ze zo dicht bij hem was dat hij haar parfum kon ruiken, sloeg de angst hem om het hart dat het te ver zou gaan om de knappe vrouw van zijn dromen ook echt aan te raken, omdat er van zijn illusies misschien niets zou overblijven.

Maar tot dusver waren ze tevreden met hoe het tussen hen ging, en dat was voorlopig genoeg.

Terug bij haar thuis zat hij van een rioja te nippen, terwijl zij groenten schoonmaakte en fijnsneed. Hij bood aan te helpen, maar daar wilde ze niets van weten; in plaats daarvan wilde ze per se dat hij proefde van de nachos en guacamole die ze voor zijn komst had klaargemaakt.

Vergenoegd sloeg hij haar bewegingen gade en hij lette erop dat hij niet te veel dronk, ook al was de rioja een van de beste wijnen die hij ooit had geproefd.

Uiteindelijk was het eten klaar.

'Wacht, ik help je even', zei Felipe, terwijl hij de twee borden met vers gekookte groenten en kip van Emma aanpakte.

'Dank je', zei ze, met een glimlach waar zijn hart van smolt.

Ze namen plaats aan de keukentafel en tikten met hun glazen tegen elkaar. Felipe zag er in het laatste daglicht dat door het raam naar binnen viel sensueel knap uit. Emma nam elke beweging die hij met zijn mes en vork maakte in zich op en genoot van de vertrouwdheid van hun samenzijn. Het voelde heel anders dan de laatste paar jaar met Paul – de Paul die haar had bedrogen en haar met zo veel schuldgevoel had achtergelaten. Ze vroeg zich af of ze in staat zou zijn deze nieuwe man in haar leven volledig te vertrouwen.

'Dat was erg lekker, Emma. Je bent een uitstekende kokkin.' Hij sloot zijn handen om de hare.

'Zullen we in de woonkamer gaan zitten?' vroeg ze.

Hij antwoordde haar met een verlangende blik die meer zei dan woorden.

Ze trokken nu bijna twaalf uur met elkaar op.

'Maken we nog een fles open?' vroeg ze.

Glimlachend haalde Felipe zijn schouders op. 'Jij bent de baas.'

Paul zou zoiets in geen honderdduizend jaar gezegd hebben, en het klonk bevrijdend.

Emma haalde de kurkentrekker en een nieuwe fles wijn en nam die mee naar de woonkamer. Ze zaten dicht bij elkaar op de crème-kleurige leren bank van hun rode wijn te nippen, terwijl ze luisterden naar de klanken van een Cubaanse gitaar op een cd die Felipe haar cadeau had gegeven. Opeens sloeg hij zomaar zijn arm om haar schouder, wat haar deed huiveren van opwinding. Alle tijd en moeite die ze had gedaan om deze reis te organiseren waren het waard geweest. Dit was wat ze had gemist, dit was wat ze in haar leven nodig had.

'Dank je wel, Felipe,' zei ze.

'Waarvoor precies?'

'Je hebt geen idee hoe je me hebt geholpen. Op Cuba heb je me laten zien dat er nog een toekomst voor me lag. Toen had ik de moed nog niet om goed op je te reageren, maar nu ben ik daar wel klaar voor.'

'Wat is er dan in de tussentijd voor jou veranderd?'

'In het vliegtuig terug naar huis heeft Sophie me iets verteld. Iets wat ik heel moeilijk vond om aan te horen.'

Felipe zei niets. Emma mocht zelf beslissen wat ze aan hem kwijt wilde.

'Door wat ze zei ben ik heel anders tegen het leven aan gaan kijken. Ik besef nu dat mijn huwelijk met Paul één grote leugen was. Ik had gedacht dat we gelukkig waren. We konden het prima vinden samen, maar op een gegeven moment moet hij toch behoefte hebben gekregen aan iets anders – of liever gezegd: aan iemand anders.'

Felipe oefende nog steeds geen enkele druk op haar uit. Hij bleef rustig zitten luisteren naar wat ze te vertellen had.

'Het blijkt dat hij drie jaar voordat hij zelfmoord pleegde een verhouding met Sophie was begonnen.'

Felipe was zichtbaar ontdaan.

'Waar denk je nu aan?' vroeg ze.

'Dat is geen prettig nieuws. Ik weet niet wat ik moet zeggen, Emma. Dit is iets tussen jou en je zus.'

'Ik voel me vanbinnen verscheurd. Al een hele tijd liep ik me suf te piekeren waarom hij nou zelfmoord gepleegd kon hebben, en dit nieuws is heel kwetsend. Ik wil niet de reden zijn waarom hij zichzelf om het leven bracht. Wilde hij dan zo graag zijn ontrouw verbergen?'

'Je man had een probleem. Hij heeft zelfmoord gepleegd omdat hij niet tevreden met zichzelf was.'

'Ik had naar jou moeten luisteren. Nu ik weet wat er in zijn leven aan de hand was, is het op de een of andere manier allemaal duidelijker geworden. Ik snap nu wel waarom hij zo in de war was. Maar Sophie kan ik het nooit vergeven – om je eigen zus zoiets aan te doen!'

Felipe reikte naar haar wang en streelde die zachtjes. 'Zo moet je niet denken. Zo ben jij niet echt, Emma.'

'Ik ben woest op haar, daar kan ik niets aan doen.'

'Die woede hoef je ook niet in te houden, want daar word je alleen maar ongelukkig van. Maar nu ben je wel vrij, toch?'

Emma knikte. Ze vond het gevoel van zijn sterke vingers tegen haar wang zalig.

'Ja, ik geloof dat ik nu inderdaad vrij ben.'

'Goed zo,' zei Felipe, en hij boog voorover om zijn lippen op de hare te drukken.

Ze voelden zich allebei even heerlijk als toen die keer in de maneschijn op het strand bij Miramar.

Emma werd wakker met het besef dat ze voor het eerst sinds ze Paul had verloren niet alleen in bed lag. Ze wierp een blik op het ruig-knappe profiel van de slapende Felipe. In geen tijden had ze zich zo geborgen en gelukkig gevoeld.

Opeens ging de telefoon op haar nachtkastje over.

'Hallo?'

'Emma, met mij!'

'Hai, Louise,' zei Emma met een zucht. Louise wist dat het de eerste nacht was dat Felipe er was en Emma begreep niet hoe ze het in haar hoofd haalde om al zo vroeg te bellen.

'Hoor eens, tante Alice komt voor mams feestje naar Ierland.'

'Dat meen je niet! Had je haar dan uitgenodigd?'

'Ik moest wel. Al had ik niet gedacht dat ze ook echt zou komen.'

'En Dick?'

'Die ook.'

'Weet pap dat al?'

'Ik heb hem de gastenlijst laten zien, maar je weet hoe hij is. Ik vraag me sterk af of hij er ook maar één blik op heeft geworpen. Ik wilde niet dat tante Alice lucht van het feest zou krijgen en zich dan buitengesloten zou voelen. Ze heeft nog steeds contact met Chris in Chicago.'

'Komt híj?'

'Nee. Hij zei dat hij te weinig tijd had om het te regelen.'

'Wanneer komt Alice aan?'

'Op vrijdag. Ze vroeg of ze bij mij konden logeren. Ik heb tegen haar gezegd dat ik wel een bed zou opmaken in de speelkamer van de kinderen.'

'Daardoor was ze zeker wel ontmoedigd?'

'Inderdaad ja, maar dat kan mij niet schelen. Ik heb genoeg aan mijn hoofd, en Donal vindt het maar niks dat ze bij ons blijven logeren. En onze jongste zus is weer eens niet thuis!'

Felipe begon zich te roeren. Zijn ogen gingen open en hij keek naar Emma op.

'Hoor eens, Louise, ik moet ophangen,' zei Emma gehaast. 'Ik bel je later nog wel.'

Emma legde de telefoon op het nachtkastje en liet zich omlaagzakken in bed.

Felipe zei niets. Hij legde zijn handpalm tegen haar wang en streelde die zachtjes. Vervolgens boog hij zich over haar heen en drukte een kus op haar lippen.

Hun monden smolten samen en ze gingen verder op het punt waar ze de vorige avond gebleven waren.

Sophie nam de telefoon op.

'Waar zat je nou?' zei Louise. 'Ik probeer je al dagen te bereiken!'

'Hai. Ik ben aan het werk geweest.'

'Heb je dan een baan?'

'Nee, ik was dingen voor mezelf aan het ontwerpen.'

'Dus je was al die tijd gewoon thuis?'

'Wat maak je je nou druk?'

'Realiseer je je wel dat het feest voor mam morgenavond al is?'

Sophie snoof. 'Natuurlijk. Maar morgen is niet vanavond.'

'Dacht je soms dat er niets voorbereid hoeft te worden?'

'Je zei toch dat de jachtclub de catering verzorgt?'

'Dat doen ze ook, maar de boel moet ook nog worden versierd, en de menu's en zo moeten worden gedaan.'

'Kalm nou maar. Je vindt het gewoon heerlijk om klusjes te bedenken voor jezelf en voor ons allemaal.'

'Was dat maar het enige. Alice en Dick komen over en ze willen bij ons blijven logeren.'

'Nou, en?'

'Ik had gehoopt dat ze bij jou terechtkonden.'

'Daar is mijn appartement veel te klein voor!'

'Maar jij bent maar alleen en wij zijn met z'n vijven, en Finn wil hier ook logeren nu Felipe er is.'

'Dus onze zus heeft eindelijk haar man waar ze hem hebben wil!' Sophie slaagde er niet in het sarcasme uit haar stem weren. Ze was er jaloers op geweest dat Emma kon rouwen op een manier die haar niet was toegestaan en nu voelde ze wrok om het gemak waarmee haar zus de draad van haar leven weer oppakte.

'Ja, en aangezien jij verder de enige bent die hem kent, zou je morgenavond op z'n minst beleefd tegen hem kunnen zijn.'

'Met hem heb ik geen probleem. Je moet alleen niet van me verwachten dat ik met Emma praat.'

'Je kunt maar beter je beste beentje voor zetten. Ik heb geen zin in toestanden. Dit is paps feestje en hij wil het leuk maken voor mam.'

'Hoe laat wil je dat ik kom?' vroeg Sophie met een zucht.

Emma en Felipe gingen de stad in. Het was de dag voor het feest en Felipe was van plan nieuwe kleren te kopen.

Op Grafton Street keek hij met grote ogen van verbazing rond in de ene winkel na de andere. Omdat hij niet gewend was aan de Europese manier van shoppen, wilde hij zodra ze een shirt en een lichte zomerbroek hadden gekocht alweer weg uit de drukte in de winkels om te gaan lunchen, dus nam Emma hem mee naar Bewleys.

De serveerster haastte zich naar hen toe en reikte Emma het menu aan.

Emma wierp er een blik op. 'Een americano en een thee graag. Wat wil jij eten, Felipe?'

'Ik heb geen trek, dank je.'

'Daar laten we het bij,' zei Emma terwijl ze het menu teruggaf.

Emma vermoedde dat Felipe er geen problemen mee had om bij haar thuis te eten, maar het moeilijk vond om haar te laten betalen als ze uit waren.

'Ik heb een cadeautje voor je moeder: een houten beeldje van een dolfijn.'

'Je had niets voor haar hoeven kopen; ze verwacht niet dat ze iets krijgt.'

'Ik heb ook een cadeautje voor jou.' Felipe reikte in zijn zak en haalde er een met fluweel bekleed doosje uit. Toen hij het openklapte, bleek er een fijn gouden kettinkje in te liggen met een parelhangertje eraan. 'Ik wilde het je gisteren al geven, maar dit lijkt me een beter moment.'

Emma hield het kettinkje tegen de rug van haar hand. 'Wat prachtig!'

'Het is... hoe zeg je dat... *antica*?'

'Antiek, bedoel je. Het is heel mooi.' Ze vroeg zich af wat voor verhaal er achter het sieraad zat – wat het allemaal had meegemaakt en wie het eerder aan een vrouw had geschonken. Ze deed het om en drukte het tegen haar borst. 'Dank je wel. Ik vind het schitterend!'

'Weet je, Emma, toen ik van Cuba wegging wist ik niet hoe

moeilijk het zou zijn om zo veel spullen te zien die te koop zijn. De mensen in dit land hebben heel veel.'

Emma wist niet goed wat ze moest zeggen; de Ieren hadden inderdaad heel veel, maar velen wisten dat niet te waarderen. En wat het Celtic Tiger-tijdperk wel duidelijk had gemaakt was dat materiële rijkdom het land of zijn bewoners niet gelukkiger had gemaakt – misschien waren de mensen zich er juist wel ellendiger door gaan voelen, zeker sinds het economische tij was gekeerd.

'In jouw ogen lijkt dat misschien zo,' zei ze, 'maar momenteel is er een recessie en een heleboel mensen zullen het nog lang niet makkelijk krijgen.'

'Je weet nu een beetje hoe het leven op Cuba is, Emma. Als de Cubanen ook maar een fractie zouden bezitten van wat jullie in Ierland allemaal hebben, zouden ze hun handjes dichtknijpen.'

Emma glimlachte. 'Materiële rijkdom is iets heel oppervlakkigs. Je wordt er niet gelukkig van, en de Ieren zíjn er ook niet gelukkig van geworden. In jouw land hebben de mensen muziek, en ze dansen er beter dan op alle andere plekken waar ik ooit ben geweest.'

Felipe pakte haar hand en nam die in de zijne, zoals hij de vorige avond ook had gedaan. 'Muziek is belangrijk en mooie spullen zijn belangrijk, maar liefde is het allerbelangrijkst, vind je niet?'

Emma bloosde. Natuurlijk was dat waar. Liefde was het enige wat ertoe deed, en nadat ze de afgelopen vierentwintig uur met Felipe had doorgebracht, begon ze zich weer te herinneren hoe die voelde.

24

'Hoe zie ik eruit?'

Louise draaide zich om om te laten zien hoe mooi haar jurk van zwarte chiffon met zijn hartvormige halslijn om haar heen zwierde.

'Mooi, hoor!' Donal knikte en strikte zijn jachtclubdas stevig onder de boord van zijn overhemd.

'Louise, heb je een strijkijzer?' riep een schrille stem vanuit de hal.

Donal draaide zich om en keek zijn vrouw zonder iets te zeggen aan. Tante Alice was nog maar drie uur binnen en was er nu al in geslaagd de routine van de kinderen en het dagelijkse huishouden te verstoren.

'Ze is precies je moeder, en dat wil wel wat zeggen!' mompelde hij binnensmonds.

'Sst! Straks hoort ze je nog.'

'Nou, en?'

Louise vloog naar de overloop. 'Laat mij maar even. Wat moet er gestreken worden?'

'Dicks overhemd is gekreukt in de koffer.' Met een glimlach gaf Alice het haar aan. 'Dank je, schat. Heel fijn dat je dat voor me wilt doen. Hopelijk beseft je moeder goed hoe blij ze mag zijn dat jij altijd voor haar klaarstaat.'

Louise vond het helemaal niet vreemd dat Alice' twee dochters allebei vóór hun twintigste naar Australië waren geëmigreerd.

Felipe kwam de douche uit en liep snel naar de logeerkamer.

Emma zag hem voorbijschieten en blies hem in het langslopen

een kus toe. Finn was weer thuis en vanavond zouden ze in aparte slaapkamers moeten slapen.

'Ben je klaar?' riep ze naar Finn.

Toen de jongen zijn kamer uit kwam, leek hij zich niet erg op zijn gemak te voelen in zijn overhemd met stijve boord en crème-kleurige dunne broek.

'Moet ik dit echt aan?'

'Je neven en nichtje hebben zich ook netjes aangekleed. Als we op het feest zijn ziet dat er prachtig uit.' Ze deed haar best om over-tuigend te klinken, maar stiekem was ze bang voor wat de avond in petto had. Ze had Sophie nu al een hele poos niet meer gesproken en vroeg zich af hoe ze het zou vinden om haar weer te zien. Felipe had niet op een beter moment kunnen komen. Hij bood meer dan afleiding; hij was haar ook tot steun, en ze zou alle hulp nodig heb-ben die ze krijgen kon om de avond heelhuids door te komen.

Sophie pakte de korte rode Jackie O.-hemdjurk die de slachting die ze een paar dagen eerder in haar klerenkast had aangericht had overleefd. Hier zou ze het mee moeten doen. Ze had haar haar aan de lucht laten drogen en haar krullen wipten mooi op.

Ze wilde niet de eerste gast zijn, maar ze wist dat haar vader het haar nooit zou vergeven als ze er om kwart voor acht niet was.

Larry maakte het portier aan de bestuurderskant open voor zijn vrouw.

Maggie, die eruitzag als een elegante oudere versie van Sophie, streek langs hem heen; er schemerden nog steeds aardbeiblonde tinten in haar haar, en voor een vrouw van zeventig zag ze er heel stijlvol uit. Ze droeg een zilverkleurige jurk en riempjessandalen waar een vrouw die half zo oud was als zij maar met moeite op zou kunnen lopen.

'Waar gaan we ook weer heen?' vroeg ze toen ze instapte.

'Naar Aqua, het restaurant aan het eind van de pier.'

'Nou, dat is tenminste een leuk uitje. Ik was al beledigd dat de meisjes geen van allen hebben gebeld om "Lang zal ze leven" te zingen.'

'Die hebben het druk met hun eigen leven, schat,' zei Larry terwijl hij aan de passagierskant instapte. 'Trouwens, we zien ze zo meteen als we in Howth zijn.'

'Emma heeft me niet eens gebeld.'

'Ze heeft iemand van Cuba te logeren.'

'Ik weet niet wat ze heeft de laatste tijd. Ze zou in de rouw moeten zijn; Paul is nog niet eens een jaar dood.'

'Tegenwoordig gaat het er anders aan toe,' zei Larry, die zijn gordel vastklikte terwijl zijn vrouw de motor startte.

'Zeg dat wel, ja,' zei Maggie. 'In deze fase van ons leven valt ons geen dankbaarheid ten deel, Larry.'

'Ik weet het, schat!'

Larry zette wat muziek op om zijn echtgenote onderweg naar Howth af te leiden.

'Donal vroeg nog of we eerst iets met hem wilden drinken bij de jachtclub,' zei hij.

'Waarom daar? We hadden toch in het restaurant een borrel kunnen nemen?'

'Zij wilden daar afspreken.'

'Ik dacht dat het mijn verjaardag was.'

Maggie reed over de westpier en sloeg bij de parkeerplaats rechts af. Terwijl ze die op draaide, kwam met veel geraas van de motor de sportwagen van Sophie langszij rijden.

Sophie stapte uit en schakelde met een druk op de knop het alarm in.

'Ha mam. Van harte gefeliciteerd!'

'Dank je wel, lieverd,' zei Maggie. 'Het is alleen verschrikkelijk ongemakkelijk dat we eerst hiernaartoe moeten.'

Sophie liet die opmerking langs zich af glijden en omhelsde haar moeder. Vervolgens stapte ze de jachtclub binnen en haar ouders kwamen achter haar aan.

'Daar zijn ze!' zei Louise op dringende toon tegen Emma, en ze haastte zich naar de dj om te zeggen dat hij de muziek moest stoppen. Het licht werd gedimd en de gasten, ruim vijftig in getal, bleven zwijgend in de zaal staan.

Sophie kwam als eerste binnen, en meteen wierp Louise haar een messcherpe blik toe.

'Wat ben je laat!' mimede ze.

Vervolgens arriveerden Maggie en Larry.

'Verrassing!' riep iedereen in de zaal in koor.

De dj draaide 'Lang zal ze leven' en iedereen zong mee, terwijl Maggie Owens met een brede grijns op haar gezicht bleef staan.

Emma had grote bewondering voor haar vaders vooruitziende blik. Dit was precies wat Maggie graag had gewild. Ze vond het heerlijk om in het middelpunt van de belangstelling te staan. Emma stond naast Felipe en lette goed op of Sophie haar al gezien had. Hun blikken vonden elkaar, en het verraad en de gekwetstheid die Emma voelde waren in haar ogen te lezen.

Sophie draaide haar hoofd af en pakte een glas champagne van een dienblad op de bar.

De flirterige blikken die ze door de zaal wierp maakten Emma's ergernis nog groter.

'Zal ik champagne voor je halen?'

Emma verlegde haar aandacht naar de knappe man aan haar zij.

'Graag, Felipe, lekker. Ik kan maar beter even naar mam gaan.'

Ze liep naar haar moeder toe, die werd omringd door haar vrienden van de bridgeclub.

'Van harte gefeliciteerd, mam!'

Maggie drukte haar oudste dochter tegen zich aan. 'Dank je wel, schat. Ik neem aan dat ik jou voor dit alles moet bedanken?'

'Om eerlijk te zijn, mam, was het paps idee. Louise heeft het meeste werk verzet om de zaal en de uitnodigingen te regelen. De eer daarvoor komt niet mij toe.'

'O!' zei Maggie toen een van haar buren aan de beurt was om haar een verjaardagszoen te geven.

Terug lopend naar Felipe meed Emma Sophie, en ineens stond ze tegenover haar tante Alice.

'Emma, stel me eens even voor aan die knappe jonge man van je. Je hebt er geen gras over laten groeien om jezelf te voorzien van aantrekkelijk mannelijk gezelschap!' merkte Alice op. Aan haar gecultiveerde Engelse accent was helemaal niet meer te horen dat ze aan Navan Road was opgegroeid.

'Loop maar mee om met hem kennis te maken.'

'Waar komt hij vandaan?'

'Hij is Cubaan.'

'Lieve hemel, vandaag de dag komen ze van overal naar Ierland!'

'Hij woont hier niet, Alice. Hij is met vakantie.'

Felipe stond met twee glazen champagne in zijn handen. Hij gaf er eentje aan Emma en bood het andere aan de oudere dame aan die ze bij zich had.

'Felipe, dit is mijn tante Alice. Ze woont in Engeland.'

'Aangenaam,' zei hij, haar de hand reikend.

'En, waar heb je Emma leren kennen?' wilde Alice van hem weten terwijl ze zijn hand aanpakte.

'Op Cuba.'

'Wanneer was je daar dan?' vroeg Alice aan Emma.

'Met Pasen.'

'Wat heerlijk! Ik heb daar altijd al eens heen gewild.'

'Heb je mam al gesproken, Alice?'

Alice nam een slokje champagne. 'Daar wacht ik nog even mee. Laat eerst de grote massa haar maar vertroetelen.'

Iets in de toon waarop ze dat zei maakte Emma bang. Waarom had ze na al die jaren van radiostilte besloten de impasse te doorbreken en naar Ierland te komen om haar moeder in levenden lijve te zien? Maggie had haar dochters nooit verteld waarom ze geen contact meer met elkaar hadden.

'Ik zie je wel naar Emma kijken, en dat staat me helemaal niet aan. Vergeet niet dat dit mams feestje is. Ik wil niet dat je een scène gaat schoppen,' zei Louise zenuwachtig.

'Maak je over mij maar geen zorgen. Ik ben toch niet van plan om lang te blijven.'

'Je blijft hier tot het feest afgelopen is en je gaat me ook helpen met opruimen!'

Sophie zuchtte en nam een slokje van haar champagne. 'De gemiddelde leeftijd hier is tachtig; zelfs de kinderen halen die niet omhoog.'

'Het zijn allemaal vrienden van mam. Zet je daar voor vanavond nou maar overheen, oké?'

Sophies blik dwaalde door de zaal. Ze zag een knappe man in de hoek staan en moest twee keer kijken voordat ze Felipe herkende; hij zag er geweldig lekker uit met zijn frisse korte kapsel en nieuwe kleren. Ze meende zich te herinneren dat hij ook goed kon dansen.

Ze liep bij Louise vandaan naar de dj en pakte een paar van zijn cd's op.

'Heb je ook iets uit de eenentwintigste eeuw?'

'Hé, er is me gevraagd deze muziek te draaien – uit de jaren vijftig en zestig.'

'Nou, dat nummer van Frank Sinatra komt anders toch echt uit de jaren veertig! Kun je er niet wat meer de beuk in gooien?'

'Ik draai alleen maar wat me is gevraagd.'

'Trek je maar niets aan van mijn zus; die heeft toch geen smaak. Wat dacht je van iets latin-achtigs, salsa of zoiets?'

De dj schokschouderde en zette een andere cd op. Het tempo was nu sneller en de muziek harder. Sophie focuste op Felipe en liep in zijn richting. Ze was al halverwege de zaal toen Louise haar tegenhield.

'Waag het niet bij Emma's vriend in de buurt te komen!'

'Ik ga alleen maar even gedag zeggen.'

'Je hebt al genoeg ellende aangericht!'

'Nou, ik weet anders heel zeker dat Emma dolgraag zou horen dat jij van mijn verhouding met Paul op de hoogte was en er nooit iets tegen haar over hebt gezegd!'

Louise keek haar aan. 'Hoe vals kun je zijn en hoe diep kun je zinken, Sophie? Ik begin haast te geloven dat er echt helemaal niets goeds in je zit.'

'Júllie zijn degenen die hier een probleem hebben. Jullie tweeën nemen altijd alle vrijheid om je gevoelens breed uit te meten. Maar

329

hoe zit het met alles wat ík heb moeten doormaken? Ík mis Paul ook, weet je. En zo te zien veel meer dan Emma!'

Tot Louises opluchting kwam Larry naar hen toe en hij pakte de hand van zijn jongste dochter.

'Wil je een dansje wagen met je oude vader?'

Sophie kon niet weigeren; de komende dagen zou ze hem nodig hebben voor financiële steun. Op haar bankrekening stond niets meer en met haar creditcards kon ze ook niet meer betalen. Ze had de moed niet om haar vader te vertellen dat ze deze maand ook haar hypotheek niet had betaald.

Felipe pakte Emma's hand voordat ze met iemand anders een praatje kon gaan maken.

'Kunnen we alsjeblieft even naar buiten gaan?'

Ze liet hem voorgaan door de glazen deuren naar het balkon, vanwaar je een verpletterend uitzicht had op de haven en Ireland's Eye. In het westen ging de zon onder; de witte jachten in de haven waren gedrenkt in allerlei tinten roze.

'Wat woon je toch op een mooie plek.'

'Ja, dat geloof ik ook. 's Ochtends maak ik vaak een wandelinge-tje over de pier om mijn hoofd helder te krijgen.'

'In Havana is het nu snikheet. Maar in Ierland is de lucht heel schoon en fris.'

'Nu is het zomer, dus het wordt straks nog een stuk frisser.'

Zo te zien moest Felipe daar niet aan denken.

'Je zou hier eens midden in de winter moeten zijn. In februari hadden we in Howth voor het eerst in zeven jaar sneeuw!'

'Ik zou best eens sneeuw willen zien.'

Emma richtte haar blik naar het westen, waar de zon nu als een grote rode bal weggleed achter de restaurants en viswinkeltjes op de westpier.

'De zon weerspiegelt in je ogen,' zei Felipe met een glimlach. Hij bracht zijn hand omhoog en streek over haar rechterwang. Em-ma...'

'Felipe, wat leuk om je weer te zien!'

IJlings liet Felipe zijn hand zakken en hij deed een stap terug.

Tussen hen in stond Sophie, die met haar glas champagne door de lucht gebaarde.

'Ik had gedacht dat je wel zo slim zou zijn om vanavond niet in mijn buurt te komen!' Woedend keek Emma Sophie aan.

'Ik had het ook niet tegen jou!' zei Sophie.

'Nou, ík heb het wel tegen jóú! Waarom ga je tante Alice niet aangenaam bezighouden?'

'Er zijn altijd mensen die overal problemen zien, wat jij, Felipe? Ze kunnen het verleden maar moeilijk laten rusten!'

Felipe verschool zich achter zijn glas en nam een slokje.

'Neem ons niet kwalijk, Felipe,' zei Emma, terwijl ze haar jongste zus ruw bij haar elleboog vastpakte en haar meevoerde naar de andere kant van de club, waar de andere feestgangers hen niet zouden kunnen zien. 'Ik ben je de afgelopen tijd uit de weg gegaan, voor het geval dat je dat nog niet was opgevallen, omdat ik je niet kan luchten of zien. Maar weet je, nu realiseer ik me ineens dat je me eigenlijk een dienst hebt bewezen. Mijn echtgenoot, die fijne minnaar van jou, had er een puinhoop van gemaakt!'

'Hij was een fantastische man, en het was allemaal veel beter geweest als hij bij jou weg was gegaan, zoals hij ook van plan was, om samen met mij een nieuw leven te beginnen!'

Emma had er schoon genoeg van. Ze móést Sophie de waarheid vertellen.

'Onnozel kreng!'

Sophies mond viel open. Ze hief haar rechterhand op en gaf een kletsende klap op Emma's wang.

'Dat lucht zeker op, hè?' zei Emma.

Sophie keek haar dreigend aan. 'Als er iemand hier een kreng is, dan ben jij het wel. En niemand hier heeft dat in de gaten. Je doet wel alsof je ik weet niet wat voor femme fatale bent, maar die vent van je verveelde zich dood bij jou!'

'Ik ben tenminste niet verantwoordelijk voor zijn dood. Die mag jij helemaal op jouw conto schrijven!'

Sophie fronste. 'Waar heb je het over?'

'Paul is geen natuurlijke dood gestorven – hij heeft zelfmoord gepleegd!'

Sophies mond viel open en haar ogen werden groot van ongeloof. 'Hij had toch een hartaanval gehad?'

'Ja, omdat hij te veel pillen had geslikt! Hij pleegde zelfmoord omdat jij hem onder druk zette om bij mij weg te gaan. Blijkbaar wilde hij mij geen pijn doen, dus koos hij voor de dood; dat was de enige uitweg die hij zag in de situatie waar jíj hem in had gemanoeuvreerd!'

'Je liegt!'

'De waarheid doet pijn, hè Sophie? Je bent je hele leven al een verwend nest geweest. Het wordt tijd dat je eens volwassen wordt en de consequenties van je daden onder ogen ziet. Al vanaf dat je in de luiers lag heb jij in een droomwereld geleefd. Maar helaas, zusje, het is tijd om wakker te worden!'

De zussen keken niet op toen ze voetstappen naderbij hoorden komen.

'Wat doen jullie tweeën hier? Pap is naar jullie allebei op zoek, zodat de taart binnengebracht kan worden.' Toen Louise de blik op de gezichten van haar zussen zag, wenste ze dat ze ergens anders was.

'Sophie heeft even een levenslesje gekregen – toch, Sophie?'

'Kom op,' drong Louise aan. 'Kunnen jullie die toestanden niet laten rusten tot na het feest?'

De tranen sprongen Sophie in de ogen. 'Alsof jij zo volmaakt bent, verdorie! Jij wíst van Paul en mij, en je hebt nooit iets tegen Emma gezegd! Ziezo, Emma! Wat vind je daarvan? Denk je dat je Louise nu ooit nog kunt vertrouwen? Ze doet ontzettend haar best om net zo te zijn als jij; misschien verveelt zij haar man ook wel dood!' Ze draaide zich om en vloog de trap af naar de achteruitgang.

'Waar gaat die nou heen?'

Emma schudde haar hoofd. 'Geen idee.'

'Wat heb je tegen haar gezegd?'

'Ik heb haar de waarheid over Paul verteld.'

Louise was ontzet.

Emma keek haar verwijtend aan. 'Wist jij echt al die tijd dat ze een verhouding had met Paul?'

Louise schudde haar hoofd. 'Emma, het spijt me verschrikkelijk dat ik mijn mond heb gehouden. Ik wilde niet dat onze familie uit elkaar viel...'

'Zoals die nu uit elkaar is gevallen?'

'Volgens mij had het geen enkele zin om erover te beginnen.'

'Zelfs niet nadat Paul was overleden?'

'Júíst niet nadat hij was overleden. Het leek me niet dat het je zou helpen om je verdriet te verwerken. Geloof me, Emma, als ik ook maar even had gedacht dat je er iets mee was opgeschoten, had ik het je verteld.'

Emma zuchtte diep. 'Ik had gedacht dat ik jou tenminste kon vertrouwen.'

'Vergeef het me alsjeblieft. Ik dacht echt alleen maar aan jou.'

Emma was uitgeput na de ruzie met Sophie en na alles wat er was gebeurd was Louises geheim niet belangrijk meer.

'Laten we nou maar gewoon verdergaan met het feest, goed?'

'Hoe moet het dan nu met de taart?'

'Zeg maar tegen pap dat hij nog even moet wachten. Ik moet eerst iets drinken en tot mezelf komen. Eindelijk is er dan toch een grote last van mijn schouders gevallen.'

'Misschien dat Paul nu in vrede kan rusten.'

'Misschien geldt dat wel voor ons allemaal. Ik moet verder met mijn leven, Louise.'

'Wij ook.'

Louise en Emma liepen naar de dansvloer, waar de feestgangers stonden te dansen op Michael Jacksons 'Can You Feel It?'.

'Zie ik daar mam en tante Alice dansen?' vroeg Louise ongelovig.

'Volgens mij wel,' zei Emma, die verbaasd haar hoofd schudde.

Felipe kwam naar hen toe en sloeg zijn armen troostend om Emma heen. Hij kuste haar op haar wang, op dezelfde plek waar Sophie haar even tevoren had geslagen.

'Alles goed?' vroeg hij.
'Nu weer wel.'

Sophie stormde de jachtclub uit en rende het pad op naar het speelterreintje voor de kinderen. Door de tranen kon ze amper iets zien. Ze snikte met zulke heftige uithalen dat een stel dat op de boulevard hun hond uitliet bleef staan om te kijken of alles wel goed met haar was. Ze wurmde zich langs hen heen en ging op een van de schommels zitten. De lucht had nu een donkerblauwe kleur gekregen en in het oosten twinkelden een paar sterren.

Ze hield zich vast aan de ketting en zette zich af met haar voeten. Terwijl ze vaart kreeg en heen en weer schommelde, probeerde ze het afschuwelijke gevoel dat ze over zichzelf had van zich af te zetten. Hoe kon Paul zichzelf nou om het leven hebben gebracht terwijl zij zo veel van hem hield? Ze had gedacht dat haar liefde voor iedereen genoeg zou zijn. Ze had gedacht dat ze iedere man kon krijgen die ze wilde. Maar uit de manier waarop Greg uit Dublin was vertrokken, zonder daarna nog contact op te nemen, bleek wel dat het leven misschien niet altijd volgens haar wens verliep. En het was al zo erg dat ze geen baan en geen geld meer had. Ze huiverde terwijl ze over haar leven nadacht. Ze had behoefte aan koffie en wierp een blik op Beshoff's cafetaria aan de overkant van de weg. Ze zou zich moeten vermannen. Ze klemde haar handen om haar blote armen, die met kippenvel waren overdekt.

De rij was kort en Sophie sloot aan achter een pril puberstelletje. De onschuld en overduidelijke liefde die ze voor elkaar voelden deden Sophie trillen. De klant voor in de rij pakte de bruine zak met zijn bestelling en draaide zich om. Hij had nog maar twee stappen gezet of zijn blik viel op de jonge vrouw in de rode jurk.

'Sophie?'
'Jack! Wat doe jij hier?'
'Ik woon is hier vlakbij. Wat doe jij zo ver van huis?'
'Mijn moeder viert een feestje in de jachtclub.'
De serveerster achter de balie riep naar Sophie: 'Wat mag het zijn?'

'Alleen een koffie, graag.'

'Waarom bestel je dan hier een kop koffie?'

'Ik had een soort van ruzie...'

Jack trok een wenkbrauw op. Hij was nog steeds kwaad op haar na wat ze tegen Aoife had gezegd, maar ze zag er erg meelijwekkend uit. Hij had zich heel makkelijk kunnen omdraaien zonder zich iets van haar aan te trekken, maar omdat hij nieuwsgierig was bleef hij staan.

'Met wie lig je nu weer in de clinch?'

'Met Emma. Maar eigenlijk is het allemaal mijn schuld.'

De serveerster zette een piepschuimen bekertje op de balie. 'Twee euro, alstublieft.'

Sophie liet haar tasje van haar schouder glijden en knipte het open.

'Wacht, laat mij maar,' zei Jack, en hij stak zijn hand diep in de zak van zijn spijkerbroek.

'Bedankt,' zei Sophie, terwijl ze het bekertje van de balie pakte. 'Ik zat net aan de overkant in de speeltuin.' Jack was duidelijk een integer type en ze had hem afschuwelijk behandeld.

'Wil je daar nu weer heen?' vroeg hij.

Sophie knikte en liep weg. Jack ging achter haar aan, niet helemaal zeker van zijn positie. Sinds Aoife was vertrokken waren zijn avonden behoorlijk saai. Dit was een gelukkige samenloop van omstandigheden en stiekem was hij blij met Sophies gezelschap.

'Heb je zin om je friet op het speelterrein op te eten?'

'Best. Waarom niet?'

'Het spijt me ontzettend, Jack. Die avond in het Merrion Hotel heb ik me echt afgrijselijk gedragen.'

'Wat ik heb gedaan deugde ook niet. Ik had niet met je naar bed moeten gaan terwijl ik nog iets met Aoife had. Ik heb de afgelopen weken geprobeerd het voor mezelf op een rijtje te krijgen, en ik ben tot de conclusie gekomen dat ik zelf verantwoordelijk ben voor de gevolgen van mijn eigen daden.'

Sophie haalde diep adem. Nadenken om dingen op een rijtje te krijgen was iets wat zij vroeger nooit had hoeven doen, want meestal viel alles gewoon weer op zijn plek. 'Ik wilde jou en Aoife geen kwaad doen. Ik dacht alleen niet na; die middag had ik een flinke slok op. Is het nu weer goed tussen jullie?'

Jack schudde zijn hoofd. 'Ze is nu met iemand anders.'

'Dan heeft ze er geen gras over laten groeien!'

Jack knikte. 'Dat dacht ik ook. Misschien ben ik gewoon wel niet geschikt voor het huwelijk.'

'Ik snap wat je bedoelt. Ik ook niet, geloof ik. Wat zijn nu je plannen?'

'Mijn baan bij de *Times* ben ik kwijt, en ik wil terug naar New York!'

'Kon ík maar naar New York,' zei Sophie, en ze meende het nog ook.

'Het is daar anders dan hier. Ik moet afstand nemen van Aoife. Het bevalt me niks dat ze nu iemand anders heeft.'

'Was zij de ware voor je?'

'Ik dacht eerst van wel. Maar toen kwam ik je zus Louise weer tegen en raakte ik helemaal in de war.'

Sophie hield haar hoofd scheef. 'Hoe bedoel je?'

'Voor haar trouwen zette ze met mij de bloemetjes buiten.'

'Waren jullie minnaars?'

Jack knikte. 'Voordat ze trouwde.'

Sophie was geschokt – en er was heel wat voor nodig om haar te choqueren.

'Niet te geloven! Jij was toen toch zeker nog heel jong?'

'Louise was mijn lerares. Maar we hebben gewacht tot ik van school was.'

'Wat een ironie dan dat ik met jóú het bed in ben gedoken voordat jíj ging trouwen!'

Jack lachte even. 'Zo heb ik er nog niet tegenaan gekeken, maar inderdaad. Alleen is de uitkomst niet hetzelfde. Ik ben er niet mee doorgegaan. Wat denk jij: heeft Louise er goed aan gedaan om met Donal te trouwen?'

Sophie wierp haar hoofd achterover en lachte. 'O god, zeker weten! Die twee zijn voor elkaar geschapen, al weet ik niet of ze dat zelf wel doorhebben – waarschijnlijk gebeurt dat pas als een van de twee de pijp uit gaat.'

'Dat klinkt nogal morbide.'

'Zo is het nu eenmaal met sommige stellen: pas wanneer ze elkaar kwijtraken waarderen ze wat ze hadden. Maar dan is het te laat.'

Jack stak een frietje in zijn mond. Hij voelde zich als een kind van tien, zoals hij daar op een schommel zat op het verlaten speelterrein.

'Fijn dat ik je ben tegengekomen,' zei Sophie, die met lege ogen voor zich uit staarde. 'Weet je, volgens mij zou je achter Aoife aan moeten gaan; je mag het niet opgeven.'

'Zeg je dat om zelf een beter gevoel te hebben?'

Misschien was dat wel waar. Sophie had een spoor van vernietiging achter zich gelaten en stond nu helemaal alleen, zonder baan of iets om naar uit te kijken.

'Ja, klopt! Je moet je verloofde voor mij terugwinnen!' Toen lachte ze. 'Aoife kan me niet echt iets schelen, maar jij bent de kwaadste niet. Hoor eens, ik kan geloof ik maar beter teruggaan naar dat feest. Nog bedankt voor de koffie.'

'Graag gedaan. Bedankt voor je goede raad. En doe Louise de groeten!'

Sophie liep terug naar de jachtclub en keek nog een paar keer achterom naar de man op de schommel. Voor Paul of Emma kon ze niets goeds meer doen, maar hopelijk zou Jack zijn problemen wél kunnen oplossen. Toen ze voor de deur van de club stond, realiseerde ze zich dat ze niet naar binnen kon. Ze wierp een blik op haar auto – ze was nog nuchter genoeg om te rijden; dit was haar kans om ertussenuit te piepen. Opeens herinnerde ze zich dat, hoewel ze haar tas bij zich had, haar autosleutels nog in haar jaszak zaten. Ze sloop de trap op en een paar dames van haar moeders bridgeclub kwamen net de toiletten uit en hielden de deur voor haar open.

'Wat staat die muziek hard. Tegen de tijd dat je dertig bent, ben je stokdoof, schat!'

Sophie reageerde niet. Ze graaide in haar jaszak; als ze snel was, zou ze uit de club kunnen ontsnappen voordat er iemand anders uit de feestzaal naar buiten kwam.

'Waar is Sophie?' vroeg Larry bezorgd.

'Ik zou het niet weten, pap.' Ook Louise begon zich zorgen te maken.

'Het wordt tijd om de kaarsjes aan te steken, het is half twaalf. Een heleboel mensen willen straks vast naar huis.'

'Ik ga Emma wel halen.'

'En Sophie...'

Louise zag dat Emma met Felipe op het balkon stond en liep naar hen toe.

'Pap wil nu beginnen. Heb je Sophie ergens gezien?'

Emma zuchtte. 'Ik ben niet van plan om haar te gaan zoeken. Laten we nu maar verdergaan met de taart.'

Louise gaf een teken om het licht te dimmen en liep met de trolley en de taart met kaarsjes naar het midden van de zaal. Het 'Lang zal ze leven' weerklonk en iedereen zong mee.

Maggie bloosde onder haar make-up en neergeslagen ogen. Heel voorzichtig blies ze de kaarsjes uit.

Larry pakte de microfoon en schraapte zijn keel toen de muziek abrupt stopte.

'Ik wil iedereen bedanken dat hij hier vanavond gekomen is om deze bijzondere gelegenheid samen met mijn prachtige vrouw en dochters te vieren...'

Iedereen in de zaal juichte. Tot dusver leek niemand te merken dat Sophie ontbrak.

'Ik mag mezelf heel gelukkig prijzen dat ik hier kan zijn; er was een levensgevaarlijke hartoperatie voor nodig om me dat te laten inzien. Terwijl ik al die uren in het Beaumont-ziekenhuis bang lag te zijn dat ik er nooit meer uit zou komen, klampte ik me aan één ding vast, en dat was dat Maggie thuis op me wachtte. Ze is een geweldige echtgenote en moeder voor de meisjes geweest, en dit is een uitgelezen kans om haar te vertellen hoeveel we allemaal van haar houden.'

Er werd weer gejuicht en Louise trok Emma opzij.

'Wat zullen we doen?'

'Zeg maar niets; dan heeft hopelijk niemand het in de gaten. O, verdorie, misschien is het daar al te laat voor: Alice is foto's aan het maken.'

'Emma, waar is Sophie? Ik wil graag een foto van jullie drieën maken samen met jullie moeder!'

'Volgens mij is ze buiten een frisse neus gaan halen,' zei Louise beleefd, terwijl ze de camera uit haar tantes hand pakte. 'Wil jij niet bij mam gaan staan, zodat ik een foto van jullie tweeën kan maken?'

Alice ging op Louises voorstel in en legde haar rechterhand op Maggies gekromde elleboog.

'Even lachen!' zei Louise, en de camera flitste.

Maggie ging helemaal op in de aandacht die ze kreeg van alle vrienden om haar heen. Ze had niet door dat Sophie er niet was, en Louise vroeg zich af waar ze zich eigenlijk druk om had gemaakt; zo onderhand zou ze haar moeder toch beter moeten kennen.

Sophie spurtte als een dolle over de weg. Ze wilde niets liever dan in alle rust in bed kruipen, zo ver mogelijk bij haar familie vandaan. Ze kon er maar niet bij dat Paul een overdosis had geslikt – maar misschien had hij zich vergist en was het helemaal niet zijn bedoeling geweest om zelfmoord te plegen. Zij samen hadden toch zo veel om voor te leven, zo veel om naar uit te kijken.

Toen ze de bocht bij Clontarf Garda Station nam, werd haar blik zo vertroebeld door tranen dat ze bijna de hoek afsneed over het voetpad.

De East Wall was geen prettige buurt om op dit uur in rond te rijden. Sophie rondde de hoek bij het Seabank House, waar een groepje jongeren rondhing. Haar auto begon ronkende geluiden te maken, maar ze besteedde er geen aandacht aan. Ze reed de hoog gebogen brug op en toen ze er aan de andere kant freewheelend af reed, merkte ze dat haar motor haperde. De kleine MX5 wist nog net New Wapping Street te bereiken voordat hij er helemaal de bru aan gaf. Sophie keek op het dashboard: aan de meter te zien was de tank leeg. Ze was niet in de buurt van een pompstation. Ze vond het geen fijn idee om haar autootje de hele nacht op straat te moeten laten staan, maar ze had geen keus. Haar leven dreigde in te storten. Ze sloot de auto af en liep zenuwachtig naar Sheriff Street. Ze voelde in haar tas om te checken hoeveel geld ze bij zich had – twintig euro. Dat was tenminste iets, en hopelijk zou er snel een taxi langskomen. En zo niet, dan hoefde ze maar een paar minuten te lopen voor ze thuis was. Het was doodstil op straat en ze was wel vaker naar huis gelopen, maar meestal kwam ze dan van de zuidkant van de Liffey en liep ze onder felle straatlantaarns. Dit was geen buurt waar een jonge vrouw alleen over straat zou moeten, en Sophie besefte dat heel goed.

Achter haar klonk het geluid van voetstappen. Ze draaide zich om en zag een jonge man met een sweatshirt met capuchon, sportschoenen en een baggy spijkerbroek.

'Hé, mot je wat spul?' riep hij.

Er was geen reden om zo te schreeuwen; hij was vlak bij haar. Maar hij had haar open handtas gezien en had blijkbaar snel geld nodig.

Sophie keek om zich heen. Er was verder niemand op straat te zien.

'Ik sei: mot je wat spul?'

Sophie durfde niet goed met de woesteling in gesprek te gaan, maar ze durfde hem ook niet te negeren.

'Ik heb niet veel geld bij me.'

''t Is prima spul – maar 'k vin je d'r wel lekker uitzien; je krijg se famme voor twintig!'

Zenuwachtig keek Sophie hem aan. 'Wat is het dan voor iets?'

'Ze hellepe je slape, weet je, re-lax!'

Sophie opende haar handtas en gaf de jongen de twintig euro. Misschien dat hij dan zou ophoepelen.

De jongen glimlachte en wierp haar een flesje pillen toe.

'Fijn om sake mejje te doen!' Tot Sophies grote opluchting liep hij na die woorden weg en sloeg een zijstraat in.

Ze versnelde haar pas en algauw was ze in Lower Mayor Street; over een paar minuten zou ze op Custom House Square zijn en in haar knusse flat. Ze hield de sleutel al in haar hand en rende het laatste stukje zodra haar appartement in zicht kwam. Ze was nog nooit zo blij geweest om thuis te zijn. Dit was een van de akeligste avonden van haar leven, even erg als de avond waarop ze te horen had gekregen dat Paul was overleden.

Maggie Owens zwaaide naar Larry en hij begreep dat het tijd werd om er een eind aan te breien. Ze was moe, en dat gold ook voor de meeste gasten. Maggie zag Louise in de hoek staan en riep haar bij zich.

'Waar is Sophie?'

'Ik denk dat ze naar huis is gegaan, mam.'

'Ik wil jullie allemaal nog ontzettend bedanken. Het was een heerlijke avond.'

'Mooi zo. Hebben we iedereen uitgenodigd die je had willen zien?'

'Ja, en zelfs iemand die ik niet wilde zien. Maar ik ben toch blij dat jullie haar gevraagd hebben.'

'O, je bedoelt Alice?'

'Ik ben blij dat ze hier is. Dat was zeker Emma's idee?'

'Nee, mam,' zei Louise met een zucht. 'Om eerlijk te zijn kwam pap ermee.'

Maggie trok haar jas aan en hing haar tas aan haar arm. Ze was weer een en al zakelijkheid en het leek alsof het feest nooit had plaatsgevonden.

'Ik ben blij dat ik de kans heb gekregen om met haar het een en ander recht te zetten. Nou, waar is je vader gebleven? Ik wil naar huis.'

25

Jack kon niet slapen. Sophies woorden klonken nog na in zijn hoofd. Hij wilde niet naar New York vertrekken zonder afscheid te nemen van Aoife. Hij liep naar zijn laptop en begon een e-mail te schrijven. Hij wilde zeker weten dat hij er alles aan had gedaan.

> Lieve Aoife,
> Ik zou het je niet kwalijk nemen als je dit bericht wist, maar als je dit echt leest zou ik dat zeer waarderen. Ik heb besloten uit Dublin weg te gaan. Ik zie hier geen toekomst meer voor mezelf; het is te moeilijk om te weten dat jij heel dichtbij bent en toch niet met mij samen bent. Ik heb het helemaal verkeerd aangepakt en jij verdient beter. Ik zal niet doen alsof het me koud heeft gelaten om je met die andere man samen te zien, maar als hij je gelukkig maakt en goed voor je is, wens ik je het allerbeste met hem.
> Mijn vlucht is geboekt voor volgende week woensdag en als je het denkt aan te kunnen om me nog te zien voordat ik vertrek zou dat meer zijn dan waarop ik had durven hopen. Bedankt dat je dit hebt willen lezen. Ik hoop dat je het fantastische leven hebt gekregen dat je toekomt.
> Veel liefs,
> Jack

Hij wilde x'n naast zijn naam tikken, maar dat leek hem in deze situatie toch wat al te vrijpostig.

Sophie schonk een flinke hoeveelheid wodka in een glas en deed er wat ijs bij. Ze maakte het af met een scheut sinaasappelsap, liep naar haar slaapkamer en sloot haar iPod aan op de speakers. Ze ging op bed liggen, sloot haar ogen en liet alle ellende en ergernis van het feest over zich heen komen. Ze wilde zich dolgraag beter voelen, maar hoe sneller ze van de wodka dronk, hoe misselijker ze ervan werd.

Ze ging naar haar kleine kitchenette en begon in haar kasten te zoeken. Een paar zachte crackers waren het enige wat erin lag; ze had gisteren het laatste blik bonen opengetrokken. Mismoedig dacht ze terug aan al die keren dat Paul en zij naar beneden hadden gebeld om bij Il Fornaio een heerlijke pastaschotel of pizza te bestellen. Hij had haar altijd meegenomen naar zulke heerlijke plekken. Hoe moest het nu verder met haar? Ze stak een cracker in haar mond, maar spoog hem snel weer uit in de gootsteen. Ze liep de badkamer in en begon haar make-up eraf te halen. Zwarte mascarasporen liepen over haar wangen. Haar remover stond achter in de kast, vlak naast het potje Xanax-pillen die ze niet meer slikte. Ze pakte het potje op en schudde ermee. Er zaten nog tien pillen in. Ernaast lag een vol doosje Panadol. In combinatie met het spul dat ze eerder op de avond van de jongen op straat had gekocht, wat dat ook mocht zijn, was het vast een dodelijke cocktail. De wodka bedwelmde haar en in haar binnenste kookte nog de woede om het gesprek dat ze op het feest met Emma had gevoerd. Ze pakte het potje en het doosje allebei op en nam ze mee. Het diende nergens toe om haar make-up eraf te halen; voor waar zij heen ging hoefde ze er niet goed uit te zien.

Terug in de slaapkamer haalde ze het album tevoorschijn dat ze had gemaakt van Paul en haar samen. Dat waren de gelukkigste momenten van haar leven. Nu zou ze weer gelukkig kunnen zijn; ze zou voor altijd bij Paul zijn. Ze schonk zo veel mogelijk sap bij haar drankje; ze zou flink wat te drinken nodig hebben.

Felipe kuste Emma wakker.

'Goedemorgen,' zei ze met een voldane grijns op haar gezicht.

'Nog bedankt voor gisteravond.'

'Het was leuk om je familie te leren kennen.'

Emma slaakte een zucht. 'Vind je ze dan niet vreselijk?'

Felipe bracht zijn hand naar haar gezicht. 'Het was een prima feest.'

'Laten we een dag voor onszelf nemen, nu Finn bij Louise en Donal logeert.'

'Niet vanwege mij, mag ik hopen.'

'Natuurlijk niet. Hij is gewoon op een lastige leeftijd.'

'Hij vindt het vast moeilijk.'

Emma keek Felipe diep in de ogen. Wat had ze een fantastische, gevoelige en vergevingsgezinde man gevonden!

'Finn woont hier,' zei ze, 'maar wij hebben maar een paar weken samen. Ik weet zeker dat hij dat wel begrijpt als hij wat ouder is.'

'Maar op dit moment heeft hij je nodig.'

Emma vond het vreselijk wanneer Felipe zulke zinnige dingen zei. Hij had natuurlijk gelijk. Wat was hij toch zorgzaam. 'Maar Felipe, ik heb jou ook nodig!'

Dat klonk hem goed in de oren. Hij boog zich voorover en kuste haar opnieuw.

Donal was al het bed uit en aangekleed voordat Louise zich verroerde. Haar hoofd bonsde en ze wilde dat ze niet zo veel had gedronken.

'Waar ga je heen?'

'Zeilen!'

'Ik dacht dat je tegenwoordig op zondag ging zeilen?'

'Er is net een nieuwe zaterdagserie begonnen.'

'We zijn steeds minder vaak samen. Je zou haast nog denken dat we elkaar uit de weg gaan.'

Donal wierp een blik op zijn vrouw. 'Gisteren ben ik anders de hele avond bij je geweest.'

'Voor zover je niet naar Emma en Felipe stond te gluren, ja.'

'Doe even normaal, Louise! Ik maak me zorgen om Emma. Zoals jij het zegt, klinkt het alsof ze een soort kalverliefde van me is!'

'Nou, is dat dan niet zo?'

Donal haalde een fleecetrui uit zijn kast. 'Daar hoef ik niet op te antwoorden.'

Louise kon er niets aan doen dat ze zich onzeker voelde. Ze stompte met haar vuist tegen het kussen. Donal was een fijne zwager voor Emma, maar ook niets meer dan dat – waarom zei ze toch van die domme dingen zodra ze van slag was? Ze wachtte tot de voordeur dichtsloeg en ging toen pas naar beneden.

In de keuken zat Alice in een peignoir van Louise. Ze had een kop thee voor zichzelf gezet en zat toast te smeren.

'Ik wist niet dat je al wakker was,' zei Louise. 'Anders had ik iets voor je klaargemaakt.'

'Het is goed hoor, lieverd. Hopelijk vind je het niet erg dat ik alvast ben begonnen.'

Louise liep naar de waterkoker en zette hem aan. Haar tante straalde en zag er anders uit – gelukkiger.

'Vond je het leuk gisteravond?' vroeg Louise.

'Het was een geweldig feest. Denk je dat je vader het fijn heeft gevonden?'

'Dat lijkt me wel. Hij heeft zelf kunnen zien hoe blij mam was, en daar was het hem allemaal om begonnen.'

'Maggie is altijd al een geluksvogel geweest. Zij kreeg de beste man!'

'Laat Dick je maar niet horen.'

'Hij weet wel dat ik er zo over denk, ik zeg het zo vaak tegen hem. En jij bent al net zo'n geluksvogel als je moeder.'

Bij die opmerking keek Louise verrast op. 'Zo zie ik het niet. Sophie heeft veel meer geluk.'

'Maar Sophie heeft niet zo'n fijne man naast zich. Larry is altijd stapeldol geweest op Maggie.'

'Vroeger vonden wij dat volkomen vanzelfsprekend. We gingen ervan uit dat alle ouders net zo waren als de onze.' Ze wierp een korte blik op haar tante. 'Ik ben blij dat het tussen mam en jou zo goed ging.'

'Ik hield mijn hart vast om hiernaartoe te komen, moet ik je eerlijk bekennen. Maar ik ben erg blij dat ik het heb gedaan. We worden er niet jonger op, en misschien was het wel onze laatste kans om vrede te sluiten.'

'Waar was jullie ruzie eigenlijk om begonnen? Sorry, vind je het erg dat ik dat vraag?'

Alice schudde haar hoofd. 'Achteraf gezien stelde het weinig voor, maar zo zal het altijd wel gaan met familieruzies; die beginnen meestal met iets heel kleins. Het gebeurde toen we allemaal in de zomer een keer in Cornwall waren. Herinner je je die vakantie nog?'

'Ja. Het was toen zo snikheet dat we elke dag naar het strand gingen.'

'Jullie kinderen hadden het geweldig naar jullie zin. Allebei onze gezinnen hadden dikke pret, tot twee nachten voor vertrek. Tja, de grote mensen hadden een slok te veel op en je vader en ik waren de laatsten die nog op waren. Het was eigenlijk allemaal heel onschuldig; hij omhelsde me en zei dat ik zo'n geweldige schoonzus was. We rommelden wat. Maar toen je moeder het keukentje in kwam en ons zag met onze armen om elkaar heen, trok ze de verkeerde conclusies.'

'Dus dáárom moesten we een dag eerder naar huis!'

'Ja, ik vrees van wel. Toen ik het de volgende ochtend aan Dick vertelde, moest hij er hartelijk om lachen. Maar je moeder was erg van slag en stuurde dat jaar niet eens een kerstkaart.'

Louise grinnikte. Ze had dit nooit geweten. 'Wat zonde van de verloren tijd.'

'Inderdaad, maar zo gaat het met familie. Gelukkig had ik tenminste nog wel contact met jullie. Emma heeft ontzettend haar best gedaan om een brug te slaan, maar jullie moeder wilde daar niets van weten.'

'Zo is Emma nu eenmaal. Hoewel ze de laatste tijd is veranderd.'

'Wie kan dat haar kwalijk nemen? Het slaat vast diepe wonden om op zo'n jonge leeftijd je man te moeten verliezen. Volgens mij heeft het grote invloed op je moeder; die beseft nu ineens dat ook zij niet het eeuwige leven heeft, en andere mensen ook niet.'

'Heb je voor vandaag nog plannen?'

'Ik wou de stad in met je moeder. We gaan proberen de verloren tijd in te halen!'

'Goed idee.' Louise zou willen dat zíj iets kon doen voor haar zussen. Maar de onmin tussen Emma en Sophie was een stuk ernstiger dan die tussen haar moeder en tante was geweest, en die had nu bijna dertig jaar geduurd.

Aoife kreeg tranen in haar ogen toen ze de e-mail las. Dus Jack was van plan op de vlucht te slaan. Ze had het moeilijk sinds ze weer bij haar ouders was ingetrokken; die behandelden haar weer helemaal als een klein meisje. De afgelopen tijd had ze vaak teruggedacht aan alle heerlijke ochtenden die ze samen met Jack in Greenwich Village had doorgebracht. Ze hadden een leventje geleid waar niets op aan te merken viel; waarom hadden ze daar een eind aan gemaakt door terug te gaan naar Dublin en te proberen eenzelfde soort leven te leiden als haar ouders?

Karl was zo enorm ijdel en werd zo in beslag genomen door zijn carrière dat hij haar als een prijsdier beschouwde. Ze vond het ook vreselijk zoals hij zijn best deed om bij haar vader in een goed blaadje te komen. Was ze maar in New York gebleven. Elke dag had ze weer andere gedachten. Ze was diep geschokt geweest nadat ze Jack kort had gesproken op Grove Road toen ze met Karl was. Die avond had ze ontzettend graag achter hem aan willen rennen. Maar teruggaan naar Jack zou betekenen dat ze zich van haar ouders af moest keren, en dat kon ze niet over haar hart verkrijgen. Misschien kon ze hem desondanks zien? Als ze niet tegen haar ouders zei dat ze met hem omging, was er toch niets aan de hand?

Aoife moest uit Malahide weg zien te komen; dat was een ding dat zeker was. Maar zou ze Jack ooit nog kunnen vertrouwen? Op die vraag kon ze niet zomaar antwoord geven, maar ze moest er ook niet aan denken om zonder hem verder te leven. Ze klikte op 'Nieuw bericht' in haar e-mailprogramma en begon hem een antwoord te schrijven.

Emma en Felipe namen de kustweg rond Clontarf. Het was een stralende, zonnige dag en Emma verheugde zich erop Felipe de stad te laten zien en gezellig in cafeetjes te zitten.

Bij Garda Station sloeg ze links af, om via de East Wall de stad in te rijden.

Toen ze over New Wapping Street tuften, zagen ze een vernielde auto, maar het duurde een paar tellen voordat Emma zich realiseerde van wie die was.

'Volgens mij is dat de auto van Sophie!'

'Zit er iemand in?'

'Ik geloof het niet. Wat gek dat hij niet is weggesleept; hij belemmert het verkeer. Ik hoop maar dat er niets met haar is gebeurd.'

'Bel haar dan even.'

Emma maakte zich zorgen. Ze had Sophie niet meer gezien sinds ze na hun ruzie van het feest was weggelopen. 'Nee, ik bel Louise wel.'

Louise nam op. Ze had weinig zin om haar gesprek met Alice te onderbreken; het was fijn om zo veel over haar moeder te horen.

'Louise, met Emma. Weet jij wat het kenteken is van Sophies auto?'

'Iets van 04D 2 of zo...'

'Ik geloof dat hij gestolen is.'

Louise voelde een vreemde brok in haar keel. 'Hoe bedoel je? Wat is er gebeurd? Waar ben je?'

'Ik sta in een van die smalle straatjes bij de East Wall. Die zien er allemaal hetzelfde uit, zoals je weet. Sophies auto staat hier geparkeerd. Ik sta er nu vlak achter en er zit niemand in.'

Felipe stapte uit en liep om de auto heen. Hij was ingetrapt aan de passagierskant, maar verder leek er geen schade te zijn. Hij probeerde het portier open te maken, maar dat zat op slot.

'Ik heb haar niet meer gezien sinds ze gisteravond van het feest is vertrokken,' zei Louise tegen Emma.

'Ik wil haar liever niet spreken, maar als haar auto is gestolen, moet ze toch weten waar die staat.'

'Stuur haar dan een sms'je.'

'Ik vraag wel of pap dat doet.'

'Die is vast bekaf. Laat maar, ik bel haar wel.'

Felipe opende het portier aan de passagierskant en ging weer naast Emma zitten.

'Hij zit op slot, maar volgens mij heeft iemand geprobeerd hem open te breken,' zei hij.

Emma knikte. 'Hoor eens, Louise, Felipe zegt dat iemand geprobeerd heeft hem open te breken, maar hij zit nog op slot, dus konden ze hem niet meenemen.'

'Waar ga je nu heen?'

'Ik was met Felipe onderweg naar de stad.'

'Ik zal haar wel bellen,' zei Louise met een zucht. 'Dan bel ik jou zo meteen weer om te vertellen hoe ze reageerde.'

Toen Emma ophing voelde ze zich schuldig. Louise kon de laatste tijd allerlei klusjes opknappen, terwijl zijzelf nu de bloemetjes buitenzette met haar Cubaanse vriend.

'Waarom bel je Sophie niet zelf?' vroeg Felipe.

'Felipe! Gisteravond was je er zelf bij, dus je weet wat Sophie allemaal op haar kerfstok heeft.'

'Jawel, maar ze is toch je zus.'

'Dat is nog geen excuus voor haar vreselijke gedrag.'

Felipe keek uit het raampje en zweeg wijselijk.

Emma reed zwijgend verder over de kade, met de Liffey aan hun linkerkant. Ze geen goed gevoel over zichzelf. Felipe was een en al medeleven, maar zij werd helemaal in beslag genomen door haar gekrenkte trots. Opeens ging haar telefoon.

'Ze neemt niet op op haar mobiel en ook niet op de vaste lijn. Waar zitten jullie nu?' klonk Louises stem.

'We zijn vlak bij het IFSC.'

'Dan ben je bij haar in de buurt. Waarom ga je niet even kijken?'

'Ik geloof niet dat ik het aankan om haar nu te zien.'

'Nou, ik zit in Clontarf en ik heb logés. Alsjeblieft, Emma!'

Emma keek even opzij naar Felipe. Zijn gezicht stond neutraal, maar ze voelde wel wat hij dacht.

'Goed dan. Ik bel je weer als ik haar heb gesproken.'

Emma nam vanaf de kades een scherpe bocht naar rechts en reed de parkeerplaats van het IFSC op. Sophie had waarschijnlijk gewoon hoofdpijn of zat nu te mokken nadat ze van het feest was weggelopen. Ze parkeerde de auto en liep met Felipe Lower Mayor Street op.

'Wat mooi hier.' Felipe keek zijn ogen uit naar de chique cafeetjes en alle andere symbolen van een trendy stadse levensstijl. 'Sophie woont wel op een geweldige plek.'

Toen Emma zich de huizen en geuren van Havana weer voor de geest haalde, voelde ze zich ongemakkelijk. Wat moest Felipe wel niet denken over het soort leven dat haar familie leidde? Dehannys en de haren waren zo hecht met elkaar en zo hartelijk en gastvrij, terwijl ze toch zo weinig hadden. In Ierland, waar velen een comfortabel bestaan leidden, zonder vuiligheid om zich heen en waarbij in alle materiële zaken was voorzien, maakten de mensen elkaar nodeloos het leven zuur.

Emma en Felipe kwamen bij de centrale ingang van Sophies appartementengebouw en toevallig kwam er net een jonge man naar buiten, die de deur voor hen openhield.

'Ze woont op de tweede verdieping,' zei Emma tegen Felipe, en ze pakte zijn hand.

Emma drukte op de bel en hoorde die binnen overgaan. Even later drukte ze opnieuw. Maar nog steeds geen reactie.

'Misschien is ze niet thuis,' zei ze.

Felipe keek Emma aan. Hij had het gevoel dat er iets helemaal niet in de haak was, en Emma had hetzelfde. 'Probeer het nog eens.'

Emma drukte weer op de bel en klopte ditmaal hard aan. Naast Sophies appartement ging de deur open.

'Hé, kunnen jullie niet wat rustiger doen? Het is zaterdag, hoor.' De buurvrouw, een meisje van voor in de twintig dat eruitzag alsof ze de avond tevoren flink was wezen stappen, hield haar kamerjas strak om zich heen en keek uit haar ogen alsof ze ergens pijn had.

'Sorry, maar weet je misschien of Sophie thuis is?'

Het meisje haalde haar schouders op. 'Ik heb wel een sleutel, als jullie willen kijken. We hebben sleutels uitgewisseld, want ik sluit mezelf vaak buiten.'

'Graag,' zei Emma. Ze liep achter het meisje aan een groezelige gang in, die bezaaid lag met bierblikjes en glazen. Het appartement was modern en smaakvol ingericht, maar het was er op dat moment een zootje.

'Alsjeblieft,' zei het meisje, terwijl ze Emma de sleutel gaf.

Emma draaide hem om in het slot. In al Sophies kamers brandde licht. Nog voordat ze de slaapkamer binnenstapte, besefte ze dat er iets heel erg fout zat. Met een glas sinaasappelsap naast haar bed en nog steeds gekleed in de rode jurk die ze op het feest had gedragen lag Sophie languit boven op het beddengoed.

Felipe vloog naar haar toe om haar wakker te maken, maar Sophie verroerde zich niet. Hij pakte haar pols, maar voelde geen hartslag.

'Bel een ambulance!'

Emma bleef als aan de grond genageld staan en herleefde de gebeurtenissen van afgelopen augustus. Ze kon zichzelf er niet toe zetten haar zus aan te raken en te controleren of ze koud aanvoelde; ze herinnerde zich nog heel levendig hoe klam Pauls huid had aangevoeld.

'Schiet op, Emma!' drong Felipe aan.

Emma haalde haar telefoon tevoorschijn en belde het alarmnummer.

'Met de alarmdienst – waarmee kan ik u helpen?'

'Een ambulance graag, op Custom House Square.'

Felipe wist niet precies wat hij in een noodgeval als dit moest doen, maar hij probeerde Sophie nu met meer kracht wakker te schudden. Ze reageerde nog steeds niet, maar omdat haar voorhoofd lauwwarm aanvoelde kreeg hij goede hoop dat ze het zou redden.

'Hou haar hand vast en praat tegen haar. Ze moet stemmen horen!' zei hij op dringende toon.

Emma ging naast Sophie op bed zitten. Hoe moest ze dit aanpakken? Ze voelde Sophies koude hand en drukte die stevig.

'Sophie, blijf bij ons... Niet weggaan! Ademt ze nog?'

'Ja.'

Emma voelde zich misselijk. De seconden verstreken alsof het minuten waren, en ze was ervan overtuigd dat Sophie hun zou ontglippen. 'Alsjeblieft, Sophie, blijf bij ons!'

'Kijk nou... Staan daar medicijnen naast het bed?'

Emma keek naar de twee potjes en een pakje Panadol.

Op dat moment werd er aangebeld.

'In de keuken,' zei ze. 'De intercom zit naast de deur. Laat ze maar binnen.'

Felipe deed wat hem werd gevraagd, terwijl Emma de hand van haar zus stevig bleef vasthouden.

Het ambulancepersoneel kwam naar binnen gestormd en begon Sophie onmiddellijk te reanimeren.

'Wat heeft ze geslikt?' vroeg een van hen.

Emma overhandigde de twee potjes en het lege doosje Panadol.

'We hebben begeleiding nodig,' zei de ambulancebroeder die met Sophie bezig was dringend tegen het andere personeel.

Hij legde Sophie op een brancard en bracht een zuurstofmasker aan.

'Komt het goed met haar?' vroeg Emma.

'Vast wel.'

Felipe kwam naar haar toe en pakte Emma's hand stevig vast. Ditmaal zou ze in elk geval niet alleen naar het ziekenhuis hoeven gaan.

'Ik ben er over een paar minuten,' zei Louise, en ze legde de telefoon neer.

'Alles goed?' vroeg Alice.

'Sophie... Ze heeft een overdosis genomen. Emma is met haar naar het Mater.'

'Mijn hemel, wat verschrikkelijk!'

'Zou jij op de kinderen willen passen, Alice?'

'Ja, ja – zal ik Maggie bellen?'

'Nee! Alsjeblieft niet!'

'Het lijkt mij beter van wel,' zei Alice streng. 'Jullie meisjes kunnen je moeder niet jullie hele leven blijven ontzien. Ze is zeventig nota bene, en geen klein kind meer.'

Louise slaakte een zucht. 'Goed dan. Bel haar maar om het te vertellen, maar ik ga nu als een speer naar het ziekenhuis.'

Louise vloog naar buiten met haar tas en sleutels in de hand. Haar hart hamerde. In gedachten zag ze Sophie languit en buiten bewustzijn op een bed liggen, en ze moest haar tranen wegslikken. Het speet haar dat ze haar zo hard was gevallen. Misschien was haar jongste zus na Pauls dood echt wel helemaal ingestort. Maar zelf had ze er ook een zootje van gemaakt, en nu moest ze dingen rechtzetten in haar familie. Iedereen om haar heen had het moeilijk en ditmaal kon het wel eens te laat zijn om wat dan ook nog recht te zetten.

Jack had niet veel te pakken. Hij zou een paar foto's meenemen en wat aandenkens aan Aoife die zij had gekocht. Hij kon haast niet geloven dat hij alweer zo snel terug zou zijn in New York. De meeste rommel die op de tafel lag waar hij zijn laptop had staan gooide hij in de vuilnisbak. De laptop stond aan en er klonk een signaal dat hij twee nieuwe berichten in zijn mailbox had. Bij nader inzien bleek eentje daarvan van Aoife afkomstig te zijn:

Lieve Jack,
Het zit me helemaal niet lekker zoals het tussen ons is gelopen. Volgens mij heb je de juiste beslissing genomen. New York paste beter bij je dan Dublin. Fijn dat je me hebt laten weten dat je vertrekt. Als je zin hebt kunnen we dinsdagmiddag afspreken in Howth. Ik zou graag afscheid van je nemen.
Aoife

Jack voelde een brok in zijn keel toen hij slikte. Hij wilde Aoife ontzettend graag weer zien, al was het maar om afscheid te nemen.

Hij mailde haar meteen terug. Tot aan dinsdag zou hij de uren aftellen.

Louise stormde langs de receptie en sloeg links af, zoals Emma haar had gezegd. De geur van bleek- en desinfecteermiddel deed haar bonzende hoofd geen goed. Was Donal nu maar bij haar. Op dit soort momenten was hij altijd heel goed.

Aan het eind van de gang zag ze Emma. Naast haar zat Felipe, met zijn kalme en troostende aanwezigheid.

'Wat is er in godsnaam allemaal aan de hand? vroeg ze toen ze bij hen was.

'Ze zijn nu haar maag aan het leegpompen.'

'O, godzijdank leeft ze nog!'

'Het was op het nippertje,' zei Emma bedaard.

'Ik zal even thee voor je halen, Emma,' zei Felipe. 'Jij ook, Louise?'

'Nee, dank je, Felipe.'

Louise zakte neer op een stoel voor de ziekenkamer. 'Niet te geloven dat ze dit heeft gedaan.'

Emma ging ook weer zitten en staarde voor zich uit. Ze vond het heel vreemd om terug te zijn op de Spoedeisende Hulp, maar dit keer met haar zus. Vanbinnen was ze verdoofd door pijn.

'Misschien wilde ze met een groots Romeo-en-Julia-gebaar zelfmoord plegen,' zei ze.

'Zou je denken?'

'Wij geloofden haar niet toen ze zei dat ze van Paul had gehouden. Maar misschien hield ze wel echt van hem en wilde ze ons dat duidelijk maken.'

'God, stel nou dat je haar niet gevonden had?'

'Ik denk niet dat ze helemaal zichzelf was toen ze dit deed – jij?'

Louise schudde haar hoofd. 'Wat had ze eigenlijk geslikt?'

'Er stonden twee lege potjes pillen en een doosje Panadol naast haar bed.'

Door de dubbele deuren kwam een vrouwelijke arts naar hen toe, die haar mondkapje af trok.

'Zijn jullie de zussen van Sophie Owens?'

'Ja,' zeiden ze allebei tegelijk.

'We hebben het grootste deel van haar maaginhoud eruit weten te pompen – Xanax en een krachtige tranquillizer –, maar de werkelijke schade is aangericht door de paracetamol. Ze mag van geluk spreken dat jullie op tijd bij haar waren, maar haar lever is er niet best aan toe.'

'Wat houdt dat in?' Emma geneerde zich ontzettend voor wat ze eerder had gezegd.

'Het houdt in dat ze misschien een levertransplantatie nodig heeft om te overleven. Dat is een riskante ingreep, en het is moeilijk om donoren te vinden.'

Louise slaakte een kreet en begon te huilen.

Emma sloeg haar arm om haar zus heen. Ze kon er nog steeds niet bij wat haar familie allemaal overkwam.

'Mogen we haar zien?' snikte Louise.

'Heel even dan. Het zal haar goeddoen om bekende stemmen te horen. Ze is nog buiten bewustzijn, maar we hebben goede hoop dat ze snel bijkomt.'

26

Larry ijsbeerde door de keuken. Er werd aangebeld en hij haastte zich naar de deur.

Op de stoep stond Alice.

'Ik ben hier zo snel mogelijk naartoe gekomen – een van de buren let op Louises kinderen.'

'Maggie is binnen.' Larry gebaarde naar de woonkamer.

'Gaat het een beetje?'

'Met mij wel. Ik wil naar het ziekenhuis, naar de meisjes.'

'Is het wel verstandig om nu in de auto te stappen?'

Larry had na zijn operatie nog geen fiat van zijn chirurg gekregen, maar dat kon hem niet schelen. Hij wist waar hij hoorde te zijn. Hij griste zijn autosleutels mee, gaf Maggie een kus en stapte de deur uit.

Toen Maggie Alice zag, barstte ze in tranen uit.

Alice ging naast haar op de bank zitten en sloeg een arm om haar heen.

'Kalm nou maar, kalm maar – alles komt vast goed met haar.'

'Wat ging er in godsnaam in haar hoofd om? Ze is verwend tot op het bot – en dat is Larry's schuld; hij gaf haar als ons jongste kind altijd veel te veel toe.'

'Niemand kan hier iets aan doen. We mogen alleen maar hopen dat alles met haar in orde komt.'

'Waarom overkomen ons toch zulke vreselijke dingen? Eerst Emma's man, toen de inbraak en nu dit weer. We zijn toch geen slechte mensen? Waar hebben we dit allemaal aan verdiend?'

Alice stond op. Op die vragen had ze geen antwoord, maar ze vroeg zich af of hier niet op de een of andere manier sprake was van een patroon.

'Ik zal een lekker kopje thee voor je zetten; daar knap je vast van op.'

Maggie reageerde niet. Ze snikte in haar natte Kleenex. De avond tevoren had ze zo'n heerlijk feest gehad; nu was er van die fijne sfeer niets meer over, en ze snapte niet waarom.

Larry zat te trillen toen hij probeerde achteruit in te parkeren op een krappe plek op Eccles Street. Zijn ribbenkast deed na de operatie nog steeds pijn, maar hij móést Sophie zien.

Zijn telefoon ging. Het was Louise. Hij volgde haar aanwijzingen op.

'Pap, ben je in het ziekenhuis?'

'Ik ben bijna bij je.'

'Mooi zo. Ik kijk naar je uit.'

Larry was doodmoe van al het gedraaf door de gangen. Hij was opgelucht toen hij een stuk verderop Louise zag staan.

Ze haastte zich naar hem toe om hem te hulp te schieten en naar de kamer te brengen waar Sophie lag, aangesloten op diverse ingewikkeld uitziende apparaten. Hoe zwaar het voor haar ook was, voor haar vader moest het nog veel zwaarder zijn om zijn dochter zo te zien.

'Waar is Emma?' vroeg Larry.

'Die is een paar minuten geleden weggegaan.'

'Ach, natuurlijk, ze heeft die man te logeren.'

'Dat is het niet alleen. We kunnen toch niet echt iets voor Sophie doen voordat ze weer bijkomt.'

Larry schudde zijn hoofd. 'Wat kon er nou zo verschrikkelijk zijn dat ze zichzelf dit heeft aangedaan?'

Louise had de moed niet om het hem te vertellen. Dat was niet aan haar. Het was iets tussen Emma, Sophie en Paul. Als haar ouders wisten hoe het zat, zou dat trouwens niets helpen. Larry zou walgen van Sophie, en dat zou hun vader-dochterband op de helling zetten. Louise was blij dat zij de middelste was. Zij had niets te verbergen – niet meer.

Felipe en Emma zaten zwijgend achter in een taxi. Die zette hen af bij de IFSC-parkeerplaats.

'Zullen we gaan lunchen?' vroeg Felipe.

Emma schudde haar hoofd. 'Nee, ik heb geen trek.'

Ze keek op haar horloge. Het was twee uur; vermoedelijk rammelde Felipe van de honger.

'Nou ja, misschien moesten we toch maar iets eten. We kunnen naar een tentje daar verderop gaan; daar kun je goed lunchen.'

De Havenmeester zat op doordeweekse dagen meestal vol, maar voor de lunch was het inmiddels laat en bovendien was het zaterdag, dus konden ze zelf een tafel kiezen, en ze namen er eentje met uitzicht op het kanaal.

'Wat moet je wel niet van de Ieren denken, Felipe?'

Felipe glimlachte. 'Mensen zijn overal ter wereld hetzelfde. Iedereen vindt dezelfde dingen belangrijk: familie, kinderen, gezondheid en geluk.'

'Maar er zijn niet veel families zoals de mijne!'

'Zo anders zijn jullie niet. Op Cuba gebeuren dat soort dingen net zo goed. Wij hebben dan misschien minder vrijheid of geld, maar onze problemen zijn hetzelfde.'

'Het spijt me ontzettend dat je net hier bent nu mijn familie zo in de nesten zit.'

Felipe legde zijn hand op de hare. 'Ik vind het fijn om nu in Ierland te zijn. Ik wilde je familie graag zien en ze leren kennen.'

'Nou, te zien krijg je ze zeker – op hun alleronvoordeligst! Maar ik ben óók blij dat je nu hier bent. Je bent een enorme steun voor me, en ik zou nooit bij Sophie langs zijn gegaan als we niet net de stad in hadden gewild, dus heeft ze het aan jou te danken dat we haar hebben gevonden.'

'Ik hoop dat ze me daar nog een keer voor bedankt.'

Emma glimlachte. 'Ik hoop ook dat ze bijkomt en je nog kán bedanken.'

'Maar je moet me beloven dat je je zus vergeeft. Vandaag heb je tegen haar gezegd dat ze moest blijven leven; van nu af aan moet jij een echte zus voor haar zijn.'

'Felipe, dat is misschien te veel gevraagd.'

'Alsjeblieft, doe het voor mij. Wij hebben het geluk dat we altijd elkaar nog hebben.'

Daar kon Emma het alleen maar mee eens zijn. Ze voelde zich inderdaad heel gelukkig.

Donal was in de jachthaven en hoorde zijn telefoon bliepen. Hij haalde het toestel uit zijn tas.

Sophie in Mater – overdosis. Kom svp naar huis om op kinderen te passen. Louise

Donal moest de boodschap nog een keer lezen. Het duurde even voordat de weinige woorden die zo veel zeiden tot hem doordrongen.

'Ga je mee een pilsje pakken, Donal?' vroeg Kevin met een brede grijns. Ze waren vandaag als eersten binnengekomen; het was een geweldig begin van de wedstrijden.

'Ik kan niet. Er is thuis iets niet in orde.'

'God, ik ken niemand die na een hele week werken in het weekend zo vaak op zijn kinderen moet passen als jij!'

'Er is een noodgeval in de familie. Ik zie je dinsdag.'

'Wat jij wilt. Ik hoop dat het allemaal goed komt.' Kevin hoefde niet te weten waar het om ging.

Donal belde Louises nummer. Het sms'je had ze drie uur geleden verzonden.

'Hallo, Louise?'

'Donal. Godzijdank!'

'Wat is er allemaal aan de hand?'

'Sophie is buiten bewustzijn en ligt aan de beademing in het Mater, nadat ze een overdosis had genomen toen ze gisteravond thuiskwam van het feest.'

Donal reageerde niet.

'Waar denk je nu aan?' vroeg Louise.

'Ik liep me al af te vragen wanneer er zoiets zou gebeuren. Ik heb de hele week een slecht voorgevoel gehad.'

'Waarom heb je daar dan niets over gezegd?'

'Jij zit bij het minste of geringste al op de kast. Het zat erin dat de boel een keer flink in de soep zou draaien. Ik heb van begin af aan al gedacht dat we het feest niet zonder kleerscheuren zouden doorstaan.'

'Wil je naar huis komen om op de kinderen te letten?'

'Ik ben onderweg.'

'Alice heeft op ze gepast, maar ze heeft ze naar de buren gebracht toen ze naar mam ging om haar te troosten.'

'Je moeder zou bij haar dochter in het ziekenhuis horen te zijn. Waar is je vader?'

'Hier, bij mij.'

Donal slaakte een zucht. 'Maar hij heeft net een zware operatie achter de rug. Dit is veel te inspannend voor hem.'

'Weet ik. Maar je weet hoe mam is.'

Dat wist Donal inderdaad. Hij had een heleboel met zijn schoonmoeder te stellen gehad, alsof hij haar zoon was.

'Hoor eens, blijf maar zo lang als je nodig hebt. Ik zorg wel dat alles thuis reilt en zeilt,' zei hij.

Bij de s-bocht in Raheny sloeg hij rechts af. Hij ging niet meteen naar huis, maar reed Foxfield binnen en zette zijn auto op de oprit van de familie Owens. Hij liep naar de deur en belde krachtig aan.

Alice deed open.

'Kan ik Maggie even spreken?'

'Die is ontzettend van streek.'

Maar Donal duwde haar opzij en ging de keuken in, waar zijn schoonmoeder zat. Wat hij vervolgens deed hoorde hij helemaal niet te doen en was ook niets voor hem, maar íemand moest het doen.

'Donal, wat fijn dat je er bent. Ik heb het een en ander nodig.'

'Ik ben hier niet om boodschappen voor je te doen, Maggie. Ik kom je halen om mee te gaan naar het ziekenhuis. Alice, wil jij teruggaan naar ons huis en voor de kinderen zorgen?'

Hij sprak met zo veel gezag en bedaardheid dat Alice geen nee kon zeggen.

'Ik ben veel te erg van slag om naar het ziekenhuis te gaan!' snikte Maggie.

'Als Sophie hier niet doorheen komt, zul je er altijd spijt van hebben. Maar veel belangrijker is nog dat ze jou misschien nodig heeft als ze bijkomt. Ze moet haar moeders stem horen.'

'Ik kan Louise bellen en door de telefoon tegen haar praten.'

Donal keek haar scherp aan. Maggie had hem nog nooit eerder zo gezien.

'Ik moet even mijn jas halen,' zei ze toen gedwee.

Donal liep met haar naar de auto en hielp haar de veiligheidsgordel vast te maken.

Alice zat achterin. Zonder verdere plichtplegingen werd ze afgezet in Clontarf, en Donal en Maggie vervolgden zwijgend hun weg naar het Mater.

Bij de receptie aangekomen belde Donal Louise.

Die was heel blij om hem te zien; ze had het vreselijk gevonden zoals hij eerder op de dag de deur uit was gelopen om te gaan zeilen. Ze was erg verrast toen ze zag wie hij bij zich had.

'Mam – je bent gekomen!'

Maggie keek op naar Donal en richtte haar blik vervolgens op haar dochter. 'Natuurlijk ben ik gekomen! Waar is Sophie?'

Louise schonk Donal een vragende blik, maar hij gaf geen toelichting. Het was zijn eigen initiatief geweest om Maggie te wijzen op haar verantwoordelijkheden tegenover haar gezin. De druk waaronder Larry had gestaan had de vorm aangenomen van een hartkwaal waarvan hij niet eens wist dat hij die had. Het werd tijd dat Maggie onder ogen zag dat ze drie dochters had grootgebracht en dat ze nog steeds veel invloed had op ieders manier van doen. Emma was degene geweest die als eerste het vaste patroon had doorbroken, waarna ook voor de anderen de weg naar verandering openlag. Als Sophie ooit wilde leren hoe ze zich als een volwassen vrouw moest gedragen, zou haar moeder het goede voorbeeld moeten geven, en ook Larry kon niet op de oude voet verdergaan.

Op de een of andere manier hoopte Donal dat hij, door de andere leden van de Owens-clan een nieuwe impuls te geven, zijn vrouw zou weten te bereiken en een deel van haar onzekerheden zou kunnen wegnemen.

Larry hobbelde de gang door en zijn gezicht begon te stralen toen hij een eindje verderop Maggie ontwaarde.

Ze kwam naar hem toe, en toen ze bij hem was sloeg hij zijn arm om haar heen.

'Hoe heb je haar zover weten te krijgen dat ze meekwam?' vroeg Louise verbaasd aan Donal.

'Ik heb gewoon gezegd dat ze in de auto moest gaan zitten en heb haar riem vastgemaakt.'

Louise schudde haar hoofd. 'Niet te geloven dat je dat voor elkaar hebt gekregen!'

'Ze is verschrikkelijk verwend. Ik heb met Larry te doen.'

'Ben je bang dat wij over dertig jaar ook zo zijn?'

Donal schudde zijn hoofd. 'Dat gaat niet gebeuren.'

Zijn zelfverzekerde toon beviel Louise helemaal niet. 'Hoe bedoel je?'

'We moeten het anders gaan aanpakken, Louise. Ik weet niet hoe we het gaan doen – misschien moeten we wel in therapie –, maar jij bent de laatste tijd niet gelukkig geweest en ik ook niet. We moeten praten.' Hij slaakte een zucht. 'Maar wat zijn de vooruitzichten voor Sophie?'

'Haar lever is beschadigd en misschien heeft ze een transplantatie nodig.'

Ernstig kneep Donal zijn lippen op elkaar. 'Het zat eraan te komen dat er iets ergs met haar zou gebeuren. Met die decadente manier van leven van de afgelopen jaren kon dat haast niet anders. Dat ze met Paul het bed in dook was voor haar de laatste strohalm. Ik weet niet hoe Emma haar dat ooit moet vergeven.'

'De dokter zei dat ze het niet gehaald zou hebben als Emma niet bij haar langs was geweest.'

'Waarom was ze eigenlijk naar haar toe gegaan?' vroeg Donal, die zich dat echt afvroeg.

'Dat is een lang verhaal. Sophie had haar auto ergens op straat moeten achterlaten en Emma zag hem staan. Ik vertel het je onderweg wel. Laten we eerst maar eens kijken hoe het met mam en pap is.'

Maggie huiverde en snikte in haar zakdoek. 'Ik kan er gewoon niet bij dat onze kleine meid zichzelf dit heeft aangedaan!'

Larry's keel zat dicht; hij kon amper antwoord geven. 'Ze doet me heel erg aan jou denken.'

'Aan mij?'

'Ja. Jij had ook zulk haar toen je zo oud was als zij. Je was net zo zelfverzekerd en had dezelfde manier van doen. Het is geen wonder dat ik haar zo heb verwend.'

'Sophie was vroeger zo'n knap meisje. Ze straalde altijd meer dan anderen, ze had zo veel talent. Waarom zou ze dit hebben gedaan?'

'Misschien dat Emma het weet?' opperde Larry.

'Zij heeft alleen maar oog voor die buitenlander. Ik weet niet wat haar ineens mankeert.'

'Misschien heeft ze er wel genoeg van om altijd maar de brave dochter te spelen.'

Maggie knikte langzaam.

'Ja, wie weet.'

'Maar Louise heeft zich de laatste tijd geweldig goed geweerd.'

'Ja.'

'De dokter was hier net en hij zei dat Sophie een levertransplantatie nodig heeft.'

'O mijn god. Wat heeft ze eigenlijk geslikt?'

'Panadol. Kennelijk richt die meer schade aan dan harddrugs als je er veel van neemt.'

Maggie sloeg haar hand voor haar mond. 'O, Larry, dit is allemaal mijn schuld!'

Larry sprak dat niet tegen. Ook hij voelde zich verantwoordelijk.

Emma ging met Felipe bij Louise langs in Clontarf.

'Alice, wat geweldig dat je hier was,' zei ze. 'We hadden van tevoren geen idee dat we om een extra paar handen verlegen zouden zitten.'

Haar tante glimlachte. 'Ik ben blij dat ik iets heb kunnen doen.

Om eerlijk te zijn heb ik het best naar mijn zin. Nu mijn eigen kleinkinderen in Australië wonen, mag ik al blij zijn als ik ze eens in de zo veel tijd zie.'

Emma bezag de zus van haar moeder nu met nieuwe ogen. Dat er een brug was gebouwd was de best mogelijke uitkomst geweest van haar moeders feestje. Kon zij maar hetzelfde doen met haar eigen zus – maar de problemen tussen hen zaten dieper.

'Ik neem Finn mee naar huis – goed?'

'Hij is buiten aan het voetballen.'

'Kan ik iets doen?'

'Nee, niets. Ik geloof dat Dick zich buiten met de jongens weer helemaal jong voelt. Als we niet genoeg eten hebben, zit er vast nog wel iets in de vriezer.'

Emma kuste haar tante op haar wang.

'Geniet maar van de rest van je tijd in Ierland,' zei Alice tegen Felipe.

Felipe schonk haar een glimlachje en liep vervolgens naar buiten.

Zodra hij buiten gehoorsafstand was, fluisterde Alice haar nicht in het oor: 'Wat een heerlijke man, zeg. Als ik jou was, zou ik hem zien vast te houden!'

Emma liep achter Felipe aan naar haar Mini. Finn stond al beschermend aan de passagierskant, in de verwachting dat hij voorin mocht zitten.

'Wil je Felipe vandaag voorin laten, lieverd? Hij heeft langere benen.'

Finn wierp een blik op Felipe en schoof met tegenzin op de achterbank.

Felipe was er niet helemaal gerust op. Hij voelde weer heel goed hoe hij zich had gevoeld toen zijn ouders uit elkaar waren gegaan en zijn moeder een nieuwe partner had gekregen. Het moest voor de jongen wel heel bedreigend zijn om zijn vader zo plotseling te verliezen en vervolgens zijn moeder met een nieuwe man samen te zien.

'Voetbal je graag?' vroeg hij.

'Ik vind zo veel sporten leuk,' antwoordde Finn kortaf.

'Misschien kunnen we bij jou thuis een keer een balletje trappen?'

Finn haalde zijn schouders op. Voetballen deed hij alleen bij Donal of bij zijn vriendjes thuis. Zijn vader had niet van sport gehouden.

'Oké.'

Een poosje later keek Emma opgelucht toe hoe Finn en Felipe penalty's schoten in de achtertuin. Ze zette een pot thee en bleef vergenoegd bij de achterdeur staan terwijl de twee zonder haar op te merken verder speelden.

Die avond wilde Finn niet bij Gavin of zijn tante Louise gaan logeren, en Felipe sliep niet in de logeerkamer.

'Ik ben blij dat Sophie bijkwam net toen je ouders er allebei waren,' zei Donal terwijl hij zijn vrouw een gin-tonic aangaf.

'Het was geweldig van je dat je je mam naar het ziekenhuis hebt weten te krijgen; dat was precies wat er nodig was.'

Donal glimlachte. 'Soms moet je doen wat je gevoel je ingeeft, ook al weet je dat degenen om je heen erdoor in de war raken.'

'Heb je het nou ook over ons?'

Donal schokschouderde. 'Weet je, Louise, wat ik zei over die therapie, dat meende ik.'

Louise knikte. 'Als jij dat wilt ga ik daar wel heen.'

Donal ging in de fauteuil zitten en zette zijn glas Killbegganwhisky op het tafeltje ernaast. 'Ik denk gewoon dat wij beter kunnen. Weet je nog toen je laatst een poos piano had gespeeld? Toen leek je ineens stukken blijer.'

Louise knikte. Ze was heel blij geweest toen ze Jack had teruggezien, maar al snel had ze zich gerealiseerd dat ze niet hem wilde, maar de gevoelens van verlangen en passie die hij in haar had opgeroepen. Pianospelen had geholpen en had haar aan het denken gezet over haar oude baan en hoe erg ze die miste. 'Donal, ik vraag me de laatste tijd af of ik niet terug naar school moet.'

'Dat is helemaal geen slecht idee, maar lesgeven kan ook buiten school. Waarom ga je niet hier thuis muziekles geven? Er wonen hier in de buurt kinderen genoeg.'

Louise nam een slok van haar drankje. 'Dat zou wel makkelijker te combineren zijn met het huishouden.'

'De kinderen leggen niet meer zo'n beslag op je, heb je zelf gezegd. En dan zou je iets te doen hebben wat je echt interesseert.'

Louise knikte. 'Het spijt me dat ik zo heb dwarsgelegen. We hebben de afgelopen maanden zo veel meegemaakt.'

'Het is maar een idee. Ik wil gewoon dat wij beter met elkaar omgaan, en ik weet niet hoe we dat voor elkaar moeten krijgen.'

'Je zou om te beginnen hier bij me op de bank kunnen komen zitten...'

Donal deed wat ze vroeg en nam zijn glas mee.

'Weet je, dit is geweldig: Alice en Dick logeren bij je familie, je ouders gedragen zich als echte ouders, en je moeder speelt niet langer het verwende kind. Misschien heeft Sophie iedereen wel een dienst bewezen.'

Louise kon zich met die voorstelling niet zo een-twee-drie verenigen, maar ze wilde koste wat het kost dat er vrede in haar familie heerste. En Sophie was nog niet buiten gevaar.

'Weet je, toen jij er vandaag niet was, voelde ik me heel verloren. Jij staat altijd klaar als er in de familie rampen gebeuren. Ik had je echt nodig.'

'Mooi zo!' zei Donal, en hij pakte het glas van zijn vrouw uit haar handen en zette het op de grond naast het zijne. Hij sloeg zijn arm om haar schouder en boog zich naar haar toe. 'En laat me nu maar eens zien hoe hard je me nodig hebt!'

Dat was precies de toon waarop Louise graag door haar man aangesproken wilde worden. Ze glimlachte toen hij zijn lippen op de hare drukte. Ze dacht totaal niet aan Jack of haar familie, of aan wie dan ook.

27

Emma trilde toen ze de lange gang naar de afdeling St. Teresa door liep. Sophies toestand was die nacht stabiel geweest en haar vader verzekerde haar dat ze haar oudste zus graag wilde zien. Felipe was met haar meegegaan en had beschermend een arm om haar heen geslagen.

'Ik weet niet wat ik moet zeggen,' zei ze bibberig.

'Je vindt de woorden wel als je haar ziet.'

'Ik vind het fijn dat je bij me bent.'

Felipe bleef staan en keek haar met zijn dromerige hazelnootbruine ogen liefdevol aan. 'Ik ook.'

Hij boog zich naar haar toe en kuste haar licht op de lippen. Dat gaf haar de kracht die ze nodig had om haar zus onder ogen te komen.

Bij de deur van de ziekenkamer aarzelde Felipe. 'Zal ik hier blijven wachten?'

Emma knikte. 'Graag. Laat mij maar eerst even met haar praten.'

Sophie lag te doezelen en haar ooit zo roze wangen zagen er hol uit. Emma keek naar haar jongste zus, met al die apparaten om haar heen; ze had haar niet meer zo kwetsbaar gezien sinds ze een klein meisje was. Langzaam liep ze naar het bed en ging zitten.

Sophie opende haar ogen.

Emma zag daarin de pijn en het verdriet. Ze werd er beroerd van, maar kon zichzelf er niet toe zetten haar zus te omhelzen.

Sophies lippen gingen vaneen, maar ze glimlachte niet. 'Emma!'

'Het is goed, Sophie. Je hoeft niets te zeggen.'

Er gleed een traan langs de zijkant van Sophies neus en over haar wang. 'Het spijt me zo.'

'Opwinding is nu niet goed voor je,' zei Emma zachtjes.

'Het is allemaal vreselijk geweest. Ik was er zo slecht aan toe.' Opeens biggelden de tranen over Sophies gezicht. 'Bedankt dat je naar me toe bent gekomen.'

'Het komt helemaal in orde met je,' zei Emma geruststellend.

'Waar is Felipe?'

'Die wacht voor de deur.'

'Hij is een goeie vent, Emma. Ik ben blij dat je hem hebt gevonden.'

'Ja. En jij gaat ook iemand vinden.'

Sophie wist een glimlachje te produceren; zelf was ze daar nog niet zo zeker van. 'Was ik maar net zo optimistisch als jij, Emma.'

'Je mag de moed niet opgeven.'

'Zoals Paul heeft gedaan?' vroeg Sophie, en ze kromp in elkaar, want zodra ze de naam van haar minnaar uitsprak ging er een scherpe steek langs haar ruggengraat.

'Ik wil het niet over hem hebben.' Emma's gezicht verstrakte. 'Denk nou maar aan jezelf en zorg dat je beter wordt.'

Ze stond op en liep weg van het bed – voor vandaag hadden ze genoeg gezegd.

'Ga je weer?'

Emma knikte.

'Kom je nog terug?' vroeg Sophie met smekende blik.

'Jawel.'

Meer dan dat kreeg Emma er niet uit. Het had een heleboel energie gekost om haar kleine zusje op te zoeken, en in haar binnenste borrelden een heleboel pijnlijke emoties.

Sophie hief haar hand op en zwaaide zwakjes toen Emma de kamer uit ging. Zodra haar zus was vertrokken, voelde ze alleen maar spijt. Niet alleen spijt van de schade die ze hun relatie had toegebracht, maar ook van het spoor van vernietiging dat ze achter zich had gelaten terwijl ze zich tot aan haar vierendertigste door het leven heen had geslagen. Omdat de kans maar zo klein was dat er een lever voor transplantatie beschikbaar kwam, maakte ze zich zorgen dat ze haar vijfendertigste verjaardag niet meer zou halen.

Ze snikte onbeheersbaar. Zo was het dus om eenzaam te zijn en geen hoop meer te hebben, maar ze voelde wel dat dat haar verdiende loon was.

Louise werd gewekt door een lange, warme kus van Donal.

'Goeiemorgen,' zei ze. Er verscheen een brede grijns op haar gezicht. Ze was nog helemaal in de ban van hun opwindende vrijpartij van de vorige avond. Donal had niet meer zo veel passie getoond sinds de begintijd van hun verkering, toen hij had geprobeerd de liefde met haar te bedrijven in een lift in Amsterdam. Uit zijn gezicht sprak eenzelfde allesverterend verlangen, en het was net of alle stress en problemen van de afgelopen vijftien jaar in rook waren opgegaan.

'Gisteravond was ik nog bang dat we de kinderen wakker zouden maken met ons enthousiasme!'

Louise kreeg tranen in haar ogen. 'Het was heerlijk om weer eens net zo te vrijen als vroeger – maar eerlijk gezegd betwijfel ik of we vroeger wel zo vurig waren.'

Donal kuste haar op haar neus. 'Ik vond het ook fijn. Maar we moeten nog hard aan onszelf werken.' Hij haalde diep adem en ging rechtop in bed zitten. 'Louise, ik moet je iets vertellen. Eerst zag ik daar de zin niet van in, maar omdat we nu ons best doen om ons huwelijk weer op de rit te krijgen kan ik er niet langer omheen.'

Louise verstrakte. Ze had geen idee wat haar man op zijn hart had.

'Het was een hele tijd geleden, en je weet dat ik er niet van hou oude koeien uit de sloot te halen; ik heb mijn ogen gesloten voor iets wat me op een avond in de tijd dat we nog verloofd waren duidelijk werd. Ik was zo bang om jou kwijt te raken dat ik je er niet op aan wilde spreken.'

'Wat is het dan?' Louise hield haar hart vast voor wat hij zou gaan zeggen.

'Jarenlang heb ik het naar de achtergrond weten te dringen, maar nu we samen met een schone lei beginnen moet ik het wel zeggen. Op een avond ging ik langs bij jullie huis in Clontarf en stond jij buiten bij de poort te zoenen met een man. Hij was jong en zag eruit alsof hij een van je leerlingen had kunnen zijn. Ik heb hem daarna nooit meer gezien, maar ik durfde het niet goed tegen je te zeggen. Je leek zenuwachtig over onze bruiloft en ik dacht dat je koudwatervrees had.'

De kleur trok weg uit Louises gezicht en even kreeg ze braakneigingen.

'Ik weet niet wat ik moet zeggen,' fluisterde ze.

Donal sloot zijn ogen. 'Je hoeft ook helemaal niets te zeggen. Ik wilde je alleen laten weten dat ik zo bang was om je kwijt te raken dat ik er vijftien jaar mijn mond over heb gehouden, maar nu móét ik het zeggen. Ik wil niet bij je zijn zonder dat dat soort dingen openlijk kunnen worden besproken; als ons huwelijk echt wil slagen, dan moeten we altijd eerlijk tegen elkaar zijn. Ik wil je met alles erop en eraan, tot de dood ons scheidt.'

'Dat wil ik ook!' verklaarde Louise. Maar vanbinnen sidderde ze.

'Mooi zo. Ik wilde het je graag laten weten.'

'En wat nu?'

'Nu beginnen we opnieuw. Dit is ons nieuwe begin, oké?'

Louise knikte toen Donal zich naar haar toe boog en zijn lippen stevig op de hare drukte.

Hij smaakte zo zoet, zo lekker. Donal was de enige man voor haar, en ze had er spijt van dat ze er zo lang over had gedaan om dat te ontdekken. Ze zou alle gedachten aan Jack wegsluiten in een doos en die ver weg opbergen in haar geheugen. Ze moest in het hier en nu leven met de man met wie ze de rest van haar leven samen zou zijn.

Jack voelde zijn hart hameren in zijn borstkas. Hij was hier eerder met Aoife geweest en had toen hun levensgeluk tussen zijn vingers door laten glippen. Dat dit zijn allerlaatste kans was besefte hij heel goed. Hij stond bij het monument op de westpier, zoals de dag tevoren per telefoon was afgesproken. Het geluid van de DART die over de rails kwam aanrijden, op weg naar station Howth, deed zijn hart sneller kloppen. Aan de telefoon had Aoife maar weinig gezegd. Hij was bang om te veel hoop te koesteren.

In de verte zag hij Aoifes lange en elegante gestalte, en hij begon te trillen. Ze droeg een mooie roze jurk met een lang wit vest en zag er toen ze het grasveld overstak en naar hem toe kwam lopen uit als een engel. Dit was misschien wel hét beslissende moment in zijn leven, en hij wilde er iets moois van maken.

'Jack,' zei Aoife met een glimlach toen ze hem zo dicht genaderd was dat ze zijn gezicht kon zien.

'Fijn dat je wilde komen. Zullen we een stukje lopen?'

Aoife knikte. Behoedzaam gingen ze op weg, allebei met een ongemakkelijk gevoel omdat ze elkaar ditmaal niet hadden begroet met een kus.

'Hoe is het met je?' vroeg hij.

'Goed, hoor,' antwoordde ze. 'Ik heb een nieuw contract gekregen. Het is van korte duur, maar het betaalt goed.'

'Met jouw talenten zul je er niet gauw problemen mee hebben om aan werk te komen.'

'Wanneer heb je besloten terug te gaan naar New York?'

'Dat ik mijn baan kwijtraakte gaf voor mij de doorslag.'

'Heeft mijn vader daar de hand in gehad?'

Jack schudde zijn hoofd. 'Het maakt niet uit hoe het komt. Er moesten hoe dan ook mensen worden ontslagen.'

'Heb je al plannen voor wat je in New York wilt gaan doen?'

'Nog niet, nee.'

De meeuwen krijsten boven hun hoofd terwijl ze langs de restaurants en Dorans viswinkel liepen. De zon stond hoog aan de hemel en de zee had een diepblauwe kleur. Het was een prachtig decor voor twee mensen die afzondering zochten.

'Verheug je je erop om terug te gaan?' vroeg ze.

'Ik geloof het wel. Ik hou het hier niet goed uit...' Hij zweeg even. Hij wilde niet al meteen zwaar geschut inzetten. 'Het lijkt mij het best als ik bij jou uit de buurt ben. Ik heb er moeite mee om te weten dat je heel dichtbij bent en dat ik toch niet met je samen kan zijn.'

Jack bleef staan, draaide zich naar Aoife toe en keek haar aan.

Aoife kon haar tranen niet bedwingen; die hadden al in haar ogen geprikt vanaf het moment dat ze in de DART was gestapt om hiernaartoe te gaan.

Jack wist niet wat hij moest doen; hij wilde haar aanraken, maar durfde dat niet goed. 'Alsjeblieft, niet huilen.'

'Ik vind dit zo vreselijk, Jack...'

'Ik ook. Ik kan je niet zeggen hoe erg het me spijt.'

'Ik ben kwaad op je. Wat heeft je in vredesnaam bezield?' Ze bracht haar armen omhoog en begon hem zachtjes tegen zijn borst te slaan.

'Al je verwijten zijn terecht, Aoife. Het spijt me verschrikkelijk. Maar ik moest je laten weten dat ik vertrek en hoeveel spijt ik ervan heb.'

Aoife sloot haar ogen en drong haar tranen terug.

Jack pakte haar gebalde vuisten vast en drukte ze tegen zijn borst. Hij boog zich naar haar toe en kuste haar licht op haar voorhoofd.

Ze liet een luide snik ontsnappen en vlijde haar hoofd tegen zijn schouder, waarbij haar lichaam het zijne raakte.

'Aoife, waarom zijn we eigenlijk uit elkaar? Hou je nog van me?'

Ze hief haar hoofd op. 'Natuurlijk hou ik nog van je. Ik heb vanaf het moment dat ik je leerde kennen nooit níét van je gehouden.'

'Ga dan met me mee. Laten we samen teruggaan naar New York. We hebben alleen elkaar nodig.'

Aoife keek omlaag naar de grond. 'Het was niet zo'n goed idee als ik dacht om naar mijn ouders terug te gaan. In New York hebben we het heel fijn gehad samen.'

'Dat hebben we zeker. En het kan weer net zo worden als toen... Maar hoe moet het dan met je ouders?'

Aoife slikte haar tranen weg.

'Met de regels die mijn ouders stellen kan ik niet leven. Ik wil mijn eigen regels maken. Ik heb geprobeerd me te schikken naar hun wensen, maar voor mij is dat niet goed.'

Jack kon zijn emoties niet langer beheersen. Hij sloeg zijn ar-

men stijf om haar heen, met het risico dat hij haar zou fijndruk-
ken. Toen liet hij haar even los en keek haar in de ogen. 'En hoe zit
het met die vriend van je?'

'Ik heb geen vriend meer. Hij was alleen maar tijdverdrijf. Voor
mij ben jij altijd de ware geweest, Jack.'

Hij nam haar weer in zijn armen en drukte haar nogmaals tegen
zich aan.

'Ga je mee? Kom je met me mee naar New York?'

'Ja.' Ze legde haar hoofd tegen zijn schouder en hij sloeg zijn
arm om haar middel.

Langzaam liepen ze verder langs de vissersboten en de zeehonden. Geen van tweeën zeiden ze iets. Alles wat er te zeggen viel was
al gezegd.

Ze zouden naar huis gaan.

Louise ging bij Emma langs voor een kop thee. Ze wist dat haar
zus alleen thuis zou zijn. Felipe was op zijn laatste zondag in Dublin met Finn naar een wedstrijd gaan kijken in Croke Park. Louise belde aan en bleef staan wachten. Degene die nu opendeed was
een andere Emma dan de Emma die naar de deur was gekomen
die keer dat ze een paar maanden geleden Jack Duggan tegen het
lijf was gelopen. In hun aller leven was inmiddels een heleboel gebeurd. Ook Louise voelde zich vanbinnen een ander mens.

'Hai. Ik wist niet meer precies hoe laat je langs zou komen.' Emma begroette haar zus met een hartelijke kus. 'Ik leg net de laatste
hand aan mijn roman.'

'Niet te geloven, en dat terwijl Felipe hier logeert. Knap van je!'

'Hij haalt het beste in me naar boven. Ben je nog in het ziekenhuis geweest?'

Louise knikte. 'Sophie ziet er goed uit, Em.'

Emma liep achter haar zus aan naar de keuken en ze gingen aan
tafel zitten.

'Ik hoop echt dat er een donor wordt gevonden,' zei Emma.
'Vreselijk, zoals ze daar maar ligt te wachten.'

'Zal ik water opzetten?'

'Natuurlijk – sorry!' Emma sprong op. 'Ik ben er niet helemaal bij met mijn hoofd. Ik zal Felipe straks missen. En Finn ook; die is helemaal opgeleefd sinds er weer een man in huis is gekomen, ook al was het dan maar voor een paar weken.'

Ze zette de waterkoker aan en ging weer zitten.

'Hoe denk je dat het nu verdergaat met Felipe?' vroeg Louise.

'Om eerlijk te zijn was dit de heerlijkste en tegelijk de akeligste periode van mijn leven. Voordat ik naar Cuba ging liep ik alleen maar te treuren. Geen wonder dat het niet wilde vlotten met de schrijverij. Maar toen ik Felipe leerde kennen, begon de wereld er heel anders uit te zien. Hij heeft me geleerd in het hier en nu te leven, en het is heel gek, maar als je dat doet ben je veel beter in staat met het verleden om te gaan.'

Louise knikte. 'Dat is helemaal waar – zoals ikzelf met schade en schande heb moeten ervaren.'

'Ja, hoe is het eigenlijk met jou? Hoe gaat het met je? Nog iets gehoord van Jack?'

'Hij heeft me een sms'je gestuurd om te zeggen dat hij samen met Aoife teruggaat naar New York.'

'Mooi, toch?'

Louise knikte. 'Om eerlijk te zijn denk ik dat Jack aan de andere kant van de Atlantische Oceaan gelukkiger is. Hij is een veel te exotisch type om zijn leven in een voorstad van Dublin te slijten.'

Emma keek haar zus scherp aan. 'En hoe zit het met je eigen ideeën over het leven in een voorstad?'

Louise besefte dat Emma deze vraag niet zomaar stelde en ze kon niet verhullen dat er binnen haar huwelijk een ingrijpende verandering had plaatsgevonden. 'Donal en ik gaan volgende week in therapie.'

'Mooi zo! Dat zal jullie goeddoen.'

'Het is gek, maar nu we hebben afgesproken dat we aan onze relatie gaan werken, praten we elke avond met elkaar. En daar blijft het niet bij!'

Emma schonk haar zus een brede grijns. 'Fijn om te horen. Ik hoopte altijd al dat je ooit zou inzien wat een geweldige man je hebt getroffen, Louise.'

'Jij kent me beter dan ik mezelf ken,' zei Louise met een glimlach.

Emma stond op om thee te gaan zetten. Voor de twee oudste Owen-zussen kwam alles uiteindelijk op zijn pootjes terecht.

'Zei je nou net dat Sophie er vandaag goed uitzag?'

'Ze zat rechtop in bed en...' Louise aarzelde. 'Ze vertelde allerlei verhalen over vroeger, toen zij en jij nog klein waren.'

Emma schonk water in de theepot en deed het deksel erop. 'Ik heb de laatste dagen eens diep nagedacht, en ik snap wel waarom ze een verhouding had met Paul.'

Louise knikte. 'Dat snappen we allemaal.'

'Ze zocht aandacht. Sophie wil graag in het middelpunt van de belangstelling staan.'

'Ze is gewoon een verwend nest!'

'Daar hebben we allemaal aan bijgedragen. Maar dat was het niet alleen. Sophie is diep in haar hart nooit gelukkig geweest. Ze was altijd onverzadigbaar op zoek naar nieuwe dingen waar ze opgewonden over kon raken. Deze hele toestand is een harde les voor haar.'

'Nou, ik vond dat ze er echt goed uitzag, maar dat niet alleen. Ze was ook opgewekt en kalmer dan ooit.'

Emma bracht de theepot naar de tafel en zette er twee mokken naast. 'Misschien dat ze door deze klap is gaan inzien hoe erg ze zich heeft misdragen.'

'En wat is nu jouw gevoel over haar?' vroeg Louise terwijl ze thee inschonk.

'Ik vind het jammer dat het zover heeft moeten komen. Dat haar lever beschadigd is heeft ze aan zichzelf te danken. Maar ik hoop dat ze erdoor tot inkeer komt en dat ze nu haar betere ik weet te vinden.'

'Genoeg gefilosofeerd, Emma! Heb je misschien koekjes?'

Emma glimlachte. Ze was in een beschouwelijke bui. Zij was door Felipe in contact gekomen met haar ware emoties en had dankzij hem haar ware zelf gevonden.

'Zijn Jaffa Cakes goed?'

Louise knikte.

'Komt eraan.'

Emma overhandigde Felipe het grote bruine pakket met spulletjes voor Dehannys en Fernando.

'Ontzettend bedankt voor een heerlijke tijd, Emma.'

'Niet te geloven dat je alweer weggaat, het is zo snel gegaan. Ik heb geen idee hoe ik het zonder jou moet redden.'

Felipe knikte. 'Ik zal jou ook missen. Maar je bent sterk, Emma. En ik ben niet ver weg. Je ziet me snel weer terug.'

Emma's ogen werden groot. 'Ik kijk er nu al naar uit.'

In de afgelopen drie weken was wel duidelijk geworden dat ze allebei een heel ander leven leidden; hun twee werelden lagen zo ver uit elkaar dat de Atlantische Oceaan daar niets bij voorstelde.

'Misschien dat reizen binnenkort niet meer zo moeilijk voor me is.'

'Als het regime van nu ooit ten val komt, zal er op Cuba grote behoefte zijn aan juristen.'

Felipe knikte. Maar net als veel anderen dacht hij niet dat dat snel zou gebeuren.

'Voor mij wordt dat dan een gelukkige dag,' zei hij.

'Dank je wel nog voor al je steun.'

'Sophie is nu eenmaal je zus; ze heeft je hulp nodig.'

'Weet ik. Het zal nog niet makkelijk voor haar worden.'

Felipe sloeg zijn armen om Emma heen en drukte haar stevig tegen zich aan.

'Ik hou van je.'

Emma's hart zwol. Hij had tot de allerlaatste minuut gewacht om haar dat te zeggen, maar diep vanbinnen had ze het al wel geweten.

'En ik hou van –'

Hij legde zijn vingers op haar lippen. 'Weet ik.'

Larry nam de telefoon aan.

'Meneer Owens?'

'Daar spreekt u mee.'

'Ik heb goed nieuws.'

Als er iets was wat Larry Owens goed kon gebruiken, was het wel goed nieuws.

'Het gaat over uw dochter, Sophie Owens. Haar lever vertoont tekenen van herstel. We vermoeden dat ze toch geen transplantatie nodig heeft.'

Larry barstte in tranen uit. De afgelopen twee weken waren een hel geweest. Maggie en hij hadden Sophie elke dag opgezocht en waren elke avond tot laat in het ziekenhuis gebleven.

'Bent u daar nog, meneer Owens?'

'Ja. Dank u wel, dokter.'

'Het spijt me dat ik u vandaag ben misgelopen. We hebben pas het afgelopen uur duidelijkheid gekregen over de prognose, en we dachten dat u het wel zo snel mogelijk wilde horen.'

Maggie kwam de gang in gestormd. Ze had zich niet opgemaakt, haar haar zat plat en ze had na terugkomst uit het ziekenhuis haar ochtendjas aangetrokken.

'Wat is er? Is alles goed met Sophie?'

Larry hing de hoorn op de haak en sloeg zijn armen om zijn echtgenote heen.

'Ze komt erbovenop. Een transplantatie is niet meer nodig.'

Maggie huilde met haar man mee. Ze nam haar hoofd in haar handen en snikte het uit.

'Goddank!'

'Alles komt nu goed. Ik voel het aan mijn water,' verzekerde Larry haar, en ze geloofde hem.

Emma durfde niet goed het ziekenhuis binnen te gaan, maar aarzelde nu op een andere manier dan de vorige keer. Sophies lever was op hetzelfde moment hersteld als de kwetsuur waar Emma mee had rondgelopen sinds ze het verraad van haar zus had ontdekt.

Sophie kon inmiddels rechtop in bed zitten en had weer een gezonde kleur op haar wangen.

Emma stapte de kamer binnen en voelde meteen dat de sfeer tussen hen werd getekend door gevoelens van opluchting en warmte.

Toen ze naast het bed was gaan zitten, stak Sophie haar hand naar haar uit. Emma pakte hem met twee handen vast.

'Wat een goed nieuws, Sophie!'

Sophie knikte. 'Ik heb ontzettende mazzel.'

Emma glimlachte. 'Je hebt de laatste weken heel wat te verstouwen gekregen.'

'Hier in dit bed heb ik ruim de tijd gehad om na te denken.' Er biggelde een traan over haar gezicht. 'Ik heb me vreselijk misdragen, Emma. Hoe kun je me ooit vergeven?'

'Laat het los. We moeten verder.'

'Ik heb je gemist,' gaf Sophie toe.

Nu was het Emma's beurt om een traantje weg te pinken. Zij had haar kleine zusje ook gemist, met wie ze als kind zo liefdevol had gespeeld. Het afgelopen jaar was vreselijk geweest, maar Paul was er nu niet meer en het werd tijd om verder te gaan. Voor Sophie hoopte ze dat zij dat ook zou kunnen.

'We moeten het verleden achter ons laten,' zei ze zacht. 'En dat zal nog niet meevallen.'

Sophie knikte heel langzaam. 'Nee. Maar ik vóél dat het gaat lukken. Ik ben veranderd.'

'We zijn allemaal veranderd – en Paul moet rusten in vrede.'

Sophie had het gevoel dat er een zware last van haar schouders werd genomen. Ze had een fantastische zus. Ze had iets heel ergs gedaan, waarmee ze haar hele familie bijna kapot had gemaakt. De laatste paar dagen, liggend in haar bed, had ze het liefst dood gewild, maar nu, met het vooruitzicht dat ze weer helemaal beter zou worden en dat haar zus haar zou vergeven, leek het haar de moeite waard een poging te wagen om degene te worden die ze in zich had.

'Hallo, meiden!' Louise kwam de kamer binnen.

Emma keek op toen Louise naar hen toe kwam en tussen haar twee zussen in op de rand van het bed ging zitten.

Louise keek omlaag naar hun verstrengelde handen en glimlachte. Zij had de afgelopen paar maanden haar eigen ontdekkingsproces doorgemaakt en haar verleden en haar toekomst met elkaar verzoend. Voor haar zussen was hetzelfde gebeurd. In spirituele zin waren ze alle drie met elkaar verbonden – vanaf hun geboorte verbonden door bloedbanden en doordat ze een constante factor in elkaars leven waren. Samen waren ze de Rubicon overgestoken.

Emma wierp een blik op Louise. 'Waar denk je nu aan?'

'Ik doe hetzelfde als jij, lieve zus: een beetje bij mezelf filosoferen.'

Emma lachte. 'Ben ik dan echt zo'n lastpost?'

'Jij bent de oudste, dat is je taak!' kwam Sophie tussenbeide.

'Ben jij dan de kleine dondersteen?' merkte Louise op, met een blik op Sophie.

Alle drie moesten ze hartelijk lachen – een diepe lach, die vanuit hun buik kwam. Ze mochten dan allemaal hun rol en vaste plekje binnen het gezin hebben, maar ze waren nog nooit zo één geweest als op dat moment.

'Nou, Emma, brand maar los over Felipe – hoe is hij in bed?' vroeg Sophie schalks.

Er flitste een blik over Emma's gezicht die meer zei dan duizend woorden, en een grijns deed haar mondhoeken krullen.

'Ik kan je één ding garanderen, zusje: jíj komt daar nooit achter!'

Epiloog

Een jaar later

Emma glipte naar buiten door de deuren van La Terraza. Ze wilde even alleen zijn om te kijken naar de prachtige weerspiegeling van de maan op het kalme water. Het was de mooiste avond van haar leven, een volmaakt einde van een nog veel fantastischer dag. Opeens voelde ze een paar sterke armen om haar middel, en ze hoefde zich niet om te draaien om te weten aan wie die toebehoorden.

'Ben je gelukkig, *mi esposa*?' fluisterde hij in haar oor.

Ze leunde achterover, tegen het bovenlijf van de schat van een man die ze voortaan haar echtgenoot mocht noemen.

'Ontzettend,' antwoordde ze, met haar blik op de dansende weerspiegeling van de maan op het water.

'Ik zei je toch dat we geluk hadden die keer dat we die bruiloft zagen, toen je voor het eerst hier in Cojimar was?'

Emma draaide zich om en drukte een warme, zachte kus op de lippen van haar kersverse echtgenoot.

'Het is geweldig geweest. We zijn zo'n gelukkig stel. Dank je wel dat je dit allemaal hebt georganiseerd. Al met al was het meer dan ik had kunnen wensen.'

En dat was ook zo – van de plechtigheid op het strand tot de perfecte receptie in La Terraza. De mahoniehouten bar ging helemaal schuil onder tropische bloemen en de tafels waren gedekt met frisse geruite kleden en beladen met een overvloed aan verrukkelijke zeevruchten en exotische creaties die in het allerbeste restaurant in Dublin maar moeilijk te vinden zouden zijn.

De trompet- en saxofoonklanken dreven door de wijd open ramen van de bar naar het balkon waar ze stonden. Allebei draaiden ze zich om om door de ramen naar binnen te kijken, waarachter ze een heleboel blije bruiloftsgasten salsa zagen dansen rondom de bar. Emma glimlachte om haar tante Alice en haar moeder, die in een hoekje zaten te praten; ze waren nu heel hecht met elkaar en haalden alle verloren tijd in. Aan de bar zat Sophie met een knappe jonge Cubaan naast zich van een mojito te nippen. Emma had zich na alles wat Sophie had moeten doorstaan heel beschermend tegenover haar jongste zus opgesteld, en nu liet die een heel andere kant van zichzelf zien. En verder waren er Louise en Donal, die zo sexy en intiem met elkaar dansten als ze hen nog nooit had zien doen. Jack Duggan was op precies het goede moment weer in hun leven verschenen; ze was blij toen Louise haar vertelde dat hij tegenwoordig in New York woonde.

Ze geloofde niet altijd in een happy end. Haar leven zou niet makkelijk worden, zo verdeeld over Havana en Dublin, maar die keus moest ze maken om de man te kunnen zien op wie ze haar hele leven had gewacht. Ze waren nu een stel, en ze was gelukkiger dan ooit tevoren.

Dankwoord

Zoals altijd is dit het moeilijkste onderdeel van een boek schrijven. Er zijn altijd zo veel mensen te bedanken dat het veel te veel ruimte zou kosten om iedereen te noemen, dus houd ik het bij één groot dankjewel aan mijn vrienden, en mocht ik je in de onderstaande alinea's niet hebben genoemd, dan ben ik je toch veel verschuldigd; ik heb niemand vergeten die me op deze reis – mijn derde boek – terzijde heeft gestaan.

Aan degene die me meer heeft geholpen dan wie dan ook ooit zal weten: dank je wel, Gaye Shortland, mijn FGE (wij weten waar dat voor staat!). Paula en Sarah, Kieran, David en alle anderen bij Poolbeg: het was fantastisch om met jullie samen te werken en ik kijk al uit naar mijn volgende drie boeken!

Veel dank aan mijn proeflezers Clodagh Hoey en Suzanne Barry, die me al vanaf mijn eerste schrijfsels hebben gevolgd. Ook dank aan mijn nieuwe proeflezers, die met veel geduld en grote zorgvuldigheid de stofkam door de tekst heen hebben gehaald: Maressa O'Brien-Raleigh, Tryphavana Cross, Suzie Murphy en anderen. Jullie hebben geen idee hoe groot jullie rol was bij de totstandkoming van dit boek.

Dank aan Emma Heatherington en al mijn Facebook-vrienden, wier niet-aflatende steun en bemoediging online gigantisch helpen – ik voel me nooit alleen als ik achter mijn laptop zit!

Dank aan Rachel Targett en Susan O'Conor voor jullie inspiratie en inzichten wat zussen betreft. Aan mijn Cubaanse vrienden, vooral Dehannys, die me over hun land vertelden en me een heleboel inzichten aan de hand deden toen ik onderzoek deed voor dit boek.

Dank aan alle engelen in mijn leven, vooral de levende: Angela, Joy en Philip.

Dank aan Juliet Bressan, die sinds we elkaar hebben leren kennen samen met mij in deze achtbaan heeft gezeten en zonder wie ik niet zou weten wat ik moest beginnen. Dank voor je geduld, gevoel voor humor en begrip, en omdat je hebt willen luisteren naar mijn geraaskal.

Dank aan mijn ouders, Pauline en Jim Walsh, omdat jullie me voor mijn veertigste verjaardag een reisje naar Cuba cadeau deden – jullie verwennen me ontzettend, en ik ben blij dat jullie mijn ouders zijn. Bedankt voor alle andere gaven en talenten die jullie aan me hebben doorgegeven.

Dank aan Brian dat hij mijn hand vasthield toen we door de straten van Havana liepen en voor alle andere avonturen die we als man en vrouw hebben beleefd.

Tot slot dank aan Nicole en Mark, omdat ze geweldig, mooi en inspirerend waren – ik ben een heel gelukkige moeder.